ANTOLOGIA DA ALIMENTAÇÃO NO BRASIL

LUÍS DA CÂMARA CASCUDO

ANTOLOGIA DA ALIMENTAÇÃO NO BRASIL

© Anna Maria Cascudo Barreto e
Fernando Luís da Câmara Cascudo, 2005
1ª Edição, Livros Técnicos e Científicos, Rio de Janeiro 1977
2ª Edição, Global Editora, São Paulo 2008
1ª Reimpressão, 2015

Jefferson L. Alves – diretor editorial
Flávio Samuel – gerente de produção
Dulce S. Seabra – gerente editorial
Daliana Cascudo Roberti Leite – estabelecimento do texto e revisão final
Aracelli de Lima, Cacilda Guerra, Luicy Caetano, Marcos Santos e Mirtes Leal – revisão
Maria Elisa Franco/Opção Brasil Imagens – foto de capa
Eduardo Okuno – capa
Antonio Silvio Lopes – editoração eletrônica

Obra atualizada conforme o
NOVO ACORDO ORTOGRÁFICO DA LÍNGUA PORTUGUESA.

Dados Internacionais de Catalogação na Publicação (CIP)
(Câmara Brasileira do Livro, SP, Brasil)

Cascudo, Luís da Câmara, 1898-1986.
  Antologia da alimentação no Brasil / Luís da Câmara Cascudo. – 2. ed. – São Paulo : Global, 2008.

  Vários colaboradores.
  Bibliografia
  ISBN 978-85-260-1292-9

  1. Culinária brasileira 2. Hábitos alimentares I. Título.

08-07062   CDD-392.370981

Índice para catálogo sistemático:
  1. Brasil : Hábitos culinários : Costumes
     domésticos   392.370981

Direitos Reservados

global editora e distribuidora ltda.
Rua Pirapitingui, 111 – Liberdade
CEP 01508-020 – São Paulo – SP
Tel.: (11) 3277-7999 – Fax: (11) 3277-8141
e-mail: global@globaleditora.com.br
www.globaleditora.com.br

Colabore com a produção científica e cultural.
Proibida a reprodução total ou parcial desta obra
sem a autorização do editor.

Nº de Catálogo: **2735**

Sobre a reedição de Antologia da Alimentação no Brasil

A reedição da obra de Câmara Cascudo tem sido um privilégio e um grande desafio para a equipe da Global Editora. A começar pelo nome do autor. Com a anuência da família, foram acrescidos os acentos em Luís e em Câmara, por razões de normatização bibliográfica. Foi feita também a atualização ortográfica, conforme o Novo Acordo Ortográfico da Língua Portuguesa; no entanto, existem muitos termos utilizados no nosso idioma que ainda não foram incorporados pelos grandes dicionários de língua portuguesa, como o Volp – nestes casos, mantivemos a grafia utilizada por Câmara Cascudo.

O autor usava forma peculiar de registrar fontes. Como não seria adequado utilizar critérios mais recentes de referenciação, optamos por respeitar a forma da última edição em vida do autor. Nas notas foram corrigidos apenas erros de digitação, já que não existem originais da obra.

Mas, acima de detalhes de edição, nossa alegria é compartilhar essas "conversas" cheias de erudição e sabor.

Os editores

Sumário

	Abertura	11
1	*Toques de rancho*	13
2	*A higiene da mesa* – *Luís Pereira Barreto*	16
3	*Regras de servir a mesa*	41
4	*Cocktails* – Maurício Nabuco	45
5	*Breve notícia sobre a cozinha baiana* – *Hildegardes Vianna* ..	46
6	*Cozinha do extremo Norte – Pará-Amazonas* – Bruno de Menezes	61
7	*Cozinha goiana* – W. Bariani Ortêncio	91
8	*O vatapá e a frigideira de siris moles* – Constâncio Alves	96
9	*Nove sopas. Barreado. A origem da mãe-benta* – Mariza Lira	101
10	*Virados paulistas* – Jamile Japur	104
11	*Notas sobre a culinária negro-brasileira* – Artur Ramos	106
12	*Capítulo da mesa, em São Paulo* – Leonardo Arroyo...........	111
13	*Modelo de jantar mineiro* – Antônio Torres	121
14	*Feijoada à minha moda* – Vinicius de Moraes	125
15	*Cantiga para fazer paçoca* – Newton Navarro	128
16	*Molhos da Bahia* – Sodré Vianna	130
17	*Bebia-se no Rio de Janeiro de 1900* – Luís Edmundo	132
18	*Frutas do Brasil "à lo divino"* – Frei Antônio do Rosário	136
19	*Frutas do Brasil* – Frei Manuel de Santa Maria Itaparica	139

20 **Frutos, caça e pesca do Brasil** – Frei José de
Santa Rita Durão 141

21 **As fruitas e os legumes** – Manuel Botelho de Oliveira 145

22 **Siricaia, doce da Índia** – Luís da Câmara Cascudo 151

23 **Viagem ao redor de um almoço** – João Chagas 154

24 **Os charutos do padre Brito Guerra** – Manuel Dantas 159

25 **A decadência do bom café** – Alfonso Reyes 161

26 **A saúde final** – Paulo de Verbena (Marcelino de Carvalho) ... 163

27 **Outrora, no Ceará** – João Brígido 165

28 **Festinha familiar na cidade do Salvador**
– Manuel Querino 168

29 **O jantar no Brasil** – Jean-Baptiste Debret 173

30 **O que comia o Imperador** – Hélio Vianna 177

31 **Um jantar baiano em 1889** – J. M. Cardoso de Oliveira 184

32 **As refeições no Rio de Janeiro,**
princípio do séc. XIX – John Luccock 194

33 **Refeições no Nordeste** – Henry Koster 199

34 **O passadio em Minas Gerais (1817)** – Augusto de
Saint-Hilaire 203

35 **Sociologia do mate no Rio Grande do Sul e**
Paraná de 1858 – Robert Avé-Lallemant 206

36 **Farinha de milho e de mandioca em São Paulo e**
Minas Gerais – Orville Adalbert Derby 208

37 **Ritual de bebedores** – José Calasans 209

38 **Esfriando bebidas...** – Luís da Câmara Cascudo 215

39 **O caju** – Mauro Mota 218

40 **Açaí, a bebida do Pará** – Luís da Câmara Cascudo 221

41 **Pequi, recurso alimentar do sertão** – Renato Braga 226

42 **Umbuzeiro, árvore sagrada do sertão** – Euclides
da Cunha 228

43 **Avoante** – Padre Humberto Bruening 231

44 **A pesca do xaréu** – Odorico Tavares 234

45 *A pesca do voador* – Luís da Câmara Cascudo 243

46 *Precioso açúcar gaúcho* – Athos Damasceno 245

47 *Gato por lebre* – Luís da Câmara Cascudo 247

48 *Despesas da cozinha imperial* 250

49 *A "vida" do criado particular do Imperador (1857)*
– Guilherme Auler 253

50 *A "roda" de Antônio Torres, no "Bar Nacional"*
– Gastão Cruls 256

51 *Sociedades cariocas para conversar e comer*
– Rodrigo O. de L. Menezes 260

52 *Na aristocracia rural pernambucana* – Júlio Belo 265

53 *O velho mercado, no Rio de Janeiro* – João do Rio 268

54 *O mercado público de Fortaleza (1948)* – A. da Silva Melo ...273

55 *Comer na gaveta* – Eduardo Frieiro 275

56 *O anfitrião dispéptico* – Coelho Neto 277

57 *Os santos da alimentação brasileira* – Luís da
Câmara Cascudo 280

58 *Cardápio do indígena nordestino* – Jorge Marcgrave 284

59 *Dietética carioca de 1817* – C. F. F. von Martius 288

60 *Cantando para caçar formigas* – Frei Ivo d'Evreux 290

61 *Disputas gastronômicas* – Luís da Câmara Cascudo 292

62 *Passadio sertanejo – A comida tradicional do sertão*
– Thadeu Villar de Lemos 297

Abertura

No primeiro volume da *História da alimentação no Brasil* (Brasiliana – 323, São Paulo, 1967),[1] expus o fundamento, raízes permanentes do cardápio tradicional na participação indígena, africana e portuguesa, quando o Brasil organizava sua existência coletiva. No segundo tomo (vol. 323-A, 1968) expus o panorama das preferências, o *comum* na comida nacional, com as inevitáveis pesquisas dessas *constantes* no Tempo. As indagações bibliográficas complementaram-se nas viagens para a verificação da contemporaneidade alimentar em sua autenticidade positiva.

Não havendo modelo anterior, fui abrindo meu caminho no plano da sistemática e da argumentação esclarecedora, no debate para as conclusões, manejando material limitado mas devido a pessoal obstinação perquiridora. Cabe-me a responsabilidade, o *me, me, adsum qui feci* virgiliano, em tudo quanto não for julgado ortodoxo, na matéria estudada. Alimentação, e não nutrição.

Este livro evoca alguns aspectos de nossa alimentação sob os vários ângulos de fixação histórica, etnográfica, literária, social. São páginas velhas e novas, de veracidade irrecusável, atualizando as antigas e reavivando as recentes no diagrama do paladar brasileiro.

A variedade, colorido e graça desses depoimentos, com outras vozes e razões, documentam a legitimidade dos volumes anteriores, mobilizados nesta *Antologia da alimentação no Brasil,* numa missão confirmadora e autônoma. Quero agradecer aos autores valorizantes deste inquérito, permitindo que suas páginas, autênticas nas fontes impressas, trouxessem uma informação mais original e nítida. Aos colaboradores que generosamente escreveram para esta *Antologia*, Hélio Vianna, Bruno de Menezes, Mauro Mota, Hildegardes Vianna, W. Bariani Ortêncio, Newton Navarro, faço a proclamação fraternal do auxílio; ao general André Fernandes de Sousa, a quem devo a expressiva documentária do "Toque de rancho";

---

1 Edição atual – 4. ed. São Paulo: Global, 2011. (N. E.)

Antenor Nascentes, Edmundo Monteiro, Leonardo Arroyo, madrugando nas sugestões, empréstimos de livros, faço, de público, a declaração de devedor integral. A documentária clássica apenas permitiu algumas notas atualizadoras sem ostentação bibliográfica.

Com meninice sertaneja, antes do automóvel, luz elétrica e rodovias, morando em cidade entre rio e mar, enamorado da cultura popular e teimoso em sua indagação, a biblioteca, para mim, não anulou o fato nem uma autoridade magistral derroga a evidência verificável. A pesquisa procurava testificar a normalidade inalterável do passadio brasileiro em qualquer recanto do território. Expor a paisagem em sua legitimidade, fixada por outros olhos observadores, no Tempo e no Espaço reais.

A Doçaria é sempre Europa, com percentagem mínima de outras influências, Índia, China. Não há doce africano. Nem indígena. Ainda se come em Portugal as gulodices que Pedro Álvares Cabral oferecera aos tupiniquins em Porto Seguro. Essa "continuidade" denuncia a preferência acima dos empurrões propagandísticos. Na Espanha come-se o que Dom Quixote comeu. As "caldas de açúcar", substituindo o mel de abelhas, demonstram antiguidade veneranda.

Tentei lembrar um pormenor desprezado na investigação alimentar, sobretudo nos *States*. Quem faz a comida tempera ao *seu* paladar. Paladar corresponde ao Timbre, fisionomia da Percepção. O povoador português comeu das mãos indígenas e africanas mas a mulher portuguesa apareceu e plasmou a cozinha colonial à sua imagem e semelhança. Iniciou o complexo do Sal. "Tempero" é o Sal. "Boa mão no Sal", apregoava a excelência em que nos viciamos.

Esta *Antologia* completa e fecha tudo quanto estudei na alimentação no Brasil. *Acta est fabula...*

Cidade do Natal,
Último de julho, 1964
Final de novembro, 1974.

Luís da Câmara Cascudo

I
TOQUES DE RANCHO

Ordenança revista e aumentada pelo Brigadeiro Severiano Martins da Fonseca, aprovada em Aviso de 30 de novembro de 1887 e mandada adotar no Ministério dos Negócios da Guerra por Aviso de 12 de maio de 1888 (ordem do dia 2182, de 1888):

Ordenança revista e ampliada por ordem do General de Divisão Francisco Rodrigues de Sales, chefe do Estado-Maior, aprovada em Aviso de 12 de novembro de 1906:

Regulamento nº 67, de Toques e Marchas para o Exército e Armada (R. T. M.), aprovado pelo Decreto nº 1.541, de 1º de abril de 1937:

Daí a possibilidade de o Toque de Rancho do Império haver sido reduzido na República. Motivo: os toques são ordens transmitidas por meio de instrumentos musicais. A corneta, o clarim. Como as ordens devem ser curtas e concisas, os toques também o serão, é lógico.

Exemplo: Império – Toque de Rancho:

República – O mesmo toque:

Como vemos, um é redundante, como diz o velho Tenente Fonseca, e o outro é mais tranchã... mais ordem. O último, se fosse criado, seria ainda mais sintético.

Para rever regulamentos e dar um possível cunho de unidade às "Ordenanças" do Exército, Marinha e Auxiliares, igualando-as tanto quanto possível no que houvesse de coincidente; sanando de uma vez por todas certas incongruências constantes de "prolixidades", "redundâncias" e ocorrências de vários tipos, que tumultuavam esses Regulamentos de Toques e Sinais. Houve legislação para tal fim.

De 1936 para 37 foi criada no Exército uma comissão especial, sob a presidência do então Coronel Eduardo Guedes Alcoforado a que coadjuvaram outros membros pertencentes às demais corporações citadas.

Foram indicados também mestres de música dessas corporações, sendo que o do Exército foi o Tenente Antônio Gomes Morais da Fonseca, que nos prestou agora essas informações.

O E. M. destinou o trabalho da comissão criada não só a impor tanto quanto possível a adoção de normas gerais que unificassem as "Ordenanças" como a corrigir as discrepâncias rítmicas e sônicas existentes nos toques; alguns deles foram e ainda são usados em todas as corporações, com o mesmo desenho melódico e rítmico; havia, contudo, dificuldades às vezes gritantes. Uns usavam toques vindos do Império, com floreios às vezes até de conta própria (os corneteiros não sabiam música), de vez que o ensino e transmissão eram feitos de oitiva e às vezes (rarissimamente embora, assinale-se) a contribuição pessoal revivia toques já modificados ou não mais em uso.

Depois da comissão citada, cujo trabalho está ainda em vigência, a coisa mudou porque tudo foi metodicamente enquadrado em correta notação musical.

Dessa forma, a comissão analisou, reviu, adotou novos toques, fez voltar alguns, já históricos, inspirados e interessantes; enriqueceu-os com melhor fraseado melódico, conservando e fazendo voltar certos cerimoniais, com belos empregos de percussão de caixas claras e tambores surdos, com os rufares alegres ou lúgubres.

Isso ocorreu com a *Alvorada* de clarins e cornetas; com o belo toque de *silêncio*; com a *Revista do recolher* etc.

Ficou um bom trabalho a *Ordenança* então elaborada e sua vigência continua, repetimos, pois ao que nos consta nada foi feito de melhor para substituí-la, embora possa haver algo esporádico em aditamento àquele trabalho. Mas se houver alguma coisa ainda discordante é pelos motivos acima expostos.

Neste trabalho elaborado pelo então Coronel Alcoforado e seus colaboradores foram feitas pesquisas na Biblioteca Nacional, fonte que poderemos voltar a consultar para dirimir dúvidas.

Rio de Janeiro, 17 de março de 1974

Nota: As informações e documentos aqui apresentados são uma gentileza do General André Fernandes de Sousa (Rio de Janeiro, RJ).

2

A HiGiENE DA MESA

LUÍS PEREIRA BARRETO (1840-1923)

*I*mediatamente antes de tomardes assento na vossa mesa, lavai com capricho as vossas mãos. E pensai sem cessar em educar os vossos filhos no salutar hábito de ter as mãos limpas no momento de levar à boca a fatia de pão. As necessidades diárias da vida em comum obrigam-vos a ir frequentemente ao mercado fazer compras e pôr em jogo dinheiro-papel em notas sujas, repelentes, que recebeis sem indagar de quem veio: nos carros de praça, nos bondes, nas ruas as vossas mãos se cobrem mais ou menos de uma poeira suspeita. É evidente, portanto, a necessidade de uma assepsia elementar.

Antes de servir a sopa, tomai um bom gole de água fria, não gelada. E não esqueçais que com a água potável da mesa se veicula frequentemente um grande perigo. Todas as nossas águas de serventia pública estão mais ou menos contaminadas e encerram os germes de várias moléstias graves. Nas florestas da circunvizinhança dos nossos reservatórios vagueiam manadas de porcos-do-mato e toda sorte de bichos bravios – cobras e lagartos – que aí fazem e aí espalham as suas dejeções; miríades de insetos aí vivem, aí morrem e aí depositam os seus cadáveres; nos tempos de epidemia os próprios homens do serviço e os pouco escrupulosos turistas visitantes, portadores de germes suspeitos, aí exoneram os seus intestinos; e as águas das chuvas, por vezes torrenciais, arrastam impetuosas todas as imundícies acumuladas para os tanques não fechados, onde pululam milhares e milhares de sapos e de rãs, que aí despejam igualmente as suas dejeções. E é a água desses tanques em aberto que bebemos e pagamos não barato!...

Às famílias em boas condições de fortuna resta o recurso das nossas águas minerais, que, felizmente, são excelentes: Caxambu, São Lourenço, Cambuquira, Lambari, Lindoia, Prata, Platina, radioativas ou não, pouco importa, servem todas como água de mesa.

Para todos aqueles que se não podem dar esse luxo – são de um preço proibitivo as nossas águas minerais – só resta o grande recurso da água fervida. A água filtrada não inspira inteira confiança; a filtração só por si não basta para dar-nos garantia completa. Muitas moléstias graves, podeis ficar certos, serão seguramente evitadas com o simples uso da água fervida.

Que não se abuse, porém, das águas gasosas nas comidas. Com o uso em excesso do gás carbônico, apanha-se facilmente uma dilatação no estômago. Meio copo, no máximo um copo, é o quanto basta no fim de cada refeição.

E lembrai-vos que o papa Leão XIII foi um grande poeta, que escreveu em sonoros e belos versos latinos a higiene da mesa, cujas noções gerais aqui resumo para o vosso uso.

Os Alimentos: Classificação, Digestão, Assimilação

Pelo próprio fato da vida, o nosso organismo gasta-se a todos os momentos. É ininterrupta a perda de calorias e de energia. Precisamos reparar as perdas incessantes que sofrem os nossos tecidos ao preencher as suas funções. A ciência experimental ensina-nos que um homem adulto em boas condições de saúde perde todos os dias 2.500 gramas de água, sendo 1.300 a 1.400 pelas urinas, 600 pelo suor, 400 a 500 pelos pulmões e 100 pelas fezes; mais 280 gramas de carbono pelo ar expirado, pelas urinas e pelas fezes, 25 a 30 gramas de sais minerais pelas mesmas vias e cerca de 18 gramas de azoto sob a forma de ureia e ácido úrico; demais, a perda de energia, que consome, orça por cerca de 2.600 calorias. O corpo do homem, como o de todos os animais, é uma máquina de queimar carvão. As substâncias alimentares destinadas a reparar as perdas inevitáveis encerram, em sua maioria, mais ou menos carbono. Essas substâncias alimentares deixam-se mui naturalmente classificar em três grupos que são:

l) proteínas ou matérias albuminoides, que nos são fornecidas sobretudo pelo reino animal;

2) hidratos e hidretos de carbono, que nos vêm especialmente do reino vegetal;

3) matérias minerais, os sais.

Proteínas

Os *materiais* orgânicos do corpo humano encerram 50% de proteínas. São estas substâncias que constituem essencialmente o protoplasma das células, base da vida. A química designa-as pelo nome de corpos *quaternários* e atribui-lhes a composição de: carbono, 55%; hidrogênio, 3,6%; azoto, 15% a 19%; oxigênio, 19% a 24%.

Mas o que caracteriza fundamentalmente este grupo de albuminoides é a presença do fósforo e do enxofre.

Cada uma das suas moléculas é constituída por uma associação de corpos relativamente simples chamados *aminoácidos*. Em uma comparação clássica, os fisiologistas consideram estes aminoácidos como as pedras ou os tijolos de um edifício. O trabalho da digestão tem por fim demolir o edifício e imediatamente reconstruí-lo sobre novas bases, de modo a imprimir-lhe uma nova face e uma composição mais de acordo com a natureza dos nossos tecidos. É assim que, quando um indivíduo ingere, por exemplo, carne de vaca, o organismo, para converter a carne bovina em carne humana, decompõe inteiramente a albumina bovina em aminoácidos e, com estes materiais fragmentados, procede à reconstrução da albumina, segundo a sua própria fórmula humana.

Podemos sem dúvida estranhar a falta de lógica quando o organismo se dá ao trabalho de despedaçar e esmiuçar as albuminas, para recompô-las em seguida; mas o grande fato é que esse trabalho é absolutamente indispensável. A verdade é que a albumina, depois de reconstruída, não é mais a mesma que a albumina primeira e está apta a ser assimilada.

Os hidratos e os hidretos de carbono

Os hidratos de carbono são designados em química pelo nome de corpos *ternários,* compostos sem azoto, contendo tão somente carbono, hidrogênio e oxigênio. O tipo dos hidratos de carbono é o *amido,* vulgarmente polvilho, fécula. Estes corpos ternários não entram senão em uma mui diminuta proporção na constituição dos nossos tecidos; mas, sob o ponto de vista da alimentação, a sua importância é suprema: são eles que fornecem 60% da energia gasta pelo organismo.

No grupo dos hidratos de carbono figuram três classes de princípios do mais alto valor, que são:

1) as glicoses, ou açúcar de uva, com a fórmula $C_6H_{12}O_6$;

2) as sacaroses, ou açúcar de cana – $C_{12}H_{22}O_{11}$;

3) as amiloses, $C_5H_{10}O_5$, convertíveis em açúcar.

As glicoses, açúcar de uva, são diretamente assimiláveis; não precisam da ação dos sucos digestivos para serem assimiladas.

As sacaroses são transformadas em glicoses no curso da digestão. O açúcar de cana converte-se em açúcar de uva.

As amiloses, sob a ação da ptialina (da saliva) e do suco pancreático, transformam-se primeiro em dextrina e depois em glicose. Em suma: a absorção intestinal de todos os hidratos de carbono opera-se sob a forma de açúcar de uva.

Os *hidretos de carbono* constituem todos os corpos gordurosos. O seu papel na alimentação é igualmente de primeira importância. Pela sua enorme riqueza em carbono as gorduras constituem a nossa principal fonte de produção de calórico. As gorduras são emulsionadas pela bile e suco pancreático e, em seguida, saponificadas pelo suco intestinal, isto é, convertidas em ácidos gordos e glicerina. Os ácidos gordos em presença dos sais alcalinos dão lugar à formação de sabões e é sob esta forma de sabão que todos os gordurosos penetram na circulação do sangue e são entregues à assimilação.

As matérias minerais, os sais

Os principais constituintes minerais do organismo são: o potássio, o sódio, o magnésio, o cálcio, o ferro, o cloro, o flúor, o fósforo, o silício, o manganês, o arsênico, o iodo, o bromo etc. etc. Os sais minerais representam cerca de 5% do peso do corpo.

Papel preponderante representa o oxigênio do ar atmosférico. O homem adulto toma diariamente no ar cerca de 700 gramas de oxigênio: é a porção indispensável para queimar a sua ração alimentar e desprender a soma precisa de calorias. E daí a necessidade de se respirar um ar puro e abundante. O oxigênio do ar é o primeiro de todos os nossos alimentos.

Convém aplicar mais especialmente a atenção sobre alguns corpos minerais, tais como o cloro, o sódio, o potássio, o ferro, o manganês, o cálcio, o arsênico e o iodo. Na vida das crianças, o ferro e o cálcio exercem papel preponderante; depois dos 10 primeiros meses convém dar-lhes, no almoço e jantar, uma gema de ovo, rica em ferro. O cálcio promove a formação da caseína do leite. A massa do sangue de um adulto encerra 3 gramas de ferro. Esse mesmo adulto perde diariamente 8 a 10 gramas de cloreto de sódio (sal de cozinha). É o cloreto de sódio que dá lugar à formação do suco gástrico, rico em ácido clorídrico, sem o qual a pepsina não pode agir para efetuar a digestão. O nosso sangue é muito rico em sais de soda e muito pobre em potassa; o nosso coração, pelo contrário, é paupérrimo em sais de soda e riquíssimo em potassa. O ferro e o manganês são os encarregados de veicular na corrente circulatória todo o oxigênio apreendido pelos pulmões; sem eles não há hematose possível. O iodo e o arsênico são agentes capitais como promotores de energia. Demais, representam um papel importante como antisséptico, porquanto são eles que tornam o nosso sangue tóxico para um grande número de micróbios.

Toda a energia de que dispõe o nosso organismo provém exclusivamente dos alimentos que tiramos do mundo externo. Estes alimentos são compostos químicos, cuja formação necessitou de uma certa soma de calórico. Não preciso lembrar que é o sol a única fonte de onde sai toda a soma de calor que faz as plantas viverem, crescerem e prepararem em seus tecidos os princípios nutritivos indispensáveis à vida do homem e dos animais. Cada alimento encerra em estado latente uma certa soma de calórico. Esse estado latente desaparece no momento em que é submetido à ação do oxigênio e de outras influências tais como as hidratações e as fermentações. A latência desaparece e no seu lugar a energia aparece. Os processos que põem em liberdade a energia acumulada são precisamente os processos bioquímicos que constituem as funções da digestão e da assimilação.

Cada grama de albumina queimada no sangue desprende um pouco mais de 4 calorias; cada grama de hidratos de carbono dá igualmente 4; e cada grama de gorduras emite um pouco mais de 9 calorias. Ora, constando a ração média diária de um adulto de 107 a 110 gramas de albuminoides, 64 a 68 gramas de gorduras e 407 a 410 gramas de hidratos de carbono, a consequência será que a alimentação do adulto fornece-lhe diariamente uma soma de calorias superior a 2.350. A produção de calorias em um bom gastrônomo pode subir a muito mais de 2.600.

Uma das primeiras condições para uma boa digestão é que os alimentos sejam bem triturados na boca. A mastigação é uma das mais importantes funções digestivas. É para reduzir a migalhas os alimentos sólidos que servem os dentes. Pouca gente sabe comer, porque pouca gente sabe para que serve uma boa dentadura. Quase todo mundo come às pressas, engolindo os bocados sem mastigar. Centenas de indivíduos queixam-se de dispepsia, porque jamais pensaram em aproveitar os seus dentes. É sobretudo no comércio que mais abundam os moços dispépticos, vítimas da impertinência dos patrões, que não lhes concedem suficientes minutos para mastigar. É na saliva que reside a *ptialina,* possante fermento que digere o pão, o arroz, o feijão, os farináceos, todos os hidratos de carbono ricos em amido. Não pode haver digestão perfeita se os alimentos não forem bem insalivados. Os alimentos devem chegar ao estômago já bem preparados pela saliva. No estômago os aguarda o suco gástrico, composto de três enérgicos agentes: a *pepsina,* o *ácido clorídrico* e o *labefermento.* O trabalho da digestão no estômago dura cerca de 4 horas. O estômago é dotado, sobretudo nas aves, de uma possante musculatura, que lhe permite executar extensos movimentos a fim de bem caldear a massa alimentar e não deixar partícula alguma sem sofrer a ação do suco gástrico. A massa chama-se *quimo* do momento que está bem acidificada pelo ácido clorídrico e pronta para continuar a seguir o seu caminho em demanda do intestino.

O piloro, que quer dizer porteiro, abre-lhe a porta para dar-lhe entrada na primeira parte do intestino, que é o *duodeno.* Aqui muda imediatamente, de todo em todo, a cena química. A mucosa intestinal, sob a ação do quimo ácido, produz a *secretina,* a qual, absorvida e penetrando na circulação do sangue, provoca no pâncreas uma abundante secreção de suco digestivo contendo quatro fermentos capitais, que são: a *amilase,* a *maltase,* a *lipase* e a *tripsina.* Este papel de agente indireto valeu à secretina o nome de *hormônio,* que mais tarde se estendeu a muitos outros. O suco pancreático é essencialmente alcalino. A amilase reforça e completa a ação da saliva e transforma os amidos, os farináceos em dextrina. A maltase converte a dextrina em glicose ou açúcar de uva. A lipase emulsiona as gorduras e as transforma em glicerina e ácidos gordos. A tripsina é o fermento mais importante que contém o suco pancreático: é ela que reforça a ação da pepsina e completa a digestão dos albuminoides, tais como a carne, os ovos, o leite e o queijo.

A bile alcalina reforça a ação dos fermentos pancreáticos e emulsiona igualmente as gorduras. O seu principal papel é o de agente antisséptico; é ela que impede a putrefação dos alimentos no intestino, contendo em respeito, como polícia sanitária, os micróbios inimigos.

Mais adiante, o bolo alimentar encontra-se com o suco do intestino delgado, o qual encerra uma *enteroquinase* que é o principal agente que reforça o papel da tripsina. Um pouco mais abaixo a mucosa intestinal encerra uma *invertina*, que desdobra o açúcar de cana em açúcar de uva. E, afinal, na última porção do intestino delgado, a mucosa contém um importante fermento chamado *erepsina*, o qual tem por missão completar a digestão dos albuminoides, reforçando assim a ação da pepsina e da tripsina.

As diversas glândulas digestivas, as glândulas salivares, o estômago, o pâncreas e o fígado não atuam sobre os alimentos senão pelas suas secreções. Mas, na esfera da digestão intestinal, um fato curioso e da maior importância tem lugar, que não podemos deixar de assinalar. É o seguinte: a mucosa intestinal, independentemente dos sucos digestivos que despeja no intestino, atua direto e energicamente sobre os alimentos à medida que estes a atravessam ao serem absorvidos. Os produtos da digestão gastrintestinal, no momento em que se formam, são eminentemente tóxicos; mas perdem essa qualidade tóxica ao atravessarem a espessura da mucosa. Do mesmo modo, diversos açúcares assimiláveis, como a lactose, transformam-se em glicose ou açúcar inassimilável ao atravessar a mesma mucosa. É fácil verificar, por meio da maceração de um fragmento da mucosa, que a ação, por exemplo, da erepsina contida na mucosa é muito mais enérgica do que o suco intestinal. Nos casos de moléstia, achando-se a túnica mucosa desnudada da camada epitelial, os sucos intestinais podem ser absorvidos sem serem neutralizados e assim provocar um grave envenenamento de toda a massa do sangue. É o epitélio que protege o organismo. Daí o perigo das febres como o tifo, acompanhadas de descamações e exulcerações da mucosa intestinal.

Os processos bioquímicos intraintestinais devem ser considerados como sendo o efeito de uma notável e regular cooperação de muitas funções secretórias. Todos os fermentos que acabamos de passar em revista são substâncias químicas, não seres animados. Passemos agora a lançar de relance uma vista de olhos sobre a parte de cooperação que cabe aos micro-organismos, às bactérias. Habitam nos nossos intestinos micróbios amigos e micróbios inimigos. Entre os amigos devemos assinalar em primeiro lugar o bacilo anaeróbio – o *amylobacter*. É este bacilo que está encarregado da importante função da digestão da celulose. A celulose representa um papel imenso na economia do mundo vegetal. Toda a alimentação dos herbívoros, e grande parte da dos onívoros, tem por base a celulose. É ela que constitui o princípio imediato que abunda nos nossos grãos alimentícios e nos nossos legumes, tais como a chicória, a couve, a alface, o palmito etc. etc. Não só serve ela de precioso alimento quando atacada pelo *amylobacter* e convertida em açúcar, como ainda exerce um conspícuo papel mecânico – o de excitar e promover os movimentos peristálticos do intestino.

Estes movimentos são absolutamente indispensáveis para facilitar ao bolo alimentar o caminhar progressivamente de cima para baixo e sofrer a ação química do suco digestivo de cada segmento intestinal. Não é ela, entretanto, de fácil digestão; e, para torná-la bem digerível, devemos ter o cuidado de escolher legumes bem novos, bem verdes e tenros, evitando o mais possível os talos das saladas.

Na vida civilizada, a arte culinária tende cada vez mais a diminuir o volume dos alimentos ricos em celulose e conduz assim traiçoeiramente os cidadãos aos tormentos da prisão de ventre. Inquestionavelmente, a prisão de ventre é um mal social resultante, a maior parte das vezes, de uma digestão por demais perfeita. Faltando-lhe o contato de uma certa massa sólida, desaparece o estímulo e o intestino torna-se preguiçoso. A celulose é uma espora que não deixa o intestino ficar frouxo. A fisiologia experimental ensina que os coelhos que só recebem uma alimentação destituída completamente de celulose morrem em poucos dias em consequência de inflamação intestinal ou de volvo (Gley).

No intestino dos ruminantes, as diversas sortes de celulose, mesmo a serragem de madeira, são todas digeridas em notável quantidade. É deveras de primeira importância o papel do bacilo *amylobacter* na digestão de todos os animais herbívoros e pássaros granívoros, porquanto é ele que ataca e dissolve os invólucros das células vegetais e expõe assim os grãos de amido e as albuminas vegetais à ação dos sucos digestivos. Não podemos dispensar o auxílio dos micróbios amigos. Não pode ser mais eloquente o espetáculo de um caso normal de *simbiose*.

Alguns homens excepcionais possuem estômago e intestinos de boi: digerem no ápice da perfeição grandes quantidades de celulose. As suas funções digestivas podem mesmo ser superiores às do boi. Esses indivíduos podem passar impunemente dois, quatro, seis meses, um ano ou mais sem exonerar os seus intestinos. É só depois de longo prazo que o *fecaloma* os incomoda e obriga-os a procurar os recursos médico-cirúrgicos. Nessas condições tive um cliente, homem possante, grande comilão, enérgico trabalhador, aliás muito inteligente, que, havia dois anos, não tinha evacuado.

Auxiliado pelos meus colegas, drs. Abílio Sampaio e Rocha Fragoso, procedi à operação. Pensais que devesse ser enorme a quantidade de fezes acumuladas? Extraímos apenas três quilos. A colossal alimentação de dois anos, que devia orçar seguramente por mais de 1.500 quilos, não deixou de resíduo no cólon senão três quilos! Tive um outro cliente que passou quatro anos sem evacuar.

Auxiliado pelo meu colega, dr. Amarante Cruz, procedi à operação do esvaziamento pela mão: extraímos seis quilos de matérias fecais. O meu eminente colega dr. Carlos Botelho operou com vantagem um seu cliente de fecaloma, que havia passado cinco anos sem evacuar: o peso das matérias fecais que retirou foi de oito quilos. Os anais da ciência referem casos de fecalomas de dez a onze quilos. Estes casos fenomenais não se deixam explicar senão admitindo-se que a liquefação da celulose pelo *amylobacter* foi deveras completa e de extraordinária perfeição.

A nossa flora intestinal é muito rica e é por bilhões que se contam aí os micróbios de toda sorte, dos quais os principais são os *Bacillus subtilis*, o *Bacterium coli commune*, o *B. "Megaterium"*, o *Estaphylococcus pyogenes aureus*, miríades de bactérias vulgares. Vem aqui a propósito relembrar o retumbante romance que Metchnikoff levantou para preconizar o uso da coalhada, que ele considerava como preciosa obra dos micróbios amigos em nossa defesa contra as perversas agressões dos micróbios inimigos feitores da putrefação. Segundo a sua doutrina, é o ácido lático, produto da conversão da glicose, açúcar de uva, que opera a completa desinfecção do intestino grosso.

Os bacteriologistas ingleses mostraram que o açúcar de uva desaparece em caminho, no seu percurso do intestino delgado, e jamais alcança o intestino grosso. Não pode haver portanto, aí, produção de ácido lático e não é a ele, por conseguinte, que pode caber o papel de combatente das putrefações intestinais. Metchnikoff nunca respondeu aos seus colegas ingleses.

Entre os diversos produtos das fermentações intestinais, não podemos deixar de assinalar a fermentação alcoólica provocada pelo *bacillus coli communis* atacando o açúcar de uva. Em um caso de fístula intestinal em uma mulher, os seus médicos retiravam todos os dias quatro quilos de matérias que, submetidas à destilação, davam quatro centímetros cúbicos de álcool. Essa mulher não fazia uso de uma só gota de bebidas alcoólicas. Cito o fato tendo em vista a oportunidade de serem mais moderados em suas opiniões aqueles que pedem a proibição absoluta das bebidas fermentadas. A produção de gases nos intestinos é devida igualmente a fermentações bacterianas.

Coisa singular: apesar da alta significação e da suprema importância das funções do intestino delgado, os cirurgiões estão todos os dias ressecando e amputando grandes porções dele, sem que daí resulte sensível mal aos operados. Em um caso célebre, três metros de intestino foram amputados, sem que daí resultasse uma perturbação qualquer nas funções digestivas: notou-se apenas uma ligeira diminuição na absorção das gorduras.

Sabem todos que Metchnikoff não hesitou em propor a amputação total do intestino grosso como medida profilática banal para evitar as apendicites!

Segundo as observações radioscópicas os alimentos hidrocarbonados percorrem os intestinos em quatro horas, as gorduras em cinco e os albuminoides em seis.

Os alimentos não são digeridos e muito menos absorvidos em sua totalidade: é muito variável o grau de digestibilidade de cada um. É assim que a falta de digestão completa é para o pão branco de 3%, para o pão de centeio de 15%, para o arroz de 4%, para a carne de 4 a 5% etc. etc. O valor de um alimento regula-se com razão pelo seu grau de digestibilidade.

O REGIME ALIMENTAR DEVE SER MISTO

Os animais carnívoros podem viver exclusivamente de carne, graças à aptidão que possuem de transformar em amoníaco uma grande parte dos seus alimentos azotados, de modo a alcalinizar suficientemente o seu sangue.

Os animais herbívoros e os próprios homens vegetarianos podem sem dúvida viver exclusivamente de ervas ou legumes; mas, para isso, precisam acumular no tubo gastrointestinal uma enorme quantidade de alimentos, dos quais a maior parte não é aproveitada.

O homem precisa de alimentos provenientes dos três reinos – animal, vegetal e mineral.

COZINHA FRANCESA – RAÇÃO MÉDIA E POR DIA DE UM PARISIENSE

(segundo Armand Gautier)

	Gramas
Pão	400
Massas de trigo	20
Carne de vaca, vitelo, carneiro	175
Carne de porco	30
Galinha, caça	31
Peixe	33
Ovos	24
Queijo	9
Manteiga	28
Frutas	70
Legumes herbáceos	250
Legumes em grãos	40
Batatinha	100
Açúcar	40
Leite	213
Sal de cozinha	20
Vinho	½ litro

Esta ração representa uma boa média como tipo de alimentação de povos modernos, enérgicos e trabalhadores. Nada aí falta para integrar a soma necessária de albuminoides, de gorduras e de minerais que devem perfazer o total de 2.350 a 2.400 calorias. Mas a França ainda está longe de poder dar esta ração à totalidade dos seus habitantes. Em várias regiões, como a Bretanha, o Limousin, o Auvergne e costa do Mediterrâneo, os homens contentam-se com um pouco de pão de centeio, de peixe, de carne de porco salgada uma ou duas vezes por semana, mais um pouco de azeite e de sal. Para os habitantes da Índia e para os árabes, bastam alguns punhados de arroz ou de tâmaras para matar a fome.

Nos tempos da escravidão entre nós, a nossa cozinha nacional celebrizou-se pelo modo hábil e seguro com que manejava o emprego do feijão, do angu de milho e da gordura. Um instinto científico certeiro guiou os nossos avós. O feijão encerra 22 a 25% de proteínas; é, portanto, mais rico do que a carne, que só contém 20%. O milho encerra 9 a 10% de proteína, 68 a 69% de amido e 1,38% de celulose; é, pois, um dos mais ricos hidratos de carbono. A gordura de porco completava a obra, fazendo da associação dos três materiais um modelo de conjunto alimentar. Esse modelo era inquestionavelmente superior como fonte de energia ao da cozinha francesa, que precisa de dezesseis pratos deferentes para perfazer a soma total de 2.300 a 2.400 calorias. Um dois mais distintos fisiologistas ingleses daquele tempo, o prof. Rolleston, de Londres, sem saber o que se passava no Brasil em matéria de alimentação, demonstrava por experiências de laboratório que a associação do feijão, do milho e da gordura constitui uma ração alimentar singularmente completa.

Um grande número de populações, quer da Europa, quer da Ásia, muito teriam que aproveitar, se pudessem imitar o regime alimentar que dávamos aos nossos escravos. As classes proletárias por toda parte lutam desesperadas com a fatalidade de uma alimentação insuficiente. Populações mal alimentadas não podem evidentemente se entregar a trabalhos intelectuais penosos e prolongados. Com um regime alimentar insuficiente, o homem gasta-se depressa e envelhece cedo.

Não escondamos, porém, inteiramente, os defeitos da nossa cozinha nacional. A ração do parisiense leva a grande vantagem de dispor de alimentos dotados de uma maior digestibilidade. É de noção elementar que os albuminoides tirados do reino vegetal não são jamais de tão fácil digestão como os que nos vêm do reino animal. A carne será por todo o sempre um alimento de valor incomparável pela sua fácil digestão.

O feijão é, sem dúvida, ouro maciço, vale ouro de lei. Mas é preciso que ele não seja ingerido senão por estômagos irrepreensíveis quanto ao grau de capacidade digestiva. É alimento sadio, de valor nutritivo sem igual para o trabalhador de machado, para os moços, para os homens vigorosos; mas não serve para os intelectuais, nem para os velhos, que vivem em atmosfera confinada, absorvendo pouco oxigênio. Os magistrados, os juízes, homens em geral de certa idade, precisam absolutamente de uma alimentação reconfortante sob pequeno volume, de modo a não perturbar o trabalho ao cérebro em suas penosas elaborações.

Muita sentença iníqua não tem por origem senão a dispepsia de alguns provectos membros do tribunal. A boa distribuição da justiça depende da boa higiene da mesa.

No regime misto, a carne não pode deixar de entrar em preponderante proporção: é ela a mais ativa fonte de energia cerebral nos tempos modernos.

Foi em vão que o longínquo poeta da Antiguidade exclamou indignado:

Hen! Quantun scoelus víscera in condi,
Alteriusque animantem animantis vivere leto,
Congestoque avidum pinguescere corpore corpus.

Os hindus não comem carne; o boi é para eles animal sagrado. Um punhado de ingleses mantém sob o jugo 300 milhões de habitantes. A Inglaterra é o país que mais carne consome e o que mais esplendoroso regime de liberdades políticas professa.

É graças à sua qualidade de primeiro dos carnívoros que o homem consegue manter a sua supremacia no cenário do mundo.

Depois da carne, dos ovos, do leite e do queijo, é o pão que deve estar na dianteira de todas as rações alimentares. Neste sentido, a cozinha francesa é incontestavelmente a primeira cozinha de todo o mundo civilizado. O francês é grande comedor de pão, diz Armand Gautier. Só Paris consome atualmente um milhão de quilos de pão por dia. Mas a cozinha francesa deixa-se frequentemente seduzir pela elegância dos nomes dos pratos, sacrificando o fundo à forma, dando por demais larga margem às *fiorituras*, de modo que, depois de um banquete de 15 ou 20 pratos, saímos muitas vezes da mesa com o estômago... vazio.

A nossa cozinha nacional tem primores que merecem ser cantados em todas as línguas. A nossa cozinha baiana, especialmente, não tem no mundo rival para o preparo do peixe. Não é só o seu *vatapá* que se impõe à atenção universal: é com razão que os baianos se orgulham de sua *moqueca de peixe*, do seu *angu de quitandeira*, do seu *caruru*, do seu *efó* e do seu *mocotó*. O leite de coco e o óleo de dendê são dois condimentos portentosos na arte culinária baiana.

A cozinha paulista, que se confunde com a cozinha fluminense, tem ao seu dispor peixes de água salgada, tais como a garoupa, a pescada amarela, o robalo, o badejo (para homens de boa saúde), e a pescadinha, a viuvinha e o carapau (para doentes); e peixes de água doce de vulto, tais como o dourado, o pintado, o jaú, o surubim, a piracanjuba, a piaba, a piabanha, o trairão, a piapara etc., acompanhados dos nossos deliciosos bagres e cascudos. São recursos de grande aparato que nos permitem levar a nossa arte de cozinha ao ápice da elegância e da perfeição.

A cozinha rio-grandense não se assinala, deveras, pela elegância da forma; mas, em compensação, enriquece o nosso estômago com um bocado clássico e típico do que pode haver de mais insigne em matéria de alimento produtor de energia: o seu *churrasco* é inimitável.

As instalações domésticas das nossas cozinhas não nos permitem tentar uma imitação do churrasco rio-grandense. As nossas cozinheiras contentam-se com o preparo do *cozido* e do *caldo de carne* para a sopa e, neste departamento, revelam uma grande e prejudicial ignorância: não distinguem de todo entre os característicos culinários de um e de outro.

Aconselho, portanto, às mães de família que, quando quiserem preparar um suculento cozido, ponham a carne na água *fervendo* imediatamente, e não na água fria ou morna, e retirem a panela do fogo ao cabo de 15 a 20 minutos. A razão é que assim a albumina da carne coagula-se na superfície e forma uma crosta impermeável que não deixa os sucos alimentícios saírem.

Quando, pelo contrário, queiram obter um bom caldo reparador, devem pôr a carne em água fria e não deixá-la ferver senão a fogo muito lento, demorando a operação por quatro a cinco horas, de modo a fazer sair todo o suco e esgotando completamente o pedaço. É só assim que poderão obter um bom *beef tea*.

Estes detalhes são de suma importância quando se trata de alimentação de doentes e convalescentes.

A boa higiene exige que nos climas quentes a ração média dos albuminoides não exceda de 30 a 90 gramas diariamente e que a das gorduras não passe de 60 gramas. Só assim serão seguramente evitados os graves inconvenientes do artritismo, da arteriosclerose, as degenerescências do coração, dos rins, do fígado etc. etc.

Segundo Armand Gautier, nós perdemos diariamente de 25 a 26 gramas de substâncias minerais, das quais a metade se compõe exclusivamente de cloreto de sódio (sal de cozinha).

Reina ainda em medicina uma grande divergência de opiniões quanto ao papel e à própria utilidade do sal de cozinha. Não vai longe o tempo em que era moda condenar em absoluto o precioso elemento mineral e lançar ao desprezo o depoimento fundamental da fisiologia. Penso que é de palpitante necessidade restituir normalmente ao organismo a totalidade dos sais que perde todos os dias e que só muito excepcionalmente e de modo passageiro se pode suprimir a introdução do sal de cozinha no sangue. Não esqueçamos que a luta pela vida é um espetáculo universal e que ela se passa por toda parte não só entre homem e animal, entre animal e animal, entre animal e planta, entre planta e planta, mas, ainda, entre os nossos próprios órgãos, entre os próprios tecidos e elementos anatômicos que os constituem, que digo! entre os próprios sais minerais que entram na composição do nosso sangue e de todos os nossos humores.

Não preciso recordar a clássica *fagocitose*.

A fisiologia nos ensina que em cada um dos nossos ossos é preciso distinguir entre o corpo – *diáfise* – e as extremidades – *epífise* – e que, enquanto o corpo é constituído em sua quase totalidade pelos sais de cálcio, fosfatos e carbonatos de cal, a extremidade, a epífise, é recoberta de cartilagem, cuja composição química revela uma enorme riqueza em cloreto de sódio e grande pobreza em sais calcários. Durante a infância e a juventude, é ativíssima a luta entre os sais calcários e o sal de cozinha. Se, na luta, for totalmente vencido o cálcio, o osso ficará toda a vida mole e constituirá uma moléstia desgraciosa e humilhante. Se for o cloreto de sódio o vencido, a cartilagem será invadida pelos sais calcários e perderá completamente a sua preciosa elasticidade, sem a qual não é possível um perfeito funcionamento, que é o apanágio da mocidade. As válvulas do coração, constituídas por um tecido fibrocartilaginoso, serão igualmente invadidas e tornar-se-ão duras, coriáceas, inteiramente inadequadas para preencher a sua delicada tarefa. A insuficiência do sal de cozinha na alimentação acarreta para o indivíduo uma velhice precoce. O cloreto de sódio é a fonte única de onde emana o ácido clorídrico, sem o qual não há formação possível de suco gástrico.

O abuso do sal de cozinha pode trazer o excesso de acidez no estômago, a hipercloridria, e agravará as consequências de uma insuficiência renal ou hepática. Nesses casos, evidentemente, será indicado restringirmos a dose da ração, bem certos de que muitas vezes a medida propinada pode efetivamente causar mais mal do que a moléstia. É graças ao sal de cozinha que a zootecnia consegue os seus maiores esplendores na engorda dos animais: é ele que veicula as indispensáveis frações de miligramas de arsênico que ingerimos nas nossas refeições.

Não esqueçam as donas de casa que o sal para a cozinha, à disposição das cozinheiras, deve ser o sal grosso, meio esverdeado, feio, e não sal refinado, alvo, elegante: o sal grosso é o único que contém os traços de arsênico, de que não podemos absolutamente prescindir para a manutenção da nossa saúde.

Exclusão de todas as bebidas alcoólicas

Na ração média de cada parisiense, figura meio litro de vinho. O gênio gaulês, vivo, folgazão, não admite que lhe falte esse velho companheiro de mesa. A Igreja católica, desde os seus primeiros tempos, adotou o vinho como o símbolo augusto da redenção da humanidade: para ela, o vinho representa o sangue de Cristo. E é com os seus ideais superiores que ela tem conseguido, durante séculos, guiar e proteger a marcha da civilização. Por outro lado, a cultura profana da videira tem sido uma doce fonte perene de poesia, que ocupa um lugar imenso na literatura de todos os povos. Ultimamente, Leão XIII, em uma esplêndida peça literária de pulso – a *Higiene da mesa* –, consagrou a alta eficácia e a sagrada benemerência do cálice de vinho generoso no final de cada uma das nossas refeições. E, como ele, está o ardente patriota Clemenceau, que não dispensa na sua sobremesa o reconfortante cálice de vinho do Porto, por considerá-lo a suprema salvaguarda da sua adiantada velhice.

Marchavam uníssonos todos os povos civilizados em um encantador concerto de bênçãos gratas ao suco fermentado da uva, quando, de repente, sem dizer "água vai!", os norte-americanos profligam e condenam à pena última como um feroz criminoso o vinho, de envolta com todas as outras bebidas congêneres, sem distinção. Nenhuma ressalva foi admitida como exceção para os casos frequentes de moléstia; o legislador americano não cogitou do caso dos velhos depauperados atacados de pneumonia e condenados a uma morte próxima se não vier em seu socorro uma meia garrafa ou uma garrafa inteira de vinho do Porto por dia. Nenhuma distinção se fez entre o vinho genuíno de uva e essas avalanchas de atrozes beberagens fabricadas exclusivamente com álcool de batata e que se chamam conhaques, grogues, uísques, ratafias, absintos, runs etc.

É sabido que os países grandes produtores de vinho são os que menos sofrem do mortífero flagelo do alcoolismo: são bem mais raros os alcoólatras em Portugal, na Espanha e sul da França, onde o vinho genuíno abunda e está ao alcance das bolsas proletárias. Foi especialmente na Rússia, foi nas regiões mais setentrionais da Europa, onde o alcoolismo atingiu as mais horrendas proporções.

Mas não discutamos: já não é mais oportuna a discussão. Sigamos o alvitre do ilustre autor da filosofia otimista, Metchnikoff que, entrevistado, assim se pronunciou: "Sem dúvida, o vinho genuíno de uva, em pequenas doses, não pode fazer senão bem. Mas, sendo tão difícil beber pequenas doses de um excelente vinho, acho mais prático deixar inteiramente de beber: e é o que faço pessoalmente".

Afinal de contas, os irredutíveis adversários de toda bebida alcoólica têm carradas de razão. São pavorosos, de fato, os estragos feitos pelo álcool no seio das sociedades modernas. O álcool só por si mata muito mais gente do que todas as guerras juntas.

No nosso país, em São Paulo, especialmente, não precisamos absolutamente de bebida alguma alcoólica nas nossas refeições. O álcool é um veneno sobretudo para os moços; é ele que embota a inteligência e todas as grandes aptidões da mocidade. Os estudantes que usam de *chops* não podem pretender a um lugar de nota nas fileiras acadêmicas. É com toda razão que o público de São Paulo tem instintivamente passado para os cafés, deixando visivelmente a cerveja em plano muito secundário. É um movimento puramente espontâneo, não tendo ainda havido por parte da classe médica uma propaganda em regra contra as bebidas alcoólicas.

Em lugar do álcool aí estão a justificar direitos de merecida precedência o café, o chá-da-índia, o mate e o guaraná. São todas bebidas mais ou menos tônicas, intelectualizantes, incitadoras de energia cerebral. Leão XIII concedeu a palma da preferência ao café para finalizar com elegância o ato do jantar. Podemos aceitar com respeito e simpatia a imparcial e bem lavrada sentença.

Noções complementares

A carne, o peixe, o leite e os ovos são os alimentos que nos dão os albuminoides sob a forma mais prontamente utilizável e mais aproximada da constituição dos nossos tecidos. Os albuminoides de origem vegetal, tais como a legumina, a amandina e o glúten, precisam, para ser utilizados, de um trabalho de assimilação mais difícil e prolongado.

As gorduras, o açúcar, os hidratos de carbono em geral, favorecem a assimilação das substâncias albuminoides e, reciprocamente, essas substâncias podem substituir até um certo ponto as matérias ternárias.

A variedade, o sabor, a arte com que o bocado vai enfeitado para a mesa, muito influem para o seu grau de digestibilidade. Não é só Brillat Savarin, é o eminente fisiologista russo, o prof. Pavlov, que com razão insistem sobre a importância deste lado psicológico da questão. A alimentação variada é uma necessidade fisiológica para o homem civilizado.

A quantidade real de energia que a ração de conserva diária põe à disposição do homem adulto nos climas temperados é de 2.350 a 2.400 calorias, conforme foi verificado na câmara calorimétrica de Atwater. Os vegetais, especialmente as nossas hortaliças e os grãos das leguminosas, representam um papel importantíssimo na nossa alimentação. São eles que introduzem no nosso sangue, sob a forma de sais de potassa, de soda, de magnésia e de cal, as bases alcalinas indispensáveis aos nossos humores e tecidos.

Os malatos, os citratos, os tartaratos, os oxalatos etc., queimados pelo oxigênio, transformam-se em carbonatos alcalinos, que enriquecem o sangue e fornecem-lhe o meio de neutralizar os ácidos úrico, hipúrico e sulfúrico, que normalmente se formam no metabolismo da desassimilação. A alcalinidade do sangue e de todos os humores é indispensável para o bom funcionamento dos nossos órgãos.

O nosso coração, em particular, requer muita potassa para trabalhar com firmeza. Felizmente, são os sais de potassa que predominam na composição química das nossas hortaliças: o espinafre encerra 4,5% de sais de potassa, a cenoura 5%, a batatinha 3,2%, o nabo 3,7%, a couve 2,6%, a chicória 1,7% etc. etc.

A propósito, convém lembrar a enorme quantidade de cenouras forrageiras que São Paulo exporta diariamente para o mercado do Rio, destinadas ao especial sustento dos cavalos de corrida. O que se quer de um cavalo de corrida é a posse de pulmões possantes e de coração de aço, para poder desbancar de um fôlego todos os concorrentes. Não deixa de ser estupendo que os *entraineurs*, sem saber palavra de fisiologia, acertassem tão completamente na prática com a natureza da alimentação especial a dar aos cavalos.

Na ração média diária dos alimentos de um parisiense, cada indivíduo adulto recebe e introduz no seu sangue, segundo Armand Gautier, todos os dias, 3,2% de potassa, 0,65% de soda, 1,15% de cal e 0,50% de magnésio. Segundo Charles Richet, a percentagem de potassa é ainda mais elevada.

O pão é, com a carne, a principal substância nutritiva do homem civilizado de raça branca.

A fabricação do pão de trigo assinala um dos mais decisivos passos operados na marcha do progresso humano. Depois desse passo, todas as outras conquistas da civilização tornaram-se possíveis e relativamente fáceis. Perante a ciência, a descoberta do pão permanece como a mais maravilhosa de todas as épocas da História.

Segundo os melhores higienistas, o pão feito e assado como convém deve ter por composição:

Matérias sólidas 66
Água 34

As matérias sólidas são constituídas em sua quase totalidade pelo *glúten*, chamado também *caseína vegetal* por causa de sua notável riqueza em azoto. O pão feito exclusivamente de glúten é um grande recurso para os diabéticos. Entre nós não se encontra ainda no mercado o pão de glúten e essa falta indica sem dúvida um grande atraso nos nossos hábitos. Esse pão é uma espécie de bolo e é o que pode haver de mais saboroso para acompanhar o café com leite de manhã cedo.

O pão está sujeito a várias sortes de falsificação pelo padeiro. A fraude mais comum consiste no emprego de farinhas estranhas de envolta com um excesso de água.

O pão pode ainda ser veículo de graves moléstias, como a sífilis e a tuberculose. O pão feito a braço é um grande perigo. O padeiro pode estar tuberculoso ou sifilítico e seu suor, no verão especialmente, contamina todo o lêvedo e faz da preciosa massa de trigo um alimento repugnante e perigoso.

Está nas mãos do público exigir de todas as padarias que adotem na panificação o emprego das máquinas amassadoras e a completa exclusão do braço humano. Em São Paulo já existem algumas padarias em que o pão é feito à máquina. Resta generalizar a salutar prática profilática. A uma sociedade civilizada não é permitido recusar uma tão elementar medida de polícia sanitária.

Uma boa farinha de trigo deve apresentar a seguinte composição centesimal:

Água 13,34

Glúten 10,18

Matérias gordurosas 0,94

Amido 74,75

Celulose 0,31

Minerais 0,48

O ARROZ

O arroz é, hoje, o nosso alimento por excelência nacional. Graças à arte das nossas cozinheiras, das nossas pretas sobretudo, constitui ele um prato fora de linha: a nossa canja de arroz, feita com galinha, excede deveras em perfeição tudo quanto se conhece de melhor neste gênero em outros países. O eminente ex-presidente norte-americano, Roosevelt, levou do Brasil, como preciosa dádiva do ilustre General Rondon, a receita culinária da nossa canja de arroz. Pena foi que o General Rondon se esquecesse de oferecer ao seu ilustre amigo igualmente a receita de um outro prato genuinamente brasileiro, quero dizer a *galinha de molho pardo*, para ser servida com o angu de fubá mimoso.

Apesar de ser o arroz a planta que alimenta a maior quantidade de habitantes do mundo, consumido na mais vasta escala na Índia, na China, na América do Norte, na Europa e constituindo a base da alimentação da raça amarela, nenhuma cozinha prepara um arroz de sabor tão agradável como a nossa. O arroz de *curry*, como o preparam os ingleses à moda da Índia, se bem que muito aceitável por grande número de comensais, está muito longe de valer o *arroz de forno* das nossas cozinheiras.

Bastante pobre em proteína e gordura, em comparação ao trigo, o arroz é muito rico em amido e, quando associado ao leite, aos ovos, ao peixe e à carne, constitui um alimento de primeira ordem nos países de clima temperado e, melhor ainda, nos climas quentes.

As mulheres que amamentam encontram no arroz um precioso adjuvante para o aumento da galactogênese.

A AVEIA ETC.

Os intelectuais, os velhos e os convalescentes encontram na aveia um excelente sucedâneo para o feijão. É de fácil digestão e bastante rica em princípios nutritivos: ela encerra 12,68% de proteína e 69,11% de amido. Podem com vantagem substituir a aveia todas as massas de trigo, tais como o macarrão, a cevadinha, a lasanha, a estrelinha etc.

As frutas, além dos sais orgânicos com que enriquecem o nosso sangue, fornecem-nos em abundância as imprescindíveis vitaminas.

Recordemos que o homem adulto precisa de 250 a 300 gramas de frutas e legumes na sua ração alimentícia diária.

E não esqueçamos que as substâncias minerais, que nos são trazidas pelos legumes e que representam papel tão importante na nossa alimentação, variam consideravelmente de proporção conforme a natureza dos terrenos em que as plantas foram cultivadas.

A boa higiene da mesa requer que as terras de cultura, destinadas aos legumes e cereais, sejam ricas em potassa, em fosfatos de cal, em magnésio, em sílica e em nitratos. Um paladar educado pode nitidamente perceber, pelo sabor dos ovos, se as galinhas foram ou não alimentadas com milho cultivado em terras ricas em fosfato de cal e salitre.

A saúde e o crescimento das crianças ostentam outro vigor, quando os produtos vegetais que consomem foram medicinalmente cultivados. O iodo e o arsênico, especialmente, podem ser absorvidos em doses colossais quando disfarçados sob forma orgânica em combinação com as albuminas dos sucos vegetais. Podemos presumir que, em não remoto futuro, os médicos higienistas em bom número far-se-ão ativos especialistas como horticultores. E, quando for uma realidade a horticultura medicinal, não teremos mais a ocasião de deplorar, por exemplo, a pobreza do agrião – em iodo nos arredores de São Paulo, devida simplesmente à altitude; e os nossos carneiros, alimentados com agrião iodado, poderão fornecer em abundância um suco da glândula tireoide de confiança, que nos libertará, na clínica, dos tormentos diários da nossa impotência atual diante dos casos frequentes de mixedema e outras afecções congêneres devidas à insuficiência tireoidiana. Não é pura utopia esperar que a marcha natural do progresso nos conduza seguramente a um tal ideal de aperfeiçoamento higiênico. Foi um médico bem moço o primeiro que, há sessenta anos, instalou em Paris a horticultura medicinal; e reza crônica que a tentativa redundou em rápida e segura fortuna para o seu autor.

De todos os alimentos, são os corpos gordurosos os que, sob menor volume, fornecem ao organismo o máximo de energia para a produção do trabalho mecânico e da calorificação.

Na ausência da alimentação por alguns dias ou semanas, são os gordurosos armazenados nos tecidos os primeiros que desaparecem consumidos como combustíveis: e desta sorte devem eles ser considerados como alimentos de poupança a favor dos albuminoides.

Nos climas frios, as gorduras podem ser consumidas na mais larga escala. Os esquimós vivem exclusivamente de azeite de foca. Nos climas temperados e nos quentes, a ração de gordura precisa ser muito diminuída.

De todos os corpos gordurosos a manteiga é o de mais fácil digestão. Ajuntada ao pão, pode ela ser consumida em São Paulo na dose de 80 a 100 gramas diariamente durante toda a nossa estação fria. O pão sem manteiga digere-se mal. A manteiga fabricada em vários pontos de São Paulo, do Rio e de Minas pode ser reputada irrepreensível. Merece especial menção a manteiga de Araras e de Campo Belo.

As propriedades organolépticas e a composição química da manteiga variam consideravelmente conforme a raça das vacas e a natureza da alimentação que se lhes dá. O leite da vaca Jersey é gordo demais e indigesto para as crianças; o leite da vaca holandesa, sempre abundante, é muito rico em caseína e muito pobre em manteiga e lactose: é leite desequilibrado, que não convém à infância e que só serve para a fabricação do queijo.

No tempo em que fui diretor do serviço da Santa Casa de São Paulo, o meu colega e amigo dr. Carlos Botelho era o meu imediato e superintendia a repartição dos enjeitados. Naquele tempo, quase não escapava uma criança: morriam todas atrépsicas. O meu ilustrado colega percebeu logo que uma tão extensa mortalidade não podia ser devida senão à má qualidade do leite. Fez retirar todas as vacas holandesas e substituí-las por vacas de campo, nacionais. Cessou como por encanto a mortandade dos enjeitados.

As vacas estabuladas dia e noite, tenham elas muito embora alimentação abundante, fornecem um leite mal equilibrado e impróprio para a boa higiene das crianças. Mui diverso é o efeito do leite na alimentação infantil, quando a vaca é nacional e passa o dia no campo, só vindo ao estábulo para passar a noite e receber o indispensável suplemento de ração. Este suplemento, para ser completo, deve constar de meio quilo ou de um quilo de fubá de caroço de algodão ou, para variar, um quilo de fubá de milho com um pouco de alfafa ou qualquer outra leguminosa e cana-taquara nos meses de seca e frio.

Mas o ápice da perfeição em matéria de alimentação bovina só se atinge quando se oferece liberalmente à vaca dúzia e meia ou duas dúzias de espigas de bom milho restolho. Não há alimento que mais agrade ao paladar da vaca. Deveras as vacas sonham com o milho restolho. E a observação diária mostra que é o milho restolho que faz a vaca produzir um leite abundante, perfumado e saboroso. A vaca muito agradecerá e pagará com altos juros a sua alimentação se, além de 30 ou 40 gramas de sal, ajuntarmos diariamente à ração uma boa porção de mandioca, de batata-doce, de laranjas, de bananas e, sobretudo, de tapo-eraba. E, já que aludimos aos meses de seca e frio, não posso deixar de assinalar uma esplêndida gramínea forrageira, de introdução recente – a *Phalaris bulbo-*

sa – a qual resiste às nossas mais baixas temperaturas. Esta planta não é nacional, é da África do Norte e é lá, na sua região nativa, que ela arrosta todos os anos frios de 6 a 7 graus abaixo de zero. Já está ela prestando assinalado serviço na República Argentina e no Rio Grande do Sul; e, a propósito, assegura o dr. Assis Brasil, autoridade na matéria, que ela é *a última palavra* neste gênero.

Por sua vez, a nossa tapo-eraba merece ocupar um lugar de destaque entre as plantas forrageiras: não só resiste ela às geadas e às maiores secas, como ainda fornece em abundância ao nosso sangue e a todos os nossos tecidos um elemento mineral de importância suprema, quero dizer, o *silício*.

A análise química revela em todos os órgãos do nosso corpo a presença do silício; mas, depois do cordão umbilical, é especialmente no nosso cérebro que ele se encontra em mais avultada proporção. O leite precisa absolutamente conter silício. Se quereis ter crianças inteligentes e sadias, cuidai previamente da boa higiene alimentar da vaca.

A boa manteiga está sujeita a toda sorte de falsificações. Antigamente, era ela falsificada exclusivamente com a margarina legítima, que se extraía do sebo de boi. Hoje, é essa falsificação, por sua vez, falsificada e é feita com a banha de certos órgãos do vitelo. Essa manteiga factícia apresenta todas as aparências da manteiga verdadeira. Tem ela por composição centesimal: *palmitina,* 22,3; *estearina,* 46,9; *oleína,* 30,4; *butirina* e *caproína,* 0,4.

Precavenham-se as donas de casa contra todas as marcas de manteiga importada de fora.

Condimentos

O ALHO – O alho tem sido empregado como tônico desde a mais remota Antiguidade. Referem os autores que, 4.500 anos antes de Cristo, já era ele administrado como tal aos trabalhadores ocupados na construção da pirâmide de Quéops. Os estudos modernos destes últimos cinco anos confirmam plenamente a crença antiga de ser o alho um precioso agente nas afecções pulmonares. Hoje, está sendo ele vivamente recomendado na nossa terapêutica como o mais seguro hipotensor na arteriosclerose. Podemos, pois, aplaudir sem reserva a boa obra das nossas cozinheiras, quando magistralmente preparam o saboroso "vinho de alhos", em que são postos de molho por algumas horas as carnes de carneiro e de porco, mas sobretudo, as de veado, de paca e outras caças, depois de figurar em primeiro lugar o nosso peru.

A CEBOLA – A cebola recomenda-se pela sua notável riqueza em fosfatos. Não é sem razão que os portugueses a cultivam com amor e capricho e devoram com gana o seu prato predileto: a *cebolada*. Vai nisto, sem dúvida, obediência a um seguro instinto conservador. Não lhes foi preciso possuir noções de química transcendente para perceberem que a cebola constitui um excelente legume. De fato, a cebola é não só um condimento indispensável para completar o papel do vinho de alhos, mas, ainda, um alimento intelectualizante de primeira ordem. Em benefício da saúde do nosso cérebro, a boa higiene da mesa exige que, nas refeições dos adultos e dos velhos, não falte de todo o concurso da cebola.

A PIMENTA-MALAGUETA – Afinal, a nossa pimenta-malagueta, que é a alma do vatapá baiano, constitui um condimento anódino de suprema eficácia como estimulante das glândulas de pepsina, para fazê-las derramar no estômago copioso suco gástrico e assim promover uma ativa digestão. A pimenta-malagueta associada ao limão-galego é um excelente tópico para as inflamações da garganta, tão comuns entre nós. Podemos subscrever sem hesitação tudo quanto os baianos referem a favor da nossa *jiquitaia*.

– O tomate goza de mui merecida popularidade, não esqueçamos.

– Para terminar, só resta assinalar os excelentes recursos da nossa sobremesa nacional. A clássica goiabada, a marmelada, a pessegada, a bananada, os doces secos cristalizados de caju, de maracujá, de coco e tantos outros são pratos de um valor inexcedível, já como produtos estéticos de uma arte refinada, já como agentes de aperfeiçoamento da nossa digestão. E as nossas frutas, ricas em vitaminas, não nos deixam realmente mais nada a desejar.

Não foi sem razão que o eminente prof. Huchard, da Faculdade de Medicina de Paris, colocou, em sua classificação das frutas, a laranja ao lado da uva, na mais plena igualdade de direitos. É tanto mais notável a classificação quanto naquela época ninguém conhecia ainda o extraordinário valor higiênico das vitaminas. E qual não teria sido o seu voto imparcial se, em um concurso de beleza, a nossa jabuticabeira, carregada de frutos maduros, disputasse em Paris o direito à precedência como valor higiênico?...

Temos elementos de sobra que nos permitem neste sentido receber condignamente os nossos hóspedes durante as festas do Centenário. E seria um belo momento de destaque para as nossas cozinheiras ter a palavra dominante, se não fora o ponto negro do fundo do quadro, que as enche de humilhação, quando cogitam que não têm para dar aos nossos hóspedes senão a infame carne de zebu. São Paulo é quase o único estado da confederação que escapa ao vexame geral, promovendo brilhante exposição de gado nacional precisamente no momento em que o Átila do Ganges impera sem "quos ego..." nos arredores da Capital Federal. Possa no nosso segundo Centenário não figurar mais o triste eclipse da pecuária inteligente, sem a qual não é humanamente possível reinar uma irrepreensível "higiene da mesa"!

Nota: Reproduzido de *O Estado de S. Paulo*, São Paulo, edição de 7 de setembro de 1922.

O dr. L. Pereira Barreto foi uma das mais vivas, ágeis e fecundas inteligências brasileiras. Raro o assunto em que não se encontre o vestígio de sua investigação pioneira, original e sugestiva. Este ensaio, escrito aos 82 anos de idade, é uma página nitidamente contemporânea, penetrante, sedutora e lógica. Situando-a em setembro de 1922, quando ninguém pensava que a cozinha brasileira merecesse elogio "científico", e constituísse tema de lucubração erudita, tem-se uma imagem do incomparável madrugador intelectual.

3

REGRAS DE SERVIR
A MESA

Colocam-se as cadeiras em seus competentes lugares, as comidas nos pratos diante das pessoas que têm de servi-las, e anuncia-se depois que o almoço está na mesa.

Estando as pessoas assentadas à mesa, a pessoa que a serve vai buscar os bules com chá, café e o leite, que vem em duas vasilhas, quente para servir com café, e frio para o chá.

Acomoda-se tudo em uma bandeja, não se esquecendo do açucareiro; e, depois de levantados os pratos da comida, põe-se esta bandeja diante da pessoa que serve.

Servir um Jantar de Família

Estende-se a toalha sobre a mesa, colocando-lhe no centro um guardanapo grande; dispõem-se os pratos com seus talheres, guardanapo e um pão para cada pessoa, pondo, do mesmo modo para cada um, um copo para água à direita e um cálice para vinho à esquerda.

No meio da mesa e nos lugares em que se tem de colocar as travessas, ponha-se um encerado próprio para este fim; as garrafas de vinho devem ser colocadas sobre umas bandejinhas; diante da pessoa que tem de trinchar, põe-se o talher trinchante, a colher grande de sopa e três colheres pequenas. Nas cabeceiras da mesa colocam-se o galheteiro e os dois moringues com água. Sobre o aparador, postado ao pé da mesa, coloca-se de sobressalente uma porção de pratos, talheres, copos e um moringue com água.

Não faltando nada, traz-se a terrina de sopa, e, dispostas as cadeiras, anuncia-se o jantar.

Estando todos assentados, o criado tira a tampa da terrina, e põe-se à esquerda da pessoa que serve a sopa; recebendo o prato sobre um guardanapo, o oferece a cada pessoa principiando pelo lado esquerdo.

Distribuída a sopa, vai o criado buscar o primeiro prato que coloca no lugar da terrina de sopa; a qual já terá posto sobre o aparador, e, recebendo os pratos servidos de cada convidado, ficará à esquerda da pessoa que trincha e receberá os pratos do mesmo modo que a sopa, e os distribuirá colocando-os depois ao pé da pessoa que trincha, para fornecer os objetos necessários.

Por exemplo, vendo diante de alguma pessoa um prato servido, ou do qual não querem mais servir-se, deverá logo tirá-lo e substituí-lo por outro. Não comendo mais ninguém no primeiro prato, e substituídos estes por outros limpos, o criado irá buscar o segundo prato, e, pondo-o no lugar do primeiro, praticará o mesmo que já foi indicado, colocando-se sempre do lado esquerdo da pessoa que tiver de distribuir a comida.

A mesa do jantar não deve ser muito estreita (cinco a seis palmos de largura) e os assentos para os convidados devem ser o espaço conveniente, porque o melhor banquete perde o seu valor sendo comido com aperto e constrangimento.

Um peixe deve ficar com a cabeça voltada para a direita da pessoa que trinchar, fazendo-lhe frente as costas do mesmo peixe.

Um lombo de vaca coloca-se de lado; o bocado mais tenro para cima, a parte mais grossa voltada para a direita.

Quando for uma perna de carneiro, de cabrito ou presunto, voltai-lhe o pé para a esquerda e a parte carnosa para cima.

Um peru, um pato, ganso ou galinha etc., servem-se com o peito voltado para cima e a cabeça para a direita.

Se tiverdes muitos perdigotos ou outros pássaros para servir no mesmo prato, colocai-os um contra o outro, com o peito para cima, a cabeça para o lado da pessoa que trincha, e as pernas voltadas para o centro da mesa. Um lebracho, coelho ou leitão devem servir-se com as costas para cima e a cabeça para a direita. Quando se assarem os quartos traseiros de uma lebre ou coelho, deveis servi-los com as costas para cima e o rabo para a direita. Um quarto de carneiro serve-se com a parte mais delgada voltada para o meio da mesa.

Terminado o jantar, o criado tirará todos os pratos, os encerados e o guardanapo do meio da mesa, deixando só os copos, e com uma escova curva na mão direita, um prato na mão esquerda escovará a mesa, deitando dentro do prato as migalhas que ficarem.

Distribuirá em seguida os talheres para a sobremesa, que se põe sobre a mesa, e, em seguida, deverá desembaraçar o aparador, levando todos os pratos servidos e as travessas com o resto das comidas. Imediatamente preparará o café que porá no bule dentro de uma vasilha com água quente, colocando dentro de uma bandeja as xícaras com as colherinhas e o açucareiro. Estando concluída a sobremesa, deitará o café nas xícaras, não devendo enchê-las, mas sim deixar um pequeno espaço vazio.

SERVIR UM BANQUETE

O criado estenderá uma toalha sobre a mesa, pondo-lhe um guardanapo no meio; em roda disporá os pratos com os guardanapos e o pão por cima; porá o garfo e a faca à direita, a colher à esquerda de cada prato; um copo para água e três ou quatro cálices para vinho, conforme as quantidades que se tem de oferecer. Nos quatro cantos da mesa colocará quatro moringues com água; e entre cada convidado uma garrafa de vinho sobre uma bandejinha. Repartirá os pratos chamados de entradas como manteiga, rabanetes, pepinos, *mixed pickles*, e enfeitará a mesa com jarros de flores e cestos de frutas. Estando a mesa arranjada, buscará a sopa, pondo-a sobre o aparador.

Logo que as pessoas estiverem assentadas, tirará as tampas das terrinas e receberá a sopa de quem a distribui, e irá servindo a todas as pessoas. Terminada a sopa, servirá com igualdade todos os convidados de vinho madeira nos menores copos; mudando então os pratos, irá buscar o primeiro prato, que colocará sobre o aparador, e, depois de trinchar o que nele se achar, o apresentará a cada pessoa, para servir-se do que lhe agradar, e assim em seguida todas as mais iguarias.

Tirados os pratos, e escovada a mesa junto a cada convidado, o criado servirá a sobremesa, tirando, nesta ocasião, os pratos servidos e as comidas que estiverem sobre o aparador.

Melhor é ter um criado só, durante o jantar, para o serviço de cozinha e para levar os pratos.

O criado aprontará o café, que deitará em xícaras colocadas em uma bandeja, na qual dever-se-á achar o açucareiro e o licoreiro com seus competentes copinhos, e o oferecerá a cada um.

MODO DE SERVIR A MESA À AMERICANA

Estende-se a toalha sobre a mesa; põe-se em roda os pratos com talheres, um pão sobre cada prato, um copo para a água na frente, e um outro para vinho; colocam-se todas as comidas sobre a mesa, as sopas, os assados, os adubos, os entremeios, e uma garrafa de vinho entre cada convidado.

Estando todos assentados, serve-se a sopa; finda a qual tiram-se os pratos em que ela foi servida. Depois disto, nada mais se oferece aos convidados, que devem pedir do guisado que desejarem às pessoas perto de quem se achar o prato que o contém.

Os criados devem ter cuidado em mudar os pratos, logo que se encruzarem os talheres.

Quando uma pessoa pedir água, lançar-se-á mão do moringue, deitando água no copo até o meio, nunca devendo enchê-lo completamente.

Cessando todos de comer, tiram-se os pratos, distribuindo outros limpos, acompanhados de talheres, e serve-se a sobremesa, devendo os criados observar o que já lhes foi antes recomendado acerca da mudança dos pratos, como a respeito da água e do vinho.

Nos banquetes de grandes cerimônias, levantam-se da mesa a fim de ser servida a sobremesa em outra sala, onde os doces se acham ordenados em pirâmides, enfeitadas de flores sobre uma mesa no meio da sala, havendo nos cantos mesinhas com licores, vinhos doces e champanhe.

Sentam-se os convidados em roda da mesa, servindo-se uns aos outros do que apetecerem ficando unicamente a cargo dos criados oferecer as diferentes bebidas.

Depois de se levantarem da sobremesa, os convidados passam-se para outra sala, onde lhes é oferecido o café em bandejas, que circulam entre eles, sendo seguidas por outras em que se acham variados sequilhos.

Nota: Reproduzido de *Cozinheiro nacional*, B. L. Garnier, Livreiro-Editor, Rio de Janeiro (Rua do Ouvidor, 71), s. d. B. L. Garnier falecera antes de 1900. Essas regras foram retiradas de edição anterior a 1897 (a última do século XIX).

4

Cocktails

Maurício Nabuco

O cocktail é uma bebida misturada à base de algum espirituoso forte, principalmente o gim, e no Brasil a cachaça.

Nascido nos Estados Unidos, há mais de meio século, o *cocktail* haveria de invadir o mundo, e alterar, profundamente, a drincologia, contrariando algumas das regras do bem beber com as quais fomos criados. Esta, por exemplo: *never mix grain & grape*, não misturar o álcool feito de uva com o que provém de grão. Digamos, champanhe com uísque. É para evitar as consequências desagradáveis dessas misturas que os *connaisseurs*, depois de um jantar com champanhe, preferem *brandy & soda* ao habitual *whisky & soda*.

Essa é das melhores regras. Aplica-se, porém, à mesa, não ao bar. No *martini*, entre outros, mistura-se gim, de grão, com vermute, de uva. O fato de este último ser preparado com flores raras e outros aromáticos preciosos não lhe altera a base, que é o vinho branco.

O papel do aperitivo é matar o tempo entre a chegada do primeiro convidado e o momento de nos sentarmos à mesa, enfim, preparar um bom ambiente. Aguardar a chegada do último conviva para servir os aperitivos prejudica a impressão de hospitalidade, e contribui para atrasar o jantar. Sendo limitada a quantidade de *cocktails*, há sempre a solução de não os oferecer aos que chegam depois da hora marcada para a refeição, entrando-se, imediatamente, para a sala de jantar.

Nota: Reproduzido de *Drincologia dos estrangeiros* (desenhos de Giorgio de Chirico, música de Goffredo Petrassi), Instituto Romano de Artes Gráficas Tumminelli, Roma, 1945. Trecho gentilmente escolhido pelo Embaixador Maurício Nabuco.

5

BREVE NOTÍCIA SOBRE A COZINHA BAIANA

Hildegardes Vianna

I

O que se come e o que se bebe na Bahia tem preocupado estudiosos e curiosos porque falar na Cozinha Baiana, ou seja, na Cozinha Afro-brasileira, não constitui matéria tão simples como muitos julgam à primeira vista.

O baiano da Capital e o das diversas regiões do interior da Bahia têm hábitos alimentares diferentes. Mas, em linhas gerais, o trivial simples do soteropolitano é o mais trivial possível: feijoadas (feijão-mulatinho com carne de boi – "peito" ou "chupa-molho" – e um pedaço de "carne do sertão" ou charque); lombos (carne de músculo inclusive a que na Bahia toma o nome de "paulista"); carnes mal-assadas, carnes ensopadas, bifes de toda espécie, peixes frescos e salgados em escaldados, ensopados, moquecas e frituras, macarronadas, farófias etc. Assim, embora a cidade cheire a azeite de dendê (azeite de cheiro) e em cada esquina haja uma mulher fritando acarajés; embora se avolume a onda dos que oferecem os famosos CARURUS; não se pode determinar, pelo menos por enquanto, até que ponto vai a influência da cozinha típica.

Muitos pratos baianos são originariamente africanos. Outros tiveram origem diversa e foram adaptados pelo engenho do negro. A bacalhoada portuguesa, a que o azeite de dendê e o leite de coco deram novo aspecto e novo sabor, bem como toda a doçaria portuguesa, que, importada para aqui, passou a ser feita com leite de coco e carimã seca em lugar da farinha do reino (trigo), são exemplos mais à mão.

As comidas de origem africana, não resta dúvida, sofreram deformações na Bahia devido à necessidade de utilizar os produtos da terra, no seu preparo, e o empenho em conquistar o paladar do branco. Assim deve ter sido com a variedade grande de comidas de milho, arroz e feijão que provêm, podemos dizer, de uma mesma linha tronco.

Outro ponto que ainda não foi devidamente esclarecido é o do camarão seco, que na Bahia é tempero, dono de uma aparência e gosto ímpares. Ele vem já pronto das zonas ribeirinhas do Recôncavo e creio não ter similar por este país. Quem teria ensinado ao baiano o seu preparo? Os pescadores da Capital não se ocupam neste mister que é ainda rudimentar: torra-se o camarão, deixa-se na salmoura e depois então leva-se para escorrer na urupema e secar no sol. Do camarão de espeto ao "cisco" todo ele tem um sabor uniforme, sem exageros de sal.

Durante muito tempo as comidas de azeite sofreram restrições por causa de sua origem negra, só aparecendo nos lares em ocasiões especiais: tempo de Quaresma, sextas-feiras de guarda e almoços para visitantes que desejavam provar os quitutes baianos. Mesmo assim nunca se deixava de fazer uma "frigideira" de peixe ou marisco e um "paulista" para os "bocas-ruins". Ainda hoje há muito baiano que não suporta o azeite de cheiro (dendê) por uma evidente questão de preconceito social e racial.

As influências, que dia a dia a Bahia vem sofrendo com um surto de interesse turístico crescente, estão criando para a Cozinha Baiana um caráter exibicionista, dando a impressão que tudo nada em azeite e arde como pimenta.

Coisas de Tabuleiros

Para saber o que se come na Bahia, o mais prático é começar pelos famosos tabuleiros, em que muitas vezes doces, salgados e frutas se confundem.

Um TABULEIRO antigo de COCADA trazia amendoim cozido com casca na água e sal, amendoim torrado sem casca em frigideira cheia de areia, amendoim coberto com açúcar branco, flor-da-noite (pipoca), fubá de milho torrado adoçado com açúcar, milho debulhado e bem cozido embrulhado com pedaços de coco em folhas, amoda, queijadinha, cocadas de vários tipos, melado com coco, batata-doce cozida, beijo de estudante, bolinho de tapioca de grelha, alféloa etc.

A AMODA, hoje gulodice rara, é feita com rapadura-puxa, gengibre ralado e farinha de guerra. O termo *ralado* entenda-se como triturado entre duas pedras próprias. As negras vendiam estas amodas em pequenos discos feitos com a casca do coco seco primorosamente serrados e lixados. As QUEIJADINHAS, que ainda hoje resistem e nada levam de queijo para justificar o nome pomposo, são feitas com leite de coco ou água, açúcar ou rapadura e amendoim, ou então água, açúcar, coco ralado ou lascas miúdas de coco. Em outros estados são chamadas de pé de moleque, porém PÉ DE MOLEQUE na Capital é uma espécie de beiju de farinha grossa, muito popular nas feiras do litoral e em algumas do sertão. O AMENDOIM COBERTO antigo era confeitado com açúcar alvíssimo com o auxílio de uma vassourinha de piaçava. O moderno é de açúcar escuro e feito na máquina. Por isto mesmo menos gostoso. A ALFÉLOA era apresentada em forma de cones e canudinhos. O BOLINHO DE TAPIOCA assado nas brasas passou do tabuleiro para a quitanda até sumir.

O chamado tabuleiro da cocada agora é paupérrimo – cocadas, queijadinhas, amendoim torrado e cozido, batata-doce cozida, beijo de estudante (bolo de tapioca frito na gordura e passado em canela e açúcar).

Outra espécie de TABULEIRO, que perambulava nas ruas e que hoje é visto estacionado, sobretudo nas feiras livres e imediações das repartições e bancos, é o de COISAS PARA TOMAR COM O CAFÉ (mingaus e cuscuz). Os MINGAUS, todos feitos à base de leite de coco, canela em pau, erva-doce e um dente de cravo, seja de milho, tapioca, carimã ou pó de arroz (creme de arroz) são parentes próximos do mungunzá de beber e do arroz também de beber. Vêm em copinhos recobertos com canela em pó e um papel na boca para proteger da poeira. Antigamente vinham em panelões ou latas de gás (querosene).

O CUSCUZ, típico dos negros, só é encontrado com facilidade nas feiras. Todos eles com coco. Aliás o cuscuz de tapioca inchada em forminhas é também encontrado em outros tabuleiros. Nas casas de família, porém, a não ser nas de hábitos patriarcais, o cuscuz raramente é feito. A causa é o vício de comer pão. Fora das regiões de coqueiros, o cuscuz é feito sem coco, com milho verde, temperado com amendoim e servido quente em talhadas amanteigadas. Muitos preferem este cuscuz sem o amendoim.

Hoje o tabuleiro de coisas para tomar com café rareia. Mesmo assim ainda encontramos para comprar, com relativa facilidade, cuscuz de milho, de carimã, de tapioca, de flor de arroz, de arroz pisado, mungunzá de partir (lelê e adobró), beijus de toda espécie, pamonhas de carimã e milho, canjicas, bolos de milho e de carimã. O cuscuz de inhame ou de aipim é atualmente quase que uma curiosidade histórica.

Coisas que o baiano adota também para o café, mas que não aparecem nos tabuleiros com frequência, embora abundem em casas de família: banana frita servida com canela e açúcar, banana-da-terra cozida, "fatias de parida" (rabanada ao leite), aipim cozido, inhame cozido, fruta-pão cozida e assada etc.

O TABULEIRO DE COMIDAS passou à história com o nome de MAMÃE-BOTE e trazia panelões de mocotó, feijoada, sarapatel, vatapá, moqueca, feijão-de-leite, caruru, rabada etc. Este tabuleiro vem resistindo apesar de ter perdido aquela denominação. Os sarapatéis e vatapás são encontrados aos sábados nas feiras e casas de pasto infalivelmente.

O TABULEIRO DO ACARAJÉ e abará tem hoje a presença indefectível da "passarinha" assada vendida com molho de vinagre (pimentão, cebola, tomate, salsa, coentro, azeite doce e vinagre) e do caranguejo cozido largamente procurado como tira-gosto.

COMIDA DE ÉPOCA

Os CARDÁPIOS FESTIVOS incluem feijoada com linguiça e carne de porco, fato etc., sarapatel, vatapá, caruru, galinha ou peru assados, peru de escaldado, galinha de molho pardo, frigideiras, lombo cheio, carne de porco, macarronada etc. Meio raro são os meninicos, bacalhoadas, sarrabulhadas, polvos, lagostins etc., alguns com a raridade ditada pela falta no mercado ou pelo preço proibitivo.

Frigideiras, omeletes, bolinhos e saladas podem ser considerados PRATOS DE FESTAS E DE VISITAS. A FRIGIDEIRA, apesar de dispendiosa, está presente em todas as ocasiões que exijam maior apuro na mesa do baiano. É feita com peixe fresco ou salgado, mariscos, legumes ou carne, temperada com camarão seco, leite de coco (exceto na de carne), cebola, tomate, pimentão, azeite doce, salsa ou coentro, azeitonas ou ervilhas, tudo bem refogado e recoberto com ovos batidos, formando uma crosta que é assada ao forno.

As COMIDAS DE AZEITE ficam para os jejuns de Quaresma, dias de festa sem maior etiqueta, ou para turista. Apenas o acarajé e o abará são corriqueiros, ao alcance de qualquer pessoa e a qualquer hora.

Moquecas de peixe fresco ou salgado com feijão-de-leite ou feijão-de-azeite, caruru e vatapá são os outros que podem ser chamados de rotina. Isto porque podem ser encontrados às sextas-feiras nos almoços de casas que guardam o dia e nas barracas de comida nas festas populares.

Pela PAIXÃO DO SENHOR e em menor escala pela CONCEIÇÃO faz-se um lauto repasto em que figuram obrigatoriamente feijão-de-leite, bacalhau ensopado ou de moqueca, peixe de molho, vatapá, frigideira, arroz de viúva. Na Conceição o "paulista" cheio com linguiça e a carne de porco assada comparecem também.

Pelo SÃO JOÃO há uma variedade de canjicas de cortar (de milho verde e pó de arroz), pamonhas de carimã e milho verde (esta feita com o bagaço que fica na peneira quando se passa o milho para a canjica), BOLO DE SÃO JOÃO (carimã ensombrada, ovos, leite de coco, açúcar e erva-doce), milho cozido, amendoim cozido, mungunzá de partir e de beber, bolo de milho em tabuleiro e em fôrmas, manauês, carurus, efós e vatapás.

No NATAL não se come rabanada. O peru assado e o empadão constituem tradição no Natal e Ano-Bom. Nestas duas festas há predominância dos frutos secos vindos do Reino (nozes, avelãs, ameixas etc.). O panetone está se introduzindo com sucesso marcante.

Pelo BONFIM, RIO VERMELHO, CONCEIÇÃO, REIS (Lapinha) e outras festas de largo, as barracas vendem feijoadas, sarapatéis, vatapás, xinxins, moquecas e frigideiras. Nos lares situados nas zonas das festas é mais ou menos o mesmo cardápio, além do "paulista" e da carne de porco.

O SONHO em calda, que predominava no Entrudo, desapareceu no CARNAVAL. Em compensação, o sonho passado no açúcar pode ser encontrado em qualquer botequim ou caixinha de doce em qualquer época. Idem, as empadinhas e os beijos de abacaxi e jenipapo, os bons--bocados, as mães-bentas, siricaias e pastéis, presentes em festinhas sem grande etiqueta.

Refrescos e Bebidas

Os refrescos de frutas da terra ocupam um lugar de destaque no assunto de bebidas. São encontrados com facilidade nas barracas e feiras e também nos lares e bares. A CAJUADA, UMBUZADA (com leite ou apenas como refresco), CALDO DE CANA, LARANJADA, LIMONADA, LIMADA e REFRESCOS de mangaba, maracujá, manga, abacaxi ocupam o primeiro plano.

O ARUÁ ou ALUÁ, principalmente o de abacaxi (a casca da fruta é posta para fermentar na água açucarada), tem grande popularidade. Em barracas de feira encontramos ainda um aluá ou aruá feito com uma parte de milho torrado sem abrir pipoca, porém bem quebrado, e outra parte sem torrar. Fermenta em vasilha de barro com um pouco de açúcar mascavado. Depois de fermentado mistura-se com gengibre pisado, açúcar ou rapadura.

O MADURO tem menor extração atualmente, embora já tivesse sido dos refrigerantes mais populares. É resultante da fermentação, durante sete dias, de arroz com casca, um pouco de milho torrado, outro tanto de milho ao natural, um punhado de cevada e açúcar mascavado, tudo posto num barril com água. Depois de fermentado, coa-se e mistura-se gengibre ralado e um bolinho de fermento de mão. Puro, é refrigerante; com aguardente de cana, diurético.

Mais raro é a GENGIBIRRA, que já teve o seu grande apogeu no passado. É feita com gengibre pisado e posta na água em vasilha vidrada com açúcar e uma pitada de fermento ou de farinha de trigo. Coa-se e engarrafa-se ao fim de dois ou três dias.

Aruá, maduro e gengibirra sofreram muito com o lento desaparecimento dos portugueses vendeiros e dos negros africanos.

O ACAÇÁ – papa de milho, cozida sem sal – bem amassado e desmanchado na água ou no leite, adoçado a gosto, é também uma bebida refrescante. Idem a JACUBA de farinha de guerra ou tapioca, água e açúcar, com ou sem alguns pingos de limão.

Os LICORES são muito apreciados. O rei é o de jenipapo. Domina toda a época junina e aparece em outras ocasiões embora timidamente. Corta-se o jenipapo miúdo e põe-se para macerar em vasilha vidrada com cachaça. No momento aprazado, espreme-se num pano, adiciona-se uma calda de açúcar e mais cachaça, se preciso.

A MELADINHA ou CONSERTADA é comum na casa das parturientes: cachaça, mel de abelha e mais uma complicação de cebola-branca, losna, arruda, salsa, hortelã grosso, erva-doce, e assim por diante. É com ela que se saúda a chegada do neném.

Raríssimo é o VINHO DE DENDÊ, feito da fermentação do líquido que escorre de um corte produzido na parte superior do dendezeiro. Depois de fermentado pode ser misturado com cachaça. VINHOS DE LARANJA e DE CAJU são menos raros, mas mesmo assim nem sempre fáceis de encontrar de boa qualidade.

Uma série de MISTURAS DE CACHAÇA com catuaba, pau-de-resposta, mil-homens, erva-doce, pó de café, chá-preto, gengibre, leite de coco, casca de laranja-amarga, suco de frutas, cravo etc., constitui a galeria dos APERITIVOS ao lado dos licores.

Molhos

Para determinados pratos de carne como Ensopado e Cozido há um molho chamado MOLHO DE NAGÔ, muito popular entre o povo – quiabo, jiló, caldo de limão, pimenta ralada, sal e camarão seco (facultativo). Mistura-se tudo bem esmagado com um pouco de caldo da iguaria a servir. O molho de nagô nunca aparece com comidas de azeite ou de peixe.

Em qualquer molho, seja de limão ou de vinagre, de comida de azeite ou não, a pimenta é sempre bem "ralada". Nunca se põe pimenta inteira num molho.

Sobremesas

Embora a sobremesa do turista seja cocada-puxa e baba de moça, o baiano comum gosta de frutas, principalmente as que pode "molhar na farinha" (comer com farinha) – manga, banana, melancia, abacaxi, laranja etc. As compotas são muito apreciadas, notadamente as de araçá (cortado em "cumbucas"), abacaxi, caju, laranja-da-terra ou cidrão, ambrosia (doce de leite com ovos), cocadas moles, e assim por diante.

II

A primeira linha da chamada COZINHA AFRO-BRASILEIRA é representada principalmente pelo abará, acarajé, xinxim, efó, caruru, vatapá e moqueca. Também são os que mais têm sofrido influências estranhas, de maneira a perder muito de suas características originais, para se transformar de prato africano em legítimo prato baiano. Paira uma acentuada suspeita sobre a autenticidade dos pratos baseados no milho e os ditos africanos, pois o cereal é americano por excelência. A explicação é que os negros tivessem adaptado as comidas que faziam com uma espécie de grão similar ao milho encontrado em seu novo meio.

ACARAJÉ é uma iguaria fácil de ser comprada e de ser comida, fritinho na hora, ainda quente, em qualquer esquina da Capital baiana. Na parte baixa do Elevador Lacerda e em algumas artérias do Comércio, na chamada Cidade Baixa, as vendedeiras servem o acarajé feito em casa, já frio, na maneira antiga. Junto aos montões de acarajé e abarás encontra--se o "caco" do molho de pimenta, cebola e camarão seco, tudo cozido no azeite de dendê em ponto de papa. Na Cidade Alta o acarajé aparece sendo feito à vista do consumidor, comido quente e complementado por uma variedade de molhos.

O costume de frigir na rua e pôr vários molhos data de uns quinze anos, se tanto. O primeiro destes molhos toma o nome de vatapá. Pode ser da própria massa do acarajé (feijão-fradinho triturado e temperado com cebola e sal) cozida ao fogo com azeite de dendê ou então o vatapá legítimo de farinha do reino (trigo). Este vatapá implica o encarecimento do bolinho e também o consumo dos outros molhos: molho de camarão (camarão seco, cebola e azeite de dendê), molho de pimenta (pimenta, camarão seco e cebola, além do azeite), molho de pimentão (pimentão, cebola, camarão seco e azeite doce). Até molho com rodelas de tomate aparece numa prova de degenerescência da espécie culinária. Servido com o vatapá e o molho de camarão, o molho de pimenta passa a ser um mero caldo azeitado. Outrora colocava-se um pouco do molho clássico sobre o acarajé; hoje corta-se o acarajé ao meio e recheia-se.

ABARÁ é outro que tem passado por transformações. A massa do acarajé era temperada (e ainda o é por quem sabe) com camarão seco, pimenta e azeite de dendê, cozida embrulhada em folhas de bananeira no vapor de água. Mas a maioria apresenta uma forma insulsa em que o camarão e a pimenta são alijados, porque implantaram a moda de cortar o abará ao meio e também recheá-lo com vatapá etc. Alguns chegam a pôr coentro na massa do abará, o que vem dar num sabor azedo que torna o abará menos atrativo que o acarajé.

Acarajé e abará são comidas de porta afora e só são servidos em casas de família nos dias dos chamados CARURUS.

Entre XINXIM e MOQUECA há uma diferença no gosto e na forma de temperar. Xinxim leva cebola, camarão seco e azeite de dendê apenas. A moqueca pede cebola, tomate, pimentão, alho, coentro, salsa, limão e até leite de coco. O xinxim pode ser de galinha, bofe aferventado, ovos, carne de boi, fato de boi, "carne do sertão" etc. O xinxim das vísceras da galinha toma o nome de CABIDELA.

Nem toda moqueca leva azeite de dendê. A de carne de boi, por exemplo, muitas vezes é feita com o azeite doce. Alguns peixes como o xaréu não "abraçam" azeite de dendê. Uma boa moqueca pede leite de coco em lugar de água. De peixe graúdo ou miúdo, de tubérculos (aipim, inhame), hortaliças (couve, jiló, língua-de-vaca etc.), carne (neste caso elimina-se o leite de coco e põe-se um pouco de camarão seco), seja como for, fica com caldo grosso e a superfície recoberta uniformemente pelo azeite.

O EFÓ aparentemente pouco tem tido influências estranhas. É um guisado de ervas (taioba, língua-de-vaca, bredo-de-santo-antônio, capeba etc.) temperado com cebola, camarão seco e azeite de dendê, cozido no suor da panela. Costuma-se, entretanto, colocar leite de coco grosso e pedaços de peixe fresco ou salgado para amaciar as folhas e apurar o gosto.

O VATAPÁ tem sido o mais violentado de todos os pratos baianos. Há uma boa centena de receitas balanceadas espalhadas pelas revistas que mantêm páginas de culinária e que são de dar frouxos de riso nas cozinheiras baianas legítimas. O vatapá é uma iguaria de preparo simples – papa cozida no leite de coco e temperada com sal, cebola, camarão seco, pimenta e amendoim (facultativo). Para enriquecer o sabor, põem-se, todavia, pedaços de peixe (de preferência cabeça ou bucho de garoupa salpresa ou bacalhau), castanha-de-caju, gengibre, salsa e outros ingredientes que fogem à generalidade.

O vatapá pode ser feito com farinha do reino (trigo), farinha de guerra, flor de milho, pó de arroz (creme de arroz) ou do próprio pão francês dormido, posto de molho e passado na peneira. É comido puro, com acaçá, arroz batido, bola de arroz ou farinha de guerra. Nunca com o angu de creme de arroz muito em voga no sul do país. Este angu para o vatapá é como o famigerado Angu da Baiana – na Bahia ninguém conhece nem usa.

O CARURU é feito com quiabos cortados bem miúdos e temperado com camarão seco, cebola, sal e azeite de dendê. Corta-se a baba com um pouco de farinha de guerra, pingos de limão ou batidas de colher (técnica africana, segundo dizem). Também o caruru tem sido enriquecido pelo acrescentamento de peixe, "carne do sertão", siri, e adulterado com a intromissão de elementos como pevida de abóbora torrada, amendoim, castanha, etc. Coma-se com acaçá, arroz ou farinha crua ou cozida como angu em água e sal. Dizem que os africanos gostavam de caruru com angu de inhame.

O CARURU, conjunto de pratos, originariamente era devocional. Quem tinha devoção ou preceito com Cosme e Damião, Crispim e Crispiniano e Santa Bárbara fazia destes repastos. Hoje alastrou-se por outros setores pelo seu caráter informal. Pode-se levar um amigo ou muitos amigos para comer um caruru para o qual se foi convidado, sem que isto desperte comentários. Quanto mais gente melhor. Este caruru compreende em geral: caruru, vatapá, efó, xinxim, feijão-de-azeite, farófia de azeite, banana frita no azeite, pedaços ou bolas de inhame cozido, bola de arroz, pedaços de rapadura, pedaços de cana, pipocas, milho branco cozido com ou sem azeite, acarajé, abará, fubá de pipoca com açúcar, ovo cozido etc., além de frigideira, farófia de manteiga, pedaços de pão, "paulista" e mais o que o dono da casa inventar. Põe-se uma colherada de cada comida no prato e come-se tudo de uma assentada.

O ARROZ DE HAUSSÁ pode ser colocado também entre as comidas de azeite. A "carne do sertão" cortada miúdo é frita no azeite de dendê de mistura com a gordura da própria carne. Esta fritura leva camarão seco e pimenta (facultativo) e é posta por cima de um arroz cozido em água e sal, bem batido com a colher para ficar ligado. Os antigos faziam este arroz com o "arroz-da-terra" e carne de sol frita na própria gordura, mas sem azeite de dendê, colocando camarão quando queriam – é o que me informa uma neta de cozinheira africana.

Também são comidas de azeite a BANANA-DA-TERRA FRITA em tiras finas no bom azeite de cheiro e a FARÓFIA de farinha de guerra posta com sal numa frigideira para dourar no azeite de dendê.

Aliás, neste ponto fico a pensar se deveria colocar como comida de azeite a salada de bacalhau assado (misturado num MOLHO chamado de VINAGRE, em que cebola, salsa, azeite doce e vinagre se combinam maravilhosamente). Esta salada é comida obrigatoriamente com farófia de água quente corada pelo azeite de dendê. Idem o escaldado de peixe, caranguejo e siri, cujo pirão leva azeite de dendê, embora o molho seja o mesmo de vinagre.

O FEIJÃO-DE-AZEITE é uma especialidade culinária que ainda não teve o seu valor devidamente reconhecido. Nem todos gostam dele, embora não seja difícil de ser encontrado nas mesas familiares. Pode ser de feijão-mulatinho ou fradinho, temperado com camarão seco e cebola, além do azeite de dendê. Puro, com arroz ou farinha, acompanhando moquecas ou ensopados, é sempre delicioso, mormente quando se ajuntam ao azeite de dendê algumas gotas de azeite doce.

Temos outras comidas que não são de azeite, mas que andam sempre perto delas: o ARROZ DE VIÚVA, arroz que acompanha peixe e que é cozido no leite de coco em lugar de água; o PEIXE DE MOLHO, uma espécie de escabeche temperado com vinagre, cebola, tomate, pimentão, coentro, alho, um nadinha de cominho e uma folha de louro, além de azeitonas e batata-do-reino; cozinha-se o tempero no leite de coco e depois mergulha-se nele o peixe frito; deixa-se em pouco fogo até ficar com o caldo cremoso; o FEIJÃO-DE-LEITE feito com feijão-preto ou mulatinho (este é o mais frequente) aferventado em água e sal, escorrido na peneira, esmagado ou pisado, e cozido finalmente em leite de coco temperado com açúcar.

III

Há uma suposição lógica e geral de que no candomblé deve haver um grande número de comidas puramente africanas, preparadas segundo a sua fórmula primitiva. Devemos relembrar, entretanto, que nem todas as comidas de azeite são de candomblé, assim como muitas delas tiveram de ser adaptadas aos recursos da terra. Algumas hoje se ressentem da falta de produtos essenciais, inexistentes na Bahia, e de difícil aquisição por falta de tráfego intenso entre este porto e os da costa da África.

A comida de candomblé é sempre na base do camarão seco e da cebola, havendo variações culinárias evidentes entre as diversas nações: queto, jeje, nagô e Angola, para falar nas principais. Nos candomblés negros, a depender da nação, há comidas com ou sem sal, com ou sem gengibre ou dandá etc. As comidas mais frequentes e mais populares nas mesas profanas têm no candomblé nomes diversos e muitas vezes preparo diferente.

Deixamos de falar nos candomblés de Caboclo que não têm expressão culinária autônoma, embora dando preponderância ao mel de abelha.

ABARÁ e ACARAJÉ são conhecidos no candomblé como ABALÁ e ACARÁ, ambos feitos de feijão-fradinho triturado entre duas pedras próprias e temperados basicamente com cebola ralada e sal. O abalá também aparece feito de milho verde ralado, temperado como o outro com cebola, sal, camarão seco e azeite de dendê, cozido no vapor envolto em folhas de bananeira. Este tipo de abalá não é vendido nas ruas. Embora outros orixás comam abalá e acará, eles são mais populares como comida de Iansã.

CARURU corresponde ao AMALÁ de Xangô. Recebe o nome de OBÉILÁ quando é feito de quiabos e EFÓ quando de folhas. Ambos são temperados com azeite de dendê, cebola, sal e camarão seco. O efó, muito apreciado por Oxum, é servido com um angu feito com farinha de arroz (vulgarmente chamada de pó de arroz).

Omolu tem uma espécie de caruru chamado LATIPÁ ou AMORI feito com folhas de mostarda aferventadas e escorridas na peneira, temperadas como efó com exceção do camarão seco. Depois de cozido e seco, frige-se às colheradas no azeite de dendê. Há outro caruru de mostarda que chamam LELÊ do qual possuo escassas informações.

O XINXIM ou OXINXIM, que no candomblé dizem querer significar "galinha frita", é temperado com azeite, cebola e camarão e cozido em pouca água. Entretanto o xinxim mais frequente nas residências é o feito com o bofe de boi, salvo nos CARURUS. A requintada Oxum come um xinxim especial feito com ovos que não é difícil de se encontrar em casa de família.

O ACAÇÁ, que no candomblé se chama ECÓ, tem largo emprego no candomblé. O de milho vermelho é dedicado a Exu, Ogum e Omolu. O de milho branco é utilizado com maior amplitude. O acaçá de arroz raramente aparece. O acaçá de leite (cozido no leite de coco em lugar de água) é que não tem vez no candomblé.

A banana-da-terra frita no azeite de dendê toma o nome de OGUEDÉ e pertence a Cosme e Damião. Já EFUM OGUEDÉ é uma farinha feita com banana-da-terra de vez, cortada em tiras e seca ao sol, pisada ao pilão e passada na peneira. Há efum oguedé de banana-da-prata e de banana--de-são-tomé.

PIPOCA é comida de Omolu e preparada com o auxílio de uma frigideira cheia de areia. Embora a pipoca de milho-alho seja a mais apropriada, muitos "santos" não querem aceitá-la. O fubá da pipoca triturada, misturado com açúcar e um nadinha de sal, ou seja, o popular fubá com açúcar, é de Cosme e Damião.

AXOXÓ é como se chama o milho debulhado e cozido com sal, servido com pedaços de coco. Também é comida de Cosme.

O clássico BOBÓ de inhame recebe no candomblé o pomposo título de IPETÉ e constitui petisco de Oxum. O inhame posto a cozinhar cortado em rodelas é esmagado na própria panela com o auxílio da colher de pau e temperado com camarão seco, cebola, sal e azeite de dendê. Outros orixás de água aceitam esta comida.

ABERÉM, que já foi muito vendido e hoje é raríssimo, é comida de Omolu, que não pega acaçá. Feito com milho pilado, branco ou vermelho, bem moído. O branco não tem tempero, porém o vermelho leva açúcar. Embrulha-se em folhas secas de bananeira da prata e deixa-se cozinhar no vapor de água. Tem vários usos.

Os santos também comem BOLAS DE ARROZ da mesma forma que Oxalá come as BOLAS DE INHAME (inhame cozido e socado ainda quente, borrifado com água quente e moldado em bolas com o auxílio da colher de pau).

OMOLUCU, comida de Oxum, corresponde ao prosaico feijão-de--azeite: feijão-fradinho, camarão seco, sal e azeite de dendê.

ADOBRÓ, palavra que, comumente, significa um mungunzá de cortar feito sem açúcar, em candomblé tem outro sentido. Diz-se do ato de alguém colocar várias iguarias de vez no prato que vai comer.

FARÓFIA DE AZEITE tem vários aproveitamentos e é preparada com um pouco de sal, ficando na frigideira até torrar a farinha.

O ADO é feito do fubá de milho torrado sem abrir pipoca misturado ao azeite de dendê ou mel de abelha. É comida de Oxum. Na zona interiorana, fora da influência do candomblé, usa-se misturado ao mel de abelha como merenda.

Além destas comidas, vamos encontrar outras de candomblé que não têm repercussão exterior.

ERAM PATÉRE, comida de Oxum, feita com a chamada carne de gamela (cabeça de vaca – faceira e bochechinha), bofe, coração, fígado, tudo cortado miúdo, cozido em pouca água com cebola, sal e camarão.

Depois de tudo cozido é frito no azeite de dendê. Um outro ERAM PATÉRE feito com a carne de boi passada no sal e frita no azeite de dendê é contestado por algumas cozinheiras de candomblé.

BADOFE é uma comida que muitos negam ser de candomblé, embora apareça em alguns. Com a carne da cabeça de boi aferventada, depois de ter ficado em vinha-d'alhos, faz-se um recheado (refogado) em que a carne pisada doura em azeite de dendê, camarão seco, cebola, gengibre, bejerecum e lelecum (as duas últimas são favas de origem africana). Depois ajunta-se "língua-de-vaca" escaldada e escorrida. Em meio cozimento põe-se quiabos cortados como para caruru e deixa-se engrossar. Come-se com arroz de haussá ou Angu de farinha de guerra ou de milho.

As velhas cozinheiras são de opinião que este badofe talvez tenha dado origem ao Angu da Baiana, numa variação muito difundida no sul do país e completamente desconhecida na Bahia pelos baianos.

EBÓ ou EBÔ (a pronúncia varia) é feito com feijão-fradinho, torrado ou não, posto a cozinhar com milho. Depois de cozido põe-se sal e azeite de dendê. Há também o Ebô de Oxalá de milho branco sem sal e o Ebô de Iemanjá de milho branco temperado com cebola, camarão e azeite de dendê.

O BOBÓ DE CHEIRO, que no candomblé se dá a Cosme e Damião, nem mesmo nos chamados "Carurus de Cosme" é comido. É um recheado (refogado) de feijão-fradinho ou mulatinho e milho vermelho bem cozidos e temperados com sal, camarão seco e azeite de dendê.

ECURU, dedicado a Loko, é preparado com a massa de acarajé enrolada em pequenas porções na folha de bananeira e cozida em vapor de água. Depois de cozido, deixa-se esfriar, amassa-se até ficar como farófia, temperando-se então com cebola, sal e azeite de dendê.

MUMUM é dedicado a Iemanjá – milho branco cozido com feijão--fradinho, cebola, sal e azeite de dendê como num recheado (refogado).

Oxum tem uma FRIGIDEIRA feita com camarões secos ou frescos, temperada com camarão seco triturado, cebola e sal, recobertos com ovos inteiros que cozinham, ou melhor, que frigem no azeite de dendê.

OLUBÓ é o nome que se dá a um pirão feito com a raiz de inhame seca ao sol, pisada e misturada à água fervente. Alguns usam a raiz da mandioca.

DOBORÓ é feito com milho pilado (chamado mungunzá), cebola, camarão seco, azeite de dendê e sal. Comida de Omolu.

BEBIDAS

A bebida de candomblé mais conhecida é o ARUÁ ou ALUÁ, resultante da fermentação da rapadura com um punhado de milho de galinha em água fria. Depois de bem fermentada, coa-se e mistura-se com gengibre ralado.

FURÁ é feito de arroz cozido sem sal até ficar com o ponto apertado. Leva gengibre ralado e é apresentado em bolas. Depois de frio é desmanchado na água e adoçado segundo o gosto de cada qual. Em alguns candomblés o açúcar é pisado junto com o gengibre.

DENGUÉ nada mais é que o popularíssimo mingau de milho. Em algumas casas dão o nome de dengué ao milho branco cozido sem sal misturado ao açúcar.

Em linhas gerais é o que se pode informar da COZINHA BAIANA, profana e sagrada, que atravessa uma fase de transição acentuada, reflexo da evolução cultural do ambiente em que se desenvolve.

Nota: Texto especialmente escrito para *Antologia da alimentação no Brasil*, na cidade do Salvador, fevereiro de 1963.

Hildegardes Vianna, de tradicional família baiana, emérita pesquisadora da cultura popular de sua terra, é autora de excelente documentário sobre a culinária local, e este seu ensaio é uma informação digna do maior merecimento.

6

COZINHA DO EXTREMO NORTE – PARÁ-AMAZONAS

Bruno de Menezes (1893-1963)

PRATOS DE CARNES (CAÇA E PESCA) E SEUS PREPAROS

APEREMA – Espécie de cágado amazônico da família dos Testudíneos (Bras.) – (*Geomyda punctularia,* Spix).

Processo para matá-lo: Imersão em água fervente até o casco ficar fendido nas ilhargas, por onde é aberto, após esfriar, retirando-se as carnes já cozidas, que são aproveitadas refogadas, antes passadas no sal e limão. O prato usual faz-se com farofa de farinha-d'água ou farinha seca torradas, com alguma gordura, manteiga ou azeite, com a qual serve-se o prato da carne, temperada com cebola picada, alho, cheiro-verde e pimenta. Os ovos também são utilizados, cozidos, misturados com sal, retirando-se a parte da clara. TEMPEROS: Para refogar, alho socado ou amassado, cebola e cominho, tomate, salsa, cheiro-verde, com fervura em azeite ou gordura.

JABUTI – Espécie de quelônio, com diferentes nomes indígenas (Bras.) – (*Testudo tabulata,* Spix) (Fem.: *jabota*).

Proc. para matá-lo: Idêntico ao do aperema, um tanto mais demorado na fervura; pode-se também cortar a cabeça, e, abrindo o casco pelo peito, seccionando as ilhargas, retirar as carnes juntamente com as vísceras; usam assá-lo, pondo-o vivo num braseiro, à moda indígena, até o casco se abrir; retiram-se as carnes, para juntar a um molho de sal, limão e pimenta, que são comidas com farofa. O prato mais simples é o guisado ou ensopado, adicionando-se leite de coco, ou da castanha-do-pará (*Bertholletia excelsa* H B K), que lhe dá um sabor altamente apreciado. Há o preparo do fígado, temperado à parte, ou assado de espeto, como excelente iguaria. TEMPEROS: Para refogar as carnes do jabuti, ou jaboti (aliás têm mais preferências as fêmeas), os mesmos usados para o aperema, incluindo-se farofa, quando não guisado nem ensopado, com molho de sal, pimenta e limão.

MUÇUÃ – (Bras. Amazônia) – Pequeno quelônio (*Cinosternon scorpioides*), de carne saborosa.

Proc. para matá-lo: Imersão em água fervente até o casco levantar as escamas, fendendo pelos lados, por onde é aberto, após esfriar, estando as carnes já cozidas, quando são separadas de algumas vísceras. As carnes aproveitam-se refogadas, acompanhadas de farofa, no próprio casco, depois de limpo, interna e externamente. É o que se chama, na culinária local (Pará), tradicionalmente, a comida "casquinho de muçuã", apreciado nas festas familiares e mesmo populares, de arraial. TEMPEROS: Para refogados, os mesmos do aperema e a torração da farofa, em gordura, manteiga e cebola picada.

TARTARUGA – (Bras. Amazônia) – Nome genérico de quelônios aquáticos, répteis anfíbios, marinhos (*Chelonia mydas*).

Proc. de pescá-la: Arpoando-a ou empregando anzol resistente, iscado com carnes, que a tartaruga engole e assim é puxada para terra; quando nas praias, ao saírem da água, para a postura, virá-las de peito para cima e deixá-las nesta posição. Para matá-la, decepa-se a cabeça, introduzindo um arame ou tala fina, pela coluna vertebral, aproveitando-se todo o sangue em vasilha com vinagre. Em seguida, corta-se o casco pelos lados, no peito, para retirar os quartos dianteiros e traseiros e as carnes aderidas ao casco. Dos pratos feitos com a tartaruga, sobressaem o guisado com batatas, ou ensopado; o sarapatel e o sarrabulho, que são a reunião do sangue, das vísceras e das partes cartilaginosas. O filé inteiro, de carnes brancas, prepara-se picadinho, indo ao forno, ou não, pondo-se a gema dos ovos, cozida e esfarelada, para servir no peito, como um prato de travessa. Há o chamado "paxicá", iguaria preparada com o fígado da tartaruga e outros miúdos, cortados em pedacinhos, cozinhados no próprio casco, que destila bastante gordura, ao ir ao fogo (braseiro). Também usam assá-la em fornalha (nas embarcações de caldeiras a vapor), abrindo-a e retirando as carnes, para temperar com molho de limão e pimenta ou botar no tucupi.

Os ovos são aproveitados, principalmente a gema, amarelo-escura, que endurece, em fervura, ao contrário da clara albuminosa, que continua gomosa; com as duas partes dos ovos cozidos, fazem a "mujica", adicionando farinha-d'água e sal, que fica em massa pastosa e é comida com os dedos, formando pequeno bolo. Consta o registro da comida *mujanguê*, na Amazônia, feita de gemas cruas, de ovos de tartaruga, batidas e misturadas com açúcar e farinha-d'água. TEMPEROS: Além dos que são recomendados para os quelônios, nos refogados, há um gosto especial no preparo de vários pratos de tartaruga, usando a sua mesma banha, nos quais as cozinheiras amazônicas são especialistas, notadamente na dose do limão, do vinagre, do sal e no amolecimento das cartilagens no sarapatel. Chama-se *capitari* o macho da tartaruga, que indica a zona da postura dos ovos para as fêmeas na orla das praias (tabuleiros), onde elas desovam, nos meses de novembro, dezembro e janeiro, em covas cavadas na areia, que servem de "chocadeira", por meio do calor solar. As tartaruguinhas, ao saírem das covas, rumam para as águas, sendo perseguidas pelas aves de rapina. Das várias espécies de tartarugas, tanto da Amazônia como de outras áreas brasileiras, a mais estimada é a dos rios e lagos amazônicos, pelo sabor da carne, dos ovos, da gordura, que se torne em manteiga ou mixira. A tartaruga marinha Suruanã, como se chama no Pará (*Chelonia myda*), não empresta qualidades comestíveis, dignas de registro.

TRACAJÁ – (Bras. Amazônia) – Pequena tartaruga do gênero *Emys*.

Proc. para matá-la: O que é empregado para os quelônios, imergindo em água fervente. De carnes saborosas, se prestam para guisados, refogados, acompanhados de farofa, ou assadas inteiras, em forno e braseiros. Os ovos são apreciados, cozidos, feitos *mujica*, com farinha de mandioca ou farinha de peixe (piracuí). TEMPEROS principais: Limão, cheiro-verde, cebola picada, alho e tomate, pimenta queimosa.

PEIXE-BOI – Mamífero da ordem dos Sirenídeos, da família dos Triquequídeos (*Trichechus inunguis*, Desmaret), aquático pisciforme (Bras.).

Proc. para pescá-lo e matá-lo: Com naturais criatórios nos rios e lagos amazônicos, usam arpoá-lo, devido a sua "comedia" ser às margens e a superfície de seu hábitat, o que torna fácil atingi-lo quase sem defesa. Por este motivo a espécie vem se extinguindo, o que levou o órgão da Caça e Pesca a proibir a sua pescaria, mesmo vivo. Devido o teor gorduroso de sua carne é de preferência o preparo moqueado, que resulta em produzir a mixira (termo tupi). Cozinhada na grande quantidade de banha, a carne, conservada, utiliza-se como tempero de pratos regionais, ou para ser comida à maneira de presunto.

PIRARUCU – (Bras.) – O maior dos peixes de água doce, próprio do Amazonas, da família dos Osteoglossídeos (*Arapaima gigas*).

Proc. de pesca: Arpão ou flecha, à maneira indígena e outros usuais. O aproveitamento da carne, escamado e eviscerado, é abri-lo em *mantas*, salgando e levando ao sol. Na Amazônia, constitui elemento básico alimentar, já transferido para o Nordeste, onde a criação do pirarucu se aclimatou nos açudes. Uma diversidade de pratos é feita com a carne, desde a fresca (não salgada), a frescal (primeira salga) e a que é tratada no local da pesca (salga a seco). A ventrecha, assada na brasa, com molho de sal, pimenta, limão e farinha-d'água, é tida como verdadeira iguaria regional. As populações interioranas e as das cidades amazônicas preparam-no assado na brasa, frito, cozido com verduras (vinagreira, maxixe, quiabo, jerimum), ensopado com batatas, no leite de coco, da castanha-do-pará; em bolinhos, fritos no azeite, em saladas, esfarelando os pedaços assados, com molho de tomate, vinagre, cebola, salsa e alguma pimenta-de-cheiro. Maneira típica de ser comido é assado e tirado o sal, por infusão em água fria, juntamente com a bebida amazônica, o açaí, tradicional no Pará. Quando ainda pequeno, o pirarucu é chamado *bodeco*.

JACARÉ – Genericamente, designação de diversas espécies de crocodilianos *Caimam*, que vivem nos rios e lagos, sendo encontradiços na Amazônia. Dos mais comestíveis, nesta região, são preferidos o *jacaretinga*, o *jacarecurulana*, com elevado consumo, especialmente nos mercados das cidades tocantinas e mesmo em Belém e Manaus, vendido a peso.

Proc. para caçá-lo e matá-lo: De diferentes modos, com armas de fogo, lanternas incandescentes, golpes de machadinha na cabeça, arpão, iscas de carnes ou de vísceras, em anzol reforçado. O caboclo amazônico, como divertimento, luta com o jacaré dentro da água, dominando-o, até imobilizá-lo ou matá-lo. Na cozinha regional, são preparados pratos de carnes de jacaré, muito saborosos, assado com o couro, na brasa, ensopado, moqueado, de salmoura, depois guisado. TEMPEROS: Para melhor sabor, usa-se molho de sal, limão, alho, cebola, pimenta, cominho, cheiro-verde e pimenta-de-cheiro.

PRATOS DE CARNES (ANIMAIS DA SELVA E DE CAÇA) E SEUS PREPAROS

ANTA – (Bras.) – Mamífero ungulado da família dos Tapirídeos (*Tapirus americanus,* Briss), uma das caças estimadas na Amazônia.

Proc. para caçá-la e matá-la: Animal que vive nas florestas amazônicas, possui muita força e resistência, mergulhando profundamente nos rios e lagos e igarapés, onde se lança, ao ser perseguido, fugindo aos cães e aos caçadores. Na selva, é caçado com armas de fogo, ou atingido por lanças e arpão, ao vir à superfície das águas; neste caso, arrastando a embarcação, com velocidade, até perder as forças e ser rebocado para terra. Sua carne e vísceras e sangue são bastante apreciados, identificando-se com os do gado vacum, tendo utilidade em vários pratos da cozinha regional, desde o guisado, ensopado, assado de forno, ou de panela. À moda indígena, usam moquear-lhe a carne, levando-a também ao braseiro, sendo comida meio crua, com molho de sal, limão, cebola e alho, pimenta, cominho, com farinha-d'água. Considerada "animal silvestre", o couro tem valor industrial, devidamente tratado, salgado ou seco.

CAITITU – (Bras.) – Mamífero da família dos Suídeos (*Tayassu tayassu*, Lin), também chamam-no na Amazônia porco-do-mato.

Proc. para caçá-lo e matá-lo: Animal que anda em bandos, nas florestas tropicais, sua caça é mais comum com armas de fogo, levando os caçadores cães acuadores. Costuma lançar-se na água, em fuga, onde é perseguido até ser morto. Medida prática, na caça ao caititu, é alvejar os derradeiros do bando, em vista de se tornar perigoso que as pessoas sejam descobertas pelo grupo, que procura cercá-las, investindo contra os cães e matando-os. Quando morto, antes de ser despojado do couro, deve-se tirar toda a "catinga" (glândula localizada na parte lombar); a carne e as vísceras têm habitual consumo, cozinhada, guisada, assada em braseiro (achurrascada), comida com molho de sal, limão, cebola, alho, cominho, cheiro-verde e farinha-d'água. Quando fazem as matanças desse porco selvagem, salgam ou secam a carne ao sol ou a fogo (moqueada), para venda ao público, nos mercados do interior e mesmo das cidades nortistas, podendo substituir o charque, juntada ao feijão, feito "porco defumado". Classificado como "animal silvestre", o couro, preparado a seco, tem aplicação industrial e é de boa aceitação no exterior.

CAPIVARA – (Bras.) – Espécie de roedor (*Hydrochoerus capybara,* Erxl.)

Proc. para caçá-la e matá-la: O mesmo dos animais antecedentes, tanto em terra como na água, onde procura refúgio, se acossada, usando os caçadores de artimanhas, para atingi-la mortalmente, ou apanhá-la viva. Nos sítios do interior, outro meio de atraí-la é colocando uma "comedia", isto é, o que o animal é certeiro em comer, sob armadilhas, quando é morto por esmagamento (quebra-cabeça). A carne e vísceras são inteiramente aproveitadas; a gordura, submetida a processo químico, se transforma em óleo, usado na indústria farmacêutica (CAPIVAROL). Os pratos principais feitos da carne são cozido, guisado, ensopado, assado no braseiro e moqueada. Salgada ou desidratada, ao fogo ou ao sol, a carne é exposta à venda, nos mercados (apesar da proibição deste comércio), com franca aceitação pelas gentes amazônicas. Substitui, quando é preciso, o charque (carne-seca), devido ao sabor e à gordura. O couro está sob fiscalização do órgão da Caça e Pesca, que controla a sua exportação irregular e caça ao animal, arbitrariamente.

CUTIA – (Bras.) – Roedor da família dos Cavídeos (*Dayprocta aguti*, Lin), bastante arisco e corredor.

Proc. para caçá-la e matá-la: Armas de fogo, atraindo-a por "comedia", ou "espera", nos sítios onde o animal costuma comer, nos roçados ou embaixo de árvores e palmáceas, que produzem frutos de sua predileção. Empregam também armadilhas "quebra-cabeça", para apanhá-la morta, ou armadilha de varas, para aprisioná-la e domesticá-la, cevando-a com alimentos caseiros. Constitui excelente prato, temperado com refogados de alho, cebola, sal, vinagre ou limão e folhas de louro. No interior, levada ao moquém, é comida e apreciada com farinha-d'água e molho de tucupi, apimentado. O couro se presta para cobertura de pequenos móveis de assento, gorros e utilidades correlatas.

PACA – (Bras.) – Mamífero roedor (*Coelolgenis paca*) – (Masc.: *pacuçu*).

Proc. para caçá-la e matá-la: Idêntico ao dos animais silvestres e que são nadadores, vivendo em pequenos grupos ou aos pares; as armadilhas para apanhá-la morta ou viva são usadas, quando, à noite, o animal procura a "comedia". Considerada ótima caça, os pratos feitos com sua carne e vísceras são de primeira, na cozinha amazônica, desde o guisado, ensopado, assado de forno ou de panela. Amansada e cevada com alimentos caseiros, torna-se mais gorda e saborosa a sua carne. Preparada no tucupi, com jambu e os temperos convenientes, depois de assada ou moqueada. O couro, de pelo vermelho-bruno, de malhas claras, é aplicado em artesanatos domésticos, forros de tamboretes e outras utilidades.

PREGUIÇA – (Bras.) – Pertence à família Bradipodídeos, mamíferos xenartros.

Proc. para caçá-la e matá-la: Armas de fogo, ou subindo à árvore em que ela habitualmente come as folhas e se conserva agarrada à galharia. Não oferece resistência, mas, se ferida a tiro, é difícil cair, sendo preciso ir buscá-la ou derrubá-la, às vezes, com a árvore. Sua carne, preparada com os temperos comuns, sal, limão, cebola, alho, cominho, pimenta-do--reino, é um prato que o amazônide não recusa, tanto no interior como nas cidades. Devido à facilidade de sua caça ser trazida viva aos mercados, para venda, o couro, de pelo felpudo, característico, tem uso no serviço de gorros, tapetes, ou forros de assentos. É um dos animais vulgarizados pelo folclore brasileiro.

TATU – (Bras.) – Da espécie de mamíferos da ordem xenartros, família dos Dasipodídeos, com diversas designações científicas. Entre as variedades conhecidas há o *tatu-canastra, tatupeba, tatu-bola, tatuetê, caba-tatu.*

Proc. para caçá-lo e matá-lo: Procurando-o nas locas, onde faz moradia, empregando os caçadores cães amestrados, farejadores, para localizarem a "casa" do tatu, tornando-se necessário, quase sempre, cavá-la, para encontrá-lo. Quando fora da "oca", havendo dificuldade em pegá-lo vivo, caçam-no a armas de fogo. Sua carne, especialmente dos que a têm mais mole, de sabor típico, é retirada do casco, para ser cozida ou assada em braseiro, no próprio casco, temperada com sal, limão, pimenta, cominho, alho, cebola. Costumam saboreá-la com farinha-d'água e molho de tucupi com pimenta-de-cheiro. Particularidade registável é o curtimento de um chicote chamado "rabo de tatu", que serve de aviltante instrumento de sevícias corporais, feito com o rabo do *tatuaçu.*

VEADO – Mamífero ruminante, veloz na corrida (Fem.: *cerva* e *veada*). Entre as várias espécies de cervos ou veados, há o nome indígena SUAÇU (Bras.) (*Odocoelus suaçuapara*, Ker).

Proc. para caçá-lo e matá-lo: Reuniões meio esportivas, de pessoas práticas em excursões venatórias, levando os caçadores cães escolhidos para este "rastejamento". Tímido, arisco e veloz, exige artes e precisão de tiro, para atingi-lo mortalmente. Sua carne e vísceras são apreciadas, em pratos da região, cozida, guisada, assada de grelha, no braseiro, moqueada. Quando há quantidade da carne, para conservação, aproveitam-na salgando. O couro está sob fiscalização da Caça e Pesca, órgão federal, tanto para a exportação nacional, como estrangeira, devido ao seu valor econômico.

MACACOS – (Bras.) – (Guariba) – Comumente, os macacos micetos, que andam em bandos. Diz-se que os *guaribas* vivem sob a direção de um velho macaco patriarca, chamado *capelão*, ou *padre-mestre*, que promove uma *reza*, gutural e monótona, ao anoitecer na selva, para reunir e chamar ao recolhimento a sua comunidade.

Proc. para caçá-los e matá-los: Armas de fogo e habilidade e precisão no tiro, pois, geralmente, os macacos trazem "espias", que, segundo os caboclos da região, denunciam a presença de estranhos na mata. Quaisquer dos exemplares da espécie são comestíveis, preparando-se a carne cozida ou "passada" na brasa, com molho de farinha-d'água. Destaca-se o prato da *guariba*, por ser o macaco de regular tamanho, na Amazônia, sabendo-se, pelas conversas locais, haver pessoas que não comem macacos, ao vê-los esfolados, por se parecerem com criança morta e nua. A *guariba* e outros macacos estão sempre presentes no folclore amazônico e nas demais áreas do território brasileiro.

PRATOS DE CARNES (AVES AQUÁTICAS) E SEUS PREPAROS

MARRECA – (Bras.) – Ave da família dos Anatídeos (*Dendrocygna vinduta*, Lin), de que existem diversas espécies com diferentes nomes.

Proc. para caçá-la e matá-la: Na região dos campos baixos, nos rios, lagos e brejos, do arquipélago de Marajó (Pará), quando em bandos, as marrecas chamadas *chega-e-vira* são caçadas a arma de fogo (espingardas), com cargas de chumbo grosso; na época do verão, por causa do calor, diz-se que ficam "desasadas", devido a estarem muito gordas, e, por isto, procuram as lagoas e brejais que se formam nos campos, no tempo das chuvas; ao se escoarem as águas pluviais, são caçadas e mortas, como fazem com as "avoantes" no Nordeste. São tidas como prato estimado, depenadas e "passadas" na brasa, guisadas, assadas de panela; a "marreca salgada" é conservada por muitos dias, sendo preparada no arroz, depois de "tirado o sal". TEMPEROS: Para assá-la de grelha, usam molho de sal, limão ou vinagre, alho, cebola, cominho, pimenta-do-reino, com o qual vão molhando-a, à maneira de churrasco; para guisado, refogando antes em banha ou azeite, tomate, cebola, cheiro-verde; para comê-la no arroz, pondo em água fria para "perder o sal", sendo, após, ligeiramente refogada, sem ficar desfeita a carne. Aprisionadas e alimentadas em casa, tornam-se domésticas, em comum no terreiro, com um grasnado denunciador de sua presença.

PATO-DO-MATO ou BRAVO – (Bras.) – Ave da família dos Anatídeos (*Cairina moschata*), encontradiça nos rios amazônicos.

Proc. para caçá-lo e matá-lo: Um tanto diverso do usado para as aves aquáticas de pequeno porte, com alvo direto ou chumbo de cartuchos, em virtude de seu voo largo, em busca das margens dos rios, ou internando-se nos mangues e aningais e na mata cerrada. É avistado nos lagos, ao se alimentar dos peixes e mariscos retidos, sendo abatido a tiros; à noite, matam-no a bastonadas, caçando-o com luzes de lanternas. Prato da cozinha regional, costumam prepará-lo guisado, assado na brasa, ou simplesmente cozido com caldo ou no arroz. Também o aproveitam salgado, para conservação, neste caso, tirado antes o sal; de carne gordurosa, de especial sabor, com molho de sal, vinagre ou limão, cebola, alho e cominho, assado, pode ser metido no tucupi. Quando perde o estado selvagem, faz bom cruzamento com patas de criação doméstica.

PASSARÃO – (Bras.) – Espécie de cegonha da Ilha de Marajó (Pará), também chamada *tuiuiu, cabeça-de-pedra, cabeça-seca*, da família dos Ciconídeos (*Mycteria americana*, Lin).

Proc. para caçá-lo e matá-lo: O mesmo do pato-do-mato, com armas de fogo; se for à noite, de vez que a sua "comedia" é nos lagos e nos brejos, às margens dos rios, na baixada das águas, juntando-se às outras aves, matam-no a cacete, empregando artimanhas indígenas. O preparo da carne é idêntico ao do pato-bravo, utilizando-se os temperos similares, mesmo porque a sua carne é menos estimada. Nos baixos campos marajoaras é comum a sua caçada e matança, pelos vaqueiros e pescadores, em toda a região.

PRATOS DE CARNES (AVES DA SELVA) E SEUS PREPAROS

INAMBU – (Bras.) – Nome comum de aves diversas, da família dos Tinamídeos, especialmente as do gênero *Crypturellus.*

Proc. para caçá-la e matá-la: Estimada como caça habitual na selva amazônica, é morta a armas de fogo, carregadas de chumbo ou de um só tiro. Sua carne, de sabor semelhante ao da galinha, é preparada guisada; à base de caldo, ou assada de brasa, com molho de sal, pimenta e limão. Pode ser acompanhada de farinha-d'água torrada ou de arroz temperado, na ocasião de servi-la. É também domesticável, adaptando-se aos galináceos xerimbabos.

JACAMIM – (Bras.) – Ave da família dos Psofiídeos (*Psophia crepitans*, Lin), com diferentes espécies e nomes.

Proc. para caçá-lo e matá-lo: Armas de fogo, como se caçam na selva as aves que pousam no solo e alçam voo para as árvores. Constitui prato da cozinha dos moradores interioranos, preparado com simplicidade de temperos, em cozidos, guisados, assado na brasa; usam molho de limão, sal, pimenta, cominho, alho, para melhor saboreá-lo com farinha-d'água ou arroz. De fácil domesticidade, coabita com as aves caseiras e choca os ovos.

MUTUM – (Bras.) – Ave com frequência na Amazônia, cujo nome é dado a várias espécies do gênero *Crax,* incluindo a ordem de alguns galináceos de atraente plumagem.

Proc. para caçá-lo: No recesso da selva, empregando apetrechos para caçadas às aves que "mariscam" no solo e se abrigam no alto do arvoredo. Com astúcia e habilidade o mutum pode ser apanhado vivo, quando passa a ficar bem manso, no convívio dos terreiros, alimentando-se com as outras aves. Devido ao tamanho e excelência da carne, assado de forno é equiparado ao "faisão", das mesas aristocratas. Os TEMPEROS para prepará-lo variam de preferência, conforme o prato que será servido; comem-no guisado com batatas e arroz temperado. Na arte plumária dos nossos silvícolas, um dos belos ornamentos são as penas luzidias, o bico decorativo, a crista, de arremates crespos, do mutum selvagem.

PEIXES DE ÁGUA SALGADA (AFLUÊNCIA OCEÂNICA) E SEUS PREPAROS

CAÇÃO – (Bras.) – Peixe de couro liso, tido como pequeno tubarão; sem a agressividade deste, é incluso na designação geral dos Elasmobrânquios seláquios.

Proc. de pesca: Com redes apropriadas, espinhel, "currais" (cercada), construídos nas praias, com três compartimentos, para entrada e aprisionamento do peixe. Sua carne tem tratamento especial, com sal, limão e alho, para tirar o cheiro de amoníaco (urina); cozinham-no ensopado, com os temperos de cebola, cominho, alho, chicória, cebolinho; o fígado, assado na brasa, ou de espeto, é verdadeira iguaria, para o amazônide. Retalhado e de meio sal, exposto ao sol e ao vento, para conservação, preparam-no no leite de coco; quando fresco (não salgado), fritam-no em azeite ou gorduras, para ensopados e escabeches, com molho denso, de cebola, tomate, pimentão, cheiro-verde, alho e vinagre. No Pará, na zona litorânea do Salgado, que recebe fluxos atlânticos, o cação prolifera, e, nas grandes pescarias, é eviscerado e salgado, retalhado em mantas, para venda no comércio e mercados públicos, como "peixe seco", semelhante ao bacalhau em caixas.

CAMURIM – (Bras. Norte) – Peixe de escamas, no Sul chamado *robalo*, da família dos Percídeos (*Oxylabrax undecimalis*), produz pesca efetiva na Amazônia.

Proc. de pesca: Idêntico ao dos peixes de seu porte, usando-se os mesmos aparelhos. A carne é apreciada, quer em pratos de ensopado com batatas, quer assado de forno, ou frito em postas e posto no escabeche, com molho denso, de tomate, cebola, cheiro-verde, alho, azeites de cozinha. A ova do camurim representa particularidade culinária nos cardápios dos restaurantes; e também o "filé de camurim" é requestado; a cabeça, cozinhada com arroz, é outro prato especial. Peixe do mar, sobe o curso dos rios, o que possibilita a sua constância na região fluvial amazônica. Quando pescado em abundância, vai à salga, retalhado em mantas, transformando-se em "peixe seco", com aceitação no comércio e venda ao povo, nos mercados; concorre com o bacalhau, tanto ao pegar os temperos, como para fazer diversos pratos, além de bolinhos. Há cozinheiras que adotam tirar-lhe as escamas com o couro, para evitar certo cheiro (amoníaco) que, levemente, ao aferventar, transpira de sua carne.

CORVINA – (Pescada) – Comumente, nome de vários peixes de escamas, da família dos Gadídeos e, em particular, da espécie *Gadus merluccius*. Na Amazônia (Pará), é conhecida a pescada-corvina, semelhante às demais, porém, de carne tenra, menos apreciada do que a "pescada amarela" e a "branca", esta de menor tamanho.

Proc. de pesca: A mesma aparelhagem usada para o pescado de mar e fluvial, acrescentando as "tapagens", em lugares onde as marés sobem de nível e vão além do leito dos rios; na vazante, deixam retidos os peixes nessas "armadilhas", de tradição indígena. Para sua alimentação, os moradores ribeirinhos "despescam" essas "tapagens", retirando os peixes, entre os quais as chamadas "pescadinhas da maré". De um modo geral, tratando-se de PESCADA, todas servem para diversos pratos, cozidos em caldos simples ("em água e sal"), com cheiro-verde, limão e sal; ensopadas com batatas, refogadas com tomate, alho e cebola, cominho, vinagre e azeite; fritas, metidas no escabeche, servem-se ainda quentes; assadas de forno, acompanhadas de molho de massa de tomate, cheiro-verde, que poderá conter camarões, é um prato recomendado; desfiadas, depois de fritas ou assadas, fazem-se saladas, com batatas cortadas, rodelas de ovos cozidos, salsa, alface, tomate, cebola e azeite. Leem-se nos cardápios de restaurantes e casas de pasto nomes de pratos de pescada, com preparos diversos, quando a CORVINA, muitas vezes, é o peixe usado.

ENCHOVA – (Bras.) – Peixe de mar, de escamas, da família dos Queirodipterídeos (*Cheilodipterus saltador*, Lin).

Proc. de pesca: O que é empregado para os peixes de sua espécie. Frequente na Amazônia, é tida como inofensiva, para enfermos e parturientes. É usada para caldeiradas, ou seja, cozida em caldo natural, com temperos de sal, cebola, alho, cheiro-verde, pimenta queimosa, tomate e azeite suficiente; pode ser acompanhada com pirão (angu) de farinha-d'água ou seca, feito com o caldo quente, para ligar. Quando frita ou assada de forno, tem utilização no escabeche, com molho espesso e condimentos apropriados.

FILHOTE – (Bras.) – Peixe de rio, de couro liso, carne branca, da família dos Silurídeos; na Amazônia distinguem-no da *piraíba*, que atinge tamanho e peso consideráveis e é menos estimada na mesa regional.

Proc. de pesca: Redes e embarcações, espinhel e, acidentalmente, os "currais" (cercada). Na cozinha do Norte (Pará) é um dos pratos excelentes, apresentado, para quem desconhece, sob a forma e o nome de "filé de camurim" devido ao paladar e à espessura de sua carne. Ensopado com batatas, em molho adequado, assado de forno, ou frito em postas, integra um bom escabeche. A ventrecha do filhote (parte posterior, depois da cabeça, sem chegar ao fim do rabo), moqueada, passada na brasa, com molho de sal, limão, pimenta queimante e farinha-d'água, é altamente saboreada.

GURIJUBA – (Bras.) – Peixe de couro liso, de rio, da família dos Silurídeos (*Tachysurusluniscutis,* Cuv e Val) também chamado *gruijuba.*

Proc. de pesca: Os empregados anteriormente, com embarcações veleiras, conhecidas por "vigilengas" e outras, a motor e a vela. Peixe com assinalada procedência da zona do cabo Norte, no Pará, é trazido para as cidades inclusive Belém, nas "geleiras", canoas condutoras de pescado pertencentes a companhias de pesca locais. Tem disputada preferência nos mercados, fresca, ou de gelo, vendida aos quilos; a carne é boa de tempero, tanto cozida, em caldo simples, com sal, cheiro-verde, chicória, tomate, limão, alho, cebola e pimenta de cheiro; ensopada, com azeite, batatas, tomate, é muito apreciada; moqueada, principalmente a cabeça, metida no tucupi, com jambu, alfavaca, chicória, tem fama de ser prato estimadíssimo; salgada, ou sob a forma de "peixe seco", é de acentuado consumo da classe média e nas embarcações fluviais; preparam-na cozida, tirado o sal, acompanhada de farinha-d'água e molho apimentado. Quer fresca ou salgada, o caldo, engrossado com farinha, resultante dos ossos da cabeça da gruijuba, é iguaria suculenta, que os amazônides elogiam e não dispensam nunca.

MERO – Peixe percoide (*Promicopus guttatus*), escamoso, de regular tamanho.

Proc. de pesca: O que é apetrechado à pescaria de "barra a fora", com embarcações apropriadas. De carne branca e enervurada, para que se tenha melhor gosto desse peixe, deve-se aferventá-lo, escamá-lo, lavando com limão e sal; depois refoga-se com cebola, alho, cominho, cheiro-verde, para prepará-lo no azeite, tomate, ensopando-o com batatas.

Estando de salpreso, ou moqueado, preparado pelo sistema das gentes praieiras, no leite de coco e da castanha-do-pará, com molho de pimenta, é um prato digno de referência. Retalhado em mantas, no feitio de "peixe seco", encontra-se nos mercados, com aceitação geral. Na zona fluvial de Bragança, dá-se muito valor ao mero.

PIRAÍBA – (Bras.) – Peixe de couro liso (*Bagrus reticulatus*), de grande porte.

Proc. de pesca: Embarcações e instrumentos que resistam aos embates com as ondas, em pescarias de alto-mar, como no caso da piraíba. Frigorificada nas canoas "geleiras", é trazida para os mercados; sua carne branca e fibrosa exige certo tratamento, em virtude de não ser muito macia; há quem prefira tirar-lhe o couro, antes de cuidar de cozinhá-la, para pegar mais os temperos e amolecer. O povo faz ligeiras restrições à piraíba, porque acredita que é peixe "carregado", ou que "põe para fora" reumas ocultas. Mas, com os recursos culinários da cozinha regional, moqueada, com a cabeça, no tucupi, jambu, chicória, alfavaca, alho, cominho, não deixa de ser apreciada com farinha-d'água, pimenta-de-cheiro, num bom molho.

PIRAMUTABA – (Bras.) – Da família dos Silurídeos (*Blachyplatystoma vaillanti*, Cuv e Val), de couro liso.

Proc. de pesca: Devido à sua frequência nos rios amazônicos, participa, basicamente, da alimentação popular. Sua pescaria é feita nos rios de água doce e nos que recebem águas salgadas, chegando a suprir as necessidades comestíveis do povo, sendo, por isso, chamada "peixe do pobre". Nos trabalhos da pesca da piramutaba são empregados os aparelhos comuns, como também "tapagens de igarapés"; seu transporte das zonas marítimas de onde procede, para os centros consumidores, é feito nas embarcações "geleiras", em que, habitualmente, os tripulantes são tapuios. Escolhida pelo conteúdo da gordura que os caboclos sabem distinguir, por pegarem "bem os temperos", fica amarela nas frituras; cozida, ensopada, a piramutaba é inconfundível, comida "na hora", ainda quente, segundo aconselham as cozinheiras experientes. Os TEMPEROS principais são alho, cebola, sal, limão, tomate, cheiro-verde, chicória, ou apenas "água e sal", que fazem desse peixe um prato modesto, porém supridor das mesas menos abastadas; a ventrecha, quando gorda, assada na brasa, é apetitosa, com molho de pimenta queimosa e farinha-d'água. Particularidade curiosa caracteriza a sua enorme proliferação: ao contrário dos outros peixes, muitas vezes pescados com a ova, raras são as notícias de haver sido encontrada uma piramutaba ovada, fato observado por velhos pescadores.

Na época anual do aparecimento desse peixe nos mercados, as estatísticas registram milhares de quilos, sem que diminua a produção. De mistura com outros pescados, encontra-se à venda, retalhada em mantas, de primeira salga, ou de preparo como "peixe seco"; tanto naquela como nesta forma, cozida com vinagreira, maxixe, quiabo, jerimum, cheiro-verde, é um dos pratos vulgarizados e apreciados na Amazônia.

SERRA – Peixe da família dos Escombrídeos (*Sarda sarda*), também conhecido por *peixe-serra*, sem escamas.

Proc. de pesca: Os já referidos, nas diversas modalidades. Pescado considerado excelente para dietas, não constante, mas encontradiço na Amazônia, por ser de boa carne para cozidos, ensopados com batatas, temperado no azeite, cebola, alho, tomate, cominho, cheiro-verde, ocupa lugar distinto na culinária nortista do Pará, Amazonas, Maranhão. De digestão fácil e leve, sem dar cuidados com espinhas, o serra frito ou assado de forno, metido no escabeche, é prato convidativo.

TAINHA – (Bras.) – Designação comum a quase todos os peixes da família dos Mugilídeos, sendo a mais conhecida a *Mugil platanus*.

Proc. de pesca: Sem diferença dos antes citados, contando com os "currais" e "tapagens", empregando-se tarrafas lançadas a braço. Peixe muito procurado pelo povo nortista, é um dos fatores ponderáveis na alimentação cotidiana das populações interioranas, desde o cozido, com caldo temperado, ensopado ou assado na brasa, frito, assado de forno, estes dois últimos para escabeches. A tainha é também submetida ao critério de estar gorda ou magra, sendo aquela a mais escolhida, especialmente se estiver com o ovário cheio (ovada). A "tainha seca", cheirosa, assada, ou no leite de coco, cozida com as verduras costumeiras, e molho de sal, pimenta e limão, é um dos pratos famosos da cozinha local. Diferente da piramutaba, que se desfaz do ovário antes da época de sua pesca, a tainha se deixa pescar aos cardumes, com muitas delas ovadas. Na ocasião de serem evisceradas e retalhadas, para a salga, retiram os pescadores grande quantidade de ovas, que têm viva procura, comendo-as os seus gastrônomos assadas, fritas, cozidas, com molho e farinha-d'água ou desfeitas em farofa. A ova da tainha, assim tratada, é um autêntico "caviar nortista", ou melhor, amazônico. Quando bem preparada a seco, é acondicionada em lotes de uma arroba, e assim vendida e exportada para estados nordestinos.

XARÉU – (Bras.) – Peixe da família dos Carangídeos (*Caranx hippos*).

Proc. de pesca: Peixe de rio e de águas salgadas, na Amazônia é pescado até com mais de 3 quilos, encontrando-se à venda nos mercados, inteiros ou a retalho. Sobre a presença do xaréu no litoral baiano e a sua inclusão na culinária local, diz Manuel Querino: "O xaréu é muito apreciado também pelas classes abastadas". É o que ocorre com as gentes amazônicas, quando é tempo de pesca do xaréu, com os processos usuais de redes, "currais", espinhel, trazendo as canoas "geleiras" considerável quantidade deste pescado para Belém. Peixe de carne polpuda e sangrenta, com revestimento escamoso, ao estar gordo é cozido com caldo temperado de sal, cheiro-verde, alho, cebola, folhas de louro; é aconselhado, antes, conservá-lo alguns minutos em sal e limão, para limpá-lo de certos *vermes brancos* que se aderem ao lombo e à cabeça. Xaréu no leite de coco é prato preconizado; assado de forno, ensopado no molho de azeite, tomate, cebola, cheiro-verde, batatas, pode ser apresentado em qualquer mesa.

PEIXES DE ÁGUA DOCE (FLUVIAIS) E SEUS PREPAROS

ACARÁ – (Bras.) – Designação vulgar de várias espécies de peixes da família dos Ciclídeos, o mesmo que *cará*. Existem diferentes classificações científicas, destacando-se alguns exemplares por faixas transversais coloridas, tornando-se ornamentais.

Proc. de pesca: Sistema comum de redes, tarrafas, "currais", "tapagens", anzóis de linha. Sua carne se presta para cozidos, com caldo temperado, ensopado com cebola, alho, cheiro-verde, tomate; estando gordo, frito, tem sabor especial, feito de escabeche, com molho denso. Trazido nas embarcações de condução de pescado, da zona dos rios onde elas se abastecem, é adquirido nos mercados, a peso; nos lotes de "peixe seco" é escolhido para ser preparado de diversas maneiras. Na Amazônia aparece o ACARAÚ-AÇU, de maior tamanho, de escamas prateadas, carne branca, como pescado negociado pelas "geleiras" e barcos que sobem os rios amazônicos.

ARACU – (Bras.) – Nome pelo qual se conhecem certas *piabas*, distinguindo-se o *aracu-branco,* peixe de rio, da família dos Caracinídeos (*Leporinus mulleri,* Gunther).

Proc. de pesca: Os que se relacionam com o *acará*. Peixe de escamas brancas, luzidias, há uma época anual de sua maior pescaria, quando as canoas "geleiras" trazem grande quantidade de aracu para os mercados. O seu tratamento culinário exige conhecimento na maneira de escamá-lo e prepará-lo, isto é, "quiticá-lo", fazendo incisões, calculadamente, de 1 centímetro, abrangendo a parte do corpo, depois da cabeça, para entranhar o sal; este processo tem a finalidade de "serrotar", bem miudinho, as espinhas do peixe, a fim de o mesmo ser comido sem perigo, ou seja, não "sentindo as espinhas". As gentes do interior fazem do aracu gostosos pratos, cozido em caldo temperado, também frito, quando é apreciado, com molho de sal, pimenta e limão. No baixo arquipélago de Marajó, região do Arari, é de onde procedem os aracus mais bem-criados e em abundância.

BACU – (Bras.) – Peixe da família dos Doradídeos (*Doras dorsalis*, Val), que atinge, na Amazônia, regular tamanho, com serrilhas e esporões.

Proc. de pesca: Modos diversos, evitando-se redes, prevalecendo os "currais" e "tapagens". Observação interessante é de que o bacu tem relativa sobrevivência mesmo fora de seu elemento, a água, ficando horas seguidas, ainda vivo, como se poderá verificar pela cabeça, respirando o ar. Referem os pescadores e o povo ribeirinho que, não obstante esse movimento, o peixe vai "morrendo" do rabo para cima. Apesar desta particularidade, o bacu moqueado, metido no tucupi com jambu, é apreciado, com molho de sal, pimenta e limão e farinha-d'água. Mesmo simplesmente cozido com cheiro-verde, chicória, alho e cebola, cominho, tem franca aceitação popular.

BAGRE – Peixe fluvial, comum a diversas espécies, da família dos Silurídeos, pele lisa, com barbilhões um tanto desenvolvidos.

Proc. de pesca: Similar aos precedentes, incluindo redes. Na linguagem dos pescadores há um tipo desse peixe, a que chamam BAGRALHÃO, quando mais desenvolvido, talvez corruptela de *bagalhão* (bago grande). Sua carne, mesmo estando gordo, não é tão estimada quanto a de outros peixes lisos; mas não é desprezada para cozidos, ensopados e moqueados, adicionando-se os temperos e condimentos usuais, para melhor lhe dar gosto. Na maioria dos peixes fluviais, a cabeça cozida constitui prato indispensável; entretanto, a do bagre, avantajada e óssea, não lhe empresta tal atração; sabe-se até, do anedotário depreciativo e galhofeiro, relacionado com o conformismo dos humildes, que os parcos meios de subsistência obrigam a comer esse peixe, e que assim se expressa: "Cabeça de bagre/ não tem o que *chupá*;/ minha mãe é pobre/ não tem o que me *dá*".

JARAQUI – (Bras.) – Nome genérico de vários peixes da família dos Caracídeos.

Proc. de pesca: Comum nas águas paraenses e do Amazonas, é pescado como usualmente fazem os amazônides, empregando tarrafas, redes e "tapagens". De escamas brilhantes, e com listras negras, o seu tratamento culinário varia de paladar; há quem prefira "quiticá-lo", para prepará-lo cozido, em caldo e molho de cheiro-verde, alho, cebola, cominho; ensopado no azeite, tomate, cebolinho, tem seu apreciadores; assado na brasa, quando gordo, ou assado de forno, com molho grosso e azeite, chama a atenção na mesa amazonense. No baixo Amazonas quando é "tempo de jaraqui", não se dá vencimento, motivo por que o povo santareno aproveita o excesso das pescarias, fazendo farinha de peixe "piracuí", com a torração do jaraqui, depois de eviscerado e lavado.

MAPARÁ – (Bras.) – Peixe da família dos Silurídeos (*Serrasalmo denticulatus*, Cuv).

Proc. de pesca: O que é chamado "bloqueio", com redes e embarcações, mergulhando os pescadores para fechar a rede, depois que o "taleiro" com uma *sonda* de tala de paxiúba, adrede preparada, localiza os cardumes e faz sinal convencionado indicando onde os peixes se encontram. No médio Tocantins, circunscrição dos municípios de Cametá, Igarapé-Mirim, Abaeté, no Pará, está o hábitat natural do mapará. Um fato digno de registro é ser raro esse peixe emigrar das águas daquela região para outras áreas do mesmo rio. Numeroso e constante nessa rota geográfica, como peixe liso, sem "esporões", muito gorduroso, fresco, assado de brasa, quase desprovido de espinhas, o mapará fica mais apetitoso de salpreso, cozido com verduras; aberto em forma de charque, "quiticado", para entranhar o sal, acondicionado em paneiros especiais, forrados com folhas de sororoca, ou outra palmácea, é vendido no comércio tocantino e na capital do estado, com exportação para unidades brasileiras, do Norte e Nordeste, até mesmo por via aérea. Limpo das poucas vísceras, lavado com pouco sal, inteiramente "quiticado", levemente passado no moquém, toma o nome de "sombrinha", e é apreciado com molho de pimenta, sal e limão, na ocasião dos "aperitivos", nos bares e casas de pasto. Sua permanência tradicional, no médio Tocantins, está ligada à coexistência dos cametaenses, de tal modo que é costume chamar-se "filho da terra do mapará" aos naturais daquela região.

MATRINCHÃO – (Bras.) – Peixe de rio, da família dos Caracinídeos (*Brycon brevicaudatus*, Gunther).

Proc. de pesca: O que é empregado para os peixes fluviais, como os existentes na Amazônia e mesmo em regiões do Norte e Nordeste. Apreciado pela sua carne branca, boa para temperos, escamado e tratado com sal e limão, cozido com cheiro-verde, tomate, cebola, alho, um pouco de louro, é prato falado e atraente em qualquer mesa, também ensopado, no azeite ou no leite de coco; assado na brasa, com molho de pimenta e limão, ou de tucupi, toma sabor especial; é encontrado como "peixe seco", em mantas, igualmente utilizado em pratos saboreados com farinha-d'água e pimenta. Quanto à venda nos mercados, o matrinchão fresco, gordo e carnudo goza de preferência entre os compradores; na Amazônia é mais conhecido com o nome de CURIMÃ, talvez pela influência indígena, sem distinção de gosto, na cozinha regional.

PACU – (Bras.) – Nome generalizado de vários peixes de água doce, do gênero *Prochilodus*, também conhecidos por *caranha*.

Proc. de pesca: O mesmo, habitual aos meios onde os rios são piscatórios. Peixe de regular tamanho, escamoso, de carne branca, quando gordo costumam assá-lo de brasa, sem escamá-lo, resultando num esplêndido quitute, com molho de sal, pimenta e limão e farinha-d'água. Preparam-no também ensopado, refogando-o antes, com cebola, cheiro-verde, alho, tomate, picados em conjunto; nos rios onde habita, marginalmente, as gentes amazônicas, este peixe faz parte de sua culinária.

TAMBAQUI – (Bras.) – Espécies de peixes, variadas, da família dos Caracinídeos, frequente nas artérias do mar amazônico.

Proc. de pesca: O que é empregado com redes, embarcações, "currais", e métodos usuais; é transportado em barcos e "geleiras", nos reservatórios congelados, para as cidades municipais e capitais amazônicas (Belém e Manaus), com apreciável índice na alimentação regional. Na capital do Rio Negro têm fama as "tambaquizadas" ou caldeiradas, como especialidade de algumas casas de pasto e restaurantes. De carne branca e polpuda, proteinada e fibrosa, é também usado ensopado, refogado em cheiro-verde, tomate, cebola e azeite doce; feito no escabeche, com leite de coco ou castanha-do-pará, é honrado na mais selecionada mesa. Assim como o pato no tucupi, para o paraense, o tambaqui, para o amazonense, tem singularidade culinária pelo gosto que lhe sabem dar nas convidativas caldeiradas.

TUCUNARÉ – (Bras.) – Peixe de coloração decorativa nas escamas, da família dos Ciclídeos (*Cichla ocellaris*), faz parte da ictiologia amazônica.

Proc. de pesca: Redes, embarcações, "currais" e outros habituais. Tido como excelente pescado, de carne boa de tempero, inclui-se entre os peixes escolhidos para as mesas abastadas e medianas, figurando nos cardápios dos restaurantes. Estimado na cozinha amazônica, escamado, tratado com sal, limão; quando fresco, cozido em caldo com cheiro-verde, tomate, cominho, pode ser apreciado ao molho de pimenta queimosa; ensopado, frito, escabechado, tem prestígio gustativo. Devido ao aspecto, assado de forno, que apresenta, em cores amarelo vivo, vermelho e preto, com folhas de alface ornamentando o prato e um molho condimentado, constitui primazia nos melhores repastos. Peixe de alimentação frugívora, há o registro de sua pesca, pela "siririca", que é feita com uma pena vermelha presa acima do anzol, com a qual se "risca" na superfície; o tucunaré, julgando ser um fruto caído na água, se apressa em comê-lo, ficando fisgado pela boca.

PEIXES DO MATO (LAGO, IGARAPÉS, BREJOS, ALAGADIÇOS) E SEUS PREPAROS

ACARI – (Bras.) – Nome de vários peixes de água doce (*Loricariídeos*), cuja pesca é feita onde estão localizados, eis por que são chamados "peixes do mato", na designação amazônica.

Proc. de pesca: Redes, tarrafas, "tapagens" e os meios de ver onde se localizam, nos pedrais, nos alagados. Revestido de couro escuro, roncador e escamento, é um dos "cascudos", de carne branca, algo apetecível, tratada à maneira regional; eviscerado, lavado em água fria, depois introduzido num braseiro, ao começar a "arrepiar a casca", está no ponto de ser "descascado" e de temperá-lo com sal, limão e pimenta queimosa; é comido com este molho, farinha-d'água, nas casas de sitiantes, nas cidades, nas "feitorias", à margem dos rios, onde há muitas locas de acaris; a farinha de peixe, "piracuí", feita de acaris torrados em forno de cobre, é ótima para bolinhos, croquetes, omeletes e mesmo em farofa simples.

APAIARI – (Bras.) – Peixe do mesmo ambiente fluvial-lacustre. Espécie de *acará* (*Hydrogonus ocellatus*, Gunther).

Proc. de pesca: Idêntico aos precedentes, com a diferença de que o apaiari não se oculta em locas, sendo pescado, e trazido nas canoas "geleiras" para os mercados. Pintalgado de cores variantes, tem escamas lustrosas, e a sua carne, polpuda e gorda, num cozido temperado com sal, limão, cheiro-verde, chicória, é apreciada; frito ou assado em grelha, em refogado de azeite, cebola, alho, tomate, torna-se um prato apetitoso. Também é encontrado à venda, como "peixe seco", curado ao sol e meio sal, tendo consumo na região.

CACHORRINHO – (Bras.) – Igualmente "peixe do mato", com o aditivo – de padre – (sem explicação), da família dos Mustelídeos (*Grisoma vittata*).

Proc. de pesca: Os que são comuns para esses peixes. Na média de um palmo de comprimento, gorduroso, liso, de cor pardo-pintalgada, de carne tenra, na época da pescaria nos lagos marajoaras (do Arari, o mais piscoso), é conduzido nas "geleiras" e vendido nos mercados das cidades, em quantidade. Usualmente é preparado eviscerado, lavado no sal e limão, cozido com cheiro-verde, cebola, alho, cominho, formando um caldo espesso e gorduroso; pode ser metido no tucupi, ficando, assim, mais saboroso, com pimenta queimante.

JACUNDÁ – (Bras.) – Com este nome há diversos peixes da família dos Ciclídeos, também de rios.

Proc. de pesca: Sem diferença daqueles já mencionados. Peixe liso, "mal-encarado", roncador, corre a superstição de que é "peixe de pajé", de "curador", o que induz os pescadores a uma certa cautela e não muito interesse pelo jacundá. Entretanto, convenientemente tratado, com sal, limão e cheiro-verde, cozido em caldo assim temperado, não é desprezado e nem faz mal a ninguém, agradando ao paladar, assado de brasa.

MANDUBI ou MANDUBÉ – (Bras.) – Peixe graúdo, liso, da família dos Auquenipterídeos.

Proc. de pesca: Os indicados pela prática fluvial. De couro cinza e gorduroso, chamam-no "leitão-do-mar" ou "de rio", por causa de sua carne macia, cheirando a distância, assado na brasa, muito apreciada com molho de sal, limão e pimenta-de-cheiro; costumam moqueá-lo e metê-lo no tucupi, com jambu e chicória, comido com farinha-d'água. Nas águas do baixo Amazonas, do médio Marajó, é pescado pelas gentes ribeirinhas e bastante estimado.

TAMUATÁ ou CAMBOATÁ – (Bras.) – Nome de alguns peixes de água doce, meio lacustres, da família dos Argiídeos.

Proc. de pesca: Os empregados em lagos e rios. Peixe cascudo, de carne amarela e gorda, na época de sua pescaria torna-se abundante nos mercados, trazido pelas canoas "geleiras" e barcos-frigoríficos, principalmente da zona do lago Arari (Marajó). Feita pequena incisão no ventre para retirar a guelra e algumas tripas "para não sair a gordura", lavado com sal e limão e depois, ligeiramente escaldado, é posto a cozinhar em caldo com cheiro-verde, cebola, cominho, alho e tomate e comido com farinha-d'água ou arroz branco; tanto cozido como assado de brasa, quando a crosta escamosa começa a "arrepiar", está no ponto de ser preparado, descascando-o; um bom prato regional é o tamuatá metido no tucupi com jambu, chicória, depois de assado, comido ao molho de sal, pimenta e limão. Na Amazônia, embora haja o registro CAMBOATÁ, não lhe atribuem outro nome que não seja TAMUATÁ.

MARISCOS E MOLUSCOS (DO NORTE E DA AMAZÔNIA) E SEUS PREPAROS

AVIÚ – (Bras.) – Minúscula espécie de camarões de água doce (Amazônia).

Proc. de pesca: Emprego de "puçá" e de pequenas tarrafas de tarlatana, que são mergulhados nas águas quando estão "coalhadas" desse marisco. Na região do baixo Amazonas, é usado o aviú, à maneira de sopa, depois de seco ao sol; em forma de farinha, serve para engrossar caldos de peixes, feitura de bolinhos, croquetes, e farofa para certos pratos.

CARANGUEJO – (Bras.) – Nome vulgar de crustáceos decápodes e braquiúros, que se criam e vivem nos mangues e banhados.

Proc. para encontrá-lo e retirá-lo vivo das locas: Na baixada das marés, indo-se aos mangais e alagadiços e, introduzindo o braço até o fundo, segurá-lo de certo jeito, que não se possa ser atingido pelas "tenazes" (patas em pinças). Trazido para fora, é colocado em cofos, ou "peras", para condução; lavado da lama e posto em água fervente, vivo ou morto, ao tomar uma cor avermelhada na crosta, está pronto para tirar da fervura, escorrer e esfriar. Isto feito, a crosta e as "patas", as outras unhas e o peito são quebrados para retirar a carne; tudo refogado em cheiro-verde, cebola, alho, limão e pimenta-de-cheiro, serve para bons pratos; certos apreciadores preferem comê-lo com molho de sal, limão e pimenta, feito na própria gordura do caranguejo, quebrando-o na hora; autêntico quitute amazônico é o "casquinho de caranguejo", que leva no enchimento do casco, antes lavado e limpo, a carne refogada e farofa torrada em manteiga; misturada a carne com farinha de trigo e ovos batidos, serve-se feito "fritada" e, quando essa massa é comprimida e frita em azeite, faz-se a "unha de caranguejo". Fala-se que os moradores sitiantes trazem caranguejos para as praias e, depois de mortos, colocam-nos em pequenas covas na areia, cobrindo-os com folhas e acendendo uma fogueira de madeira fraca em cima; ao se apagar, os caranguejos estão assados, prontos para "quebrar" e comer. Há uma época no ano, de janeiro a março, em que os caranguejos abandonam as locas e andam à solta, tempo em que, na linguagem dos caboclos, fazem o "sauatá", quando estão gordos e, ao que parece, no cio ou ciclo de reprodução. A fêmea do caranguejo, segundo os seus "tiradores", chama "condessa", que é menos peluda e se conhece pelo casco.

MEXILHÃO – Nome português dos moluscos lamelibrânquios, da família dos Mitilídeos, conhecido no Brasil talvez como o *sururu* das Alagoas.

Proc. para encontrá-lo: Penetrando nos alagadiços, de maré baixa, quando são descobertas as "escavações" onde estão enterrados, formando *colônias*, sendo retirados com hastes de madeira e levados para terra em paneiros. Rico em fosfatos, tirado da ostra negra e luzidia, pode ser comido cru, com molho de sal, limão e pimenta-de-cheiro; preparado cozido, produz caldo azulado, tido como fortificante orgânico; fazem também fritada, com ovos batidos.

SIRI – (Bras.) – Classificado na família dos crustáceos (caranguejos), tem, no entanto, diferentes designações; família dos Portunídeos.

Proc. de pesca: Encontrando-se, de preferência, em águas salgadas, é pescado com "puçá", de tecido grosso, com isca de carniça, presa à boca da "armadilha", que é mergulhada a certa profundidade, e onde os siris ficam seguros, caindo dentro do "puçá". Para aproveitar-lhe a carne, cozinham-no mesmo que o caranguejo; temperado e refogado, com cheiro-verde, é um prato apreciado; também comem-no ao "natural", sem temperos; misturado com farofa torrada, pode-se fazer o "casquinho de siri", servido no próprio casco, limpo e seco; com ovos batidos e farinha de trigo, forma a "torta de siri", que tem apreciadores.

TURU – (Bras.) – Molusco extraído da madeira do mangue vermelho, árvore da família das Rizoforáceas (*Rhizophara mangle,* var. *rarenana,* L).

Proc. de extraí-lo: Nos terrenos alagados, meio pantanosos, acha-se vegetação do mangueiro. Dentro de perfurações irregulares, nas árvores caídas, encontra-se o turu, molusco de cabeça dura, vidrada, verrumosa, que tem a forma de macarrão grosso; sendo de preferência tirá-lo no verão, as pessoas que se entregam a esse trabalho cortam as árvores de certo jeito, e tiram o molusco vivo que, para alguns, não é agradável à primeira vista. Todavia, o amazônide interiorano saboreia o turu, retirando o barro que contém como intestino, com molho de sal, limão e pimenta. Pessoas idôneas, na região, aconselham comer o turu aos fracos dos nervos, aos doentes "do peito", isto é, vítimas de bacilos pulmonares.

PRATOS TRADICIONAIS DO NORTE E DA AMAZÔNIA E SEUS PREPAROS

CABIDELA – Ao ser morta a ave, apara-se o sangue em vasilha com vinagre; depenada e sabrecada, para ficar sem penugens, é a mesma aberta, retiradas as vísceras; separados o fígado, coração, moela (estômago), pedaços do pescoço, algumas tripas limpas, viradas, lava-se em água com vinagre ou limão, reduzindo-se depois tudo a picado, que é temperado com cebola, alho, cominho, levando ao fogo para cozer; ao estar mole, junta-se o sangue, mexendo, para não ficar ligado; engrossa-se, havendo necessidade, com farinha-seca ou d'água, estando assim pronta a cabidela. No Pará, este prato difere do que é feito na Bahia, mais condimentado e pimentoso.

ESCABECHE – Emprega-se este termo, ao ter-se de preparar peixe frito ou assado de forno, em refogado de azeite, cebola, louro, alho, tomate, cheiro-verde cortado miúdo e pouco vinagre. Ao ter fervido o bastante, lança-se o peixe nesse molho, que chegue para cobrir, tapando-se a panela ou frigideira, para os temperos darem o gosto; deve-se servir ainda quente. É pouco usado na Amazônia o termo *moqueca, muqueca* ou *pouqueca*, ensopado de peixe, mariscos, ou de carne, que é uma especialidade baiana, com pimenta queimosa.

MANIÇOBA – (Bras.) – Alimento tradicional, com reminiscências da culinária afro-portuguesa, na complexidade de seu preparo. Tudo faz crer que as cozinheiras negras, mestiças de branco com índia, mulatas ou curibocas conheciam ou aprenderam a manipulação da maniçoba. Na cozinha do Norte, destacava-se o Pará, com este prato, feito de folhas mais novas da mandioca ou macaxeira (manivas), socadas no pilão, ou, agora, passadas em máquinas de moer carnes, sem o sumo, utilizando-se a massa esverdeada, que vai ao fogo, sem sal, apenas com suficiente toucinho fresco. Ficando a ferver por dois a três dias, até tomar cor escura, gordurosa e compacta, bota-se na panela, como "adubos", grossos pedaços de charque, chispas, língua de vaca defumada, cabeça de porco salgada ou moqueca, mocotó (mão de vaca), e vísceras bovinas, tripa grossa, chouriço defumado e toucinho curado. Para esta operação há uma "ciência" especial, por causa dos temperos, constantes de cebolas picadas, alho amassado, folhas de louro, pimenta-do-reino e cominho e, sobretudo, o sal. A maniçoba é servida em pratos fundos, com arroz branco e farinha-d'água especial, molho apimentado, merecendo a honra de uma "pingazinha", para ser condignamente apreciada. Nos mercados de comidas, em Belém, vendem-se pratos de maniçoba para comer na hora.

PATO NO TUCUPI – Tipicamente amazônico, no seu preparo admite-se a presença da cozinha indígena e da africana. Caracteristicamente paraense, a sua culinária emigrou para o Sul, por meio de coestaduanos nortistas.

Processo para matar o pato e prepará-lo: Seccionando a cabeça, depenando-o, sabrecando-o, para queimar as penugens; aberto completamente, para retirar as vísceras, aproveita-se o fígado, a moela (estômago); aconselham as cozinheiras a ferventá-lo primeiro, para amaciar a carne; antes de ir ao forno para assar, fica em vinha-d'alhos, sendo depois engordurado externamente, para não queimar e nem estorricar; fervido o tucupi, temperado com sal, chicória, cebola, alho, cominho e pimenta-de-cheiro, o pato é cortado em pedaços que são postos na panela para ganhar o gosto do tucupi. O condimento essencial do PATO NO TUCUPI está no jambu, submetido a fervura, em separado, para não perder a coloração verde; tendo o pato, cortado, absorvido o paladar do tucupi, inclusive o fígado e a moela, que foram juntados aos pedaços, na panela, bota-se a porção de jambu, já cozido, ficando, assim, pronta a famosa iguaria regional. É indispensável farinha-d'água torrada, especial, arroz branco, molho de pimenta-de-cheiro, do mesmo tucupi, para irrigar o prato, na ocasião de saboreá-lo.

MOLHO PARDO – É provável que, com tal nome, a receita deste prato seja mais conhecida na Amazônia do que em outras áreas do Norte. Por assimilação culinária poderá incluir uma variedade do sarapatel e do sarrabulho. Os elementos para o seu preparo são vísceras de aves, principalmente de galinha ou de pato, utilizando-se algumas tripas gordas e viradas, tudo lavado com limão e sal. O sangue, aparado em vasilha com vinagre, é juntado cru às vísceras que, antes, foram refogadas com cebola, alho, cominho, pimenta-do-reino. É chamado *molho pardo* porque, ao ficar pronto, não toma a cor vermelho-escura do sarapatel ou do sarrabulho, nem apresenta a espessura destes, mais condimentados; servem-no com arroz branco, farinha-d'água e molho picante.

SARAPATEL – Iguaria ligada à cozinha africana, com tradição no Norte e na Amazônia. No seu preparo entra o fígado, rim, língua, bofe (pulmão), coração e sangue de porco, recolhido em vasilha com vinagre; retirados estes "miúdos", são lavados com limão e sal e após aferventados e picados, faz-se um refogado com cebola, alho, louro, pimenta-do-reino, cominho, em que serão cozidos os "miúdos", formando um guisado; despeja-se, então, o sangue, mexendo até ficar no "ponto", meio espesso; serve-se com arroz branco, farinha-d'água e molho de pimenta cheirosa, com limão e sal.

SARRABULHO – De origem idêntica, entretanto mais complexo na sua feitura, leva as mesmas "fessuras", utilizando-se, também, as de carneiro, se é feito desse animal; em qualquer deles, põe-se banha de porco e toucinho; a limpeza das vísceras é com limão e sal, depois ligeiramente aferventadas; com base no sangue de porco coagulado, obtém-se um guisado denso, gorduroso, condimentado, ao gosto que o paladar exigir. Tem aceitação popular no Norte, Nordeste (Bahia) e na Amazônia, onde o preparam também com vísceras e o sangue de tartaruga, indo à mesa com molho de pimenta, arroz branco e farinha-d'água.

BEBIDAS TRADICIONAIS DO NORTE E DA AMAZÔNIA E SEUS PREPAROS

AÇAÍ – No Pará chama-se *açaizeiro* à palmeira, cujo fruto é o *açaí*, que produz o vinho ou refresco, de igual nome, bebida integrante da alimentação cotidiana nesse Estado. Apanhados os cachos da palmeira *açaí*, que faz parte da paisagem florestal da Amazônia (Bras.), do gênero *Euterpre* (*Euterpe edulis*, Mart. e *E. oleracea*, Mart.), são esbagoados e postos em água morna para amolecer a polpa dos caroços, que são amassados à mão ou à máquina acionada a eletricidade. Da massa sanguíneo-arroxeada, passada em peneira, se amassada à mão, dissolvida em várias águas, forma-se o vinho – a bebida açaí, engrossada à vontade de quem vai tomá-la. O seu complemento é farinha-d'água ou de tapioca (granulada), com açúcar ou não, preferindo-o as populações do interior sem açúcar e bastante farinha. Pode ser tomado como refresco, gelado ou em sorvete, que, dizem, "desnatura" o gosto do fruto. Transferido para o folclore alimentar paraense, adquiriu foros de *simpatia* fixadora, de conformidade com o ditado popular: "Foi ao Pará, parou; bebeu açaí, ficou".

AFURÁ – (Bras., Bahia) – Bebida fermentada, provavelmente usada pelo africano, nos cerimoniais ritualísticos, e que continuou a prepará-la no cativeiro, irradiando-a da Bahia, é feita com bolos de arroz, moído em pedra; no Pará é empregada farinha de arroz e o próprio cereal, que são cozidos com um pouco de açúcar, ficando de infusão em potes de barro. A ideia de que essa bebida tem função ritual estaria em ser tomada pelos "filhos" e "filhas" de santo, "mães de terreiro" e até por assistentes, distribuída em cuias, nas festas e danças dos candomblés, reverenciadoras dos Orixás.

BACABA – (Bras., Pará) – É provável ainda não haver registro dessa bebida, usada no médio Tocantins, municípios de Abaeté, Igarapé-Mirim, Cametá, em reuniões familiares e encontros amistosos. No seu preparo, de origem não esclarecida, observa-se este processo: uma cuia pitinga (não pintada) é lavada e secada no calor do fogo, e nela são batidas claras de ovos, com açúcar, juntando-se as gemas, até ficar bem batidas; em seguida, aos poucos, vai-se derramando aguardente (cachaça especial), continuando a bater a gemada, agora com muita precisão, do contrário fica coalhada; verifica-se se a *bacaba* está em condições, tamborilando no fundo da cuia, que deve produzir um som oco, fofo como dizem os abaeteuaras; para perder o cheiro de ovo, bota-se algumas cascas de limão e polvilho de canela. O modo de bebê-la tem reminiscências indígenas, pois a cuia cheia corre de boca em boca entre os convivas. O seu poder alcoólico é evidente, porém fortificante, animador do sangue e do sistema nervoso, segundo declaram quantos apreciam a *bacaba* tocantina.

GUARIBA – (Bras., Pará) – Supõe-se também não constar registro dessa bebida, de preparo indígena, ou seja, dos silvícolas do rio Caeté, no Pará; o elemento vegetal usado é a mandiocaba (espécie de mandioca doce), cultivada pelos roceiros. Raspada a casca do tubérculo, a massa formada, tão doce quanto o açúcar, é comprimida em beijus, envolvidos em folhas de sororoca da várzea e postos no forno de barro, para assar; feita esta operação, levam-se os beijus para o interior da mata, onde foi levantado um jirau, de meio metro de altura, com estrado de varas coberto de folhas de sororoca; aí colocam-se os beijus, novamente cobertos de folhas, pondo por cima outras varinhas; decorridos dez a quinze dias, para a fermentação, os beijus começam a pingar, dizendo os nativos que a "guariba está mijando"; isto notado, os beijus estão em condições de serem retirados do jirau, e a porção de massa formada é posta em alguidares, com água suficiente para ir-se dissolvendo e ser coada, já adoçado todo o líquido pela mandiocaba; pronta como está pode servir-se em copos, cuias, tigelas, como fazem nas festas de santos e diversões familiares. Existe uma superstição relacionada com essa bebida *guariba*: a pessoa incumbida, desde o ralamento, até os beijus "mijarem", fica privada (homem ou mulher) de comer molhos picantes e sal; também terá de se abster de relações corporais, mesmo sendo esposa e marido. Infringidas que sejam estas regras, que os índios respeitavam, fica a *guariba* azeda, aguada. O nome da bebida está ligado à observação de que o macaco guariba "está mijando de vez em quando", o que sucede com os beijus da mandiocaba, quando fermenta.

TARUBÁ – (Bras., Amazônia) – Diz-se ter procedência indígena esta bebida, feita de mandioca descascada e ralada, formando beijus, que vão ao forno de torrar farinha, para cozimento; enrolados em folhas de sororoca molhadas, ficam depositados em lugar apropriado, em caixotes ou alguidares; levam aí três ou quatro dias para fermentar, botando-se depois os beijus em água limpa, para amolecerem, ou "incharem"; assim feito, é coada a quantidade de líquido suficiente e açucarada ou não, ficando pronta a bebida; serve-se em vasilhas comuns, quer nas festas, reuniões amigáveis, putiruns e bailes. Havendo cuidado na sua conservação, sem deixar descoberto o vasilhame onde está depositado, o *tarubá* tem duração por muitos dias, aumentado a fermentação.

TIBORNA – (Bras., Amazônia) – A constante da manipulação indígena está viva nesta bebida, proveniente da mandioca descascada e ralada, retirado o sumo (tucupi); põe-se para ferver a massa, em boa quantidade de água, até o cozimento ficar no "ponto"; molha-se, em seguida, um pouco de farinha-d'água, deixando "tufar", para desmanchar na massa, que toma consistência de uma papa grossa; água-se então, mexendo até ficar tudo dissolvido, uniforme, despejando-se em panelões ou potes de barro, cobrindo-se a boca, para um "resguardo" de três a quatro dias; findo este período, o líquido fica com um paladar meio azedo, é coado em peneira, estando, assim, pronta a *tiborna*. Serve-se às visitas, aos convidados para as festas, nos trabalhos coletivos (putirum) e nas danças. Para quem não gosta muito do azedume, pode ser açucarada, diminuindo a embriaguez que ocasiona, se estiver azeda demais.

MOLHOS PARA PEIXES (COZIDO, FRITO, ASSADO) E SEU PREPARO

MOLHO DE TUCUPI – Para tornar mais apetitoso qualquer qualidade de peixe (prato), serve-se com este molho, feito do suco da mandioca, cozido, temperado com sal e pimentas; também é usado o "tucupi engarrafado", ou de "sol", que, não sendo cozido, é exposto aos raios solares, por vários dias, para cozer e tomar gosto, temperando-se a garrafa com sal, alho, cebola, pimenta-de-cheiro; quaisquer destes molhos podem acompanhar os pratos de peixes.

MOLHO DE REFOGADO – Prepara-se com salsa, coentro, cebolinha, alho, cebola, tomate, pimenta-de-cheiro, sal, indo ao fogo para cozer e engrossar; quando se tratar de peixe ensopado, neste molho é posto o peixe, com um tanto de azeite e vinagre, conforme o paladar exigir.

MOLHO DE PEIXE COZIDO – Faz-se com o caldo do próprio peixe, adicionando-se limão, cheiro-verde, cebola picada, alho amassado, pimenta-de-cheiro, tendo-se o cuidado de tirar o caldo mais gorduroso; além dos molhos de tucupi, que fazem sobressair o apetite para os pratos de peixes, este molho condimentado dá melhor atração aos peixes cozidos.

CALDOS DE PEIXES E DE CARNE DO NORTE E DA AMAZÔNIA

É costume servirem-se os pratos de peixe com uma vasilha de caldo sobressalente, temperado com outros estimulantes, como sejam pimenta queimosa, limão, sal, alho, cheiro-verde cortadinho, para aumentar o apetite.

CALDO DE CARNES – Os cozidos de carnes bovina, de carneiro, de porco, de animais de caça, de aves, costumam ser seguidos de vasilhas com uma quantidade de caldo, da mesma panela, porém, mais temperado, com cebola picada, alho, cominho, cebolinho, para dar um gosto mais acentuado ao prato servido. Isto não obsta que seja tomado o caldo sem estes outros temperos, como queiram.

PIRÃO ESCALDADO – Do próprio caldo quente, retira-se a quantidade necessária, meio gordurosa, em vasilha adequada, na qual se põe farinha-seca ou d'água (escolhida), mexendo-se até ficar ligado; da mesma forma se procede com o pirão ou farofa, quando se quer menos molhado, para ser comido com carnes fritas, assadas de espeto, ou de grelha, na brasa, à maneira dos churrascos; neste caso, juntando-se cebola picada, cheiro-verde, tomate e alho.

ANGU – É preparado para cozidos de carnes, de peixes, com farinha-seca ou d'água (branca), ou farinha de milho (fubá), ficando meio denso, sem a consistência de pirão; por isso é mais delicado; figura quase sempre nos cardápios dos restaurantes, complementando alguns pratos: "peixe cozido com angu", e outros mais.

FARINHAS USADAS NO NORTE E NA AMAZÔNIA

FARINHA-D'ÁGUA – Produto da mandioca, reduzido a massa, ficando alguns dias de molho em água corrente, dita massa é espremida, tirado o tucupi e torrada em forno de cobre ou de barro; terminada esta operação, constitui alimento básico das populações do Norte, especialmente na Amazônia, fazendo parte de todas as refeições diárias, às vezes desde o café matinal.

FARINHA-SECA – Outro produto da mandioca, porém, raspada a casca e ralada, coando-se a massa, para eliminar a tapioca (amido); a mesma massa branca é levada ao forno para cozer, resultando em farinha, chamada seca, não muito estimada pelo paraense, devido a ser fina e "esfriar"; é melhor aproveitada em escaldado, pirões e angus.

FARINHA DE TAPIOCA – Utilizando o produto da mandioca transformado em goma (tapioca) ou amido, é este passado em peneira, até ficar sem água, para ir ao forno, com fogo leve, para torrar, ficando granulada; este processo difere do que é adotado para outras farinhas de mandioca, pois o seu principal trabalho é feito à mão, na formação dos grânulos, que são escolhidos nas torrefações; a farinha de tapioca usa-se para bolos, mingau, roscas e especialmente no *açaí*, como adotam as pessoas mais abastadas.

FARINHA DE AVIÚ – Obtida a quantidade desse minúsculo camarão, por meio de tarrafas de tarlatana, lava-se em água com sal e põe-se para secar ao sol; ao estar completamente seco, vai ao forno de fazer farinha, para torrar, mexendo-se sempre para não queimar. Pronta a farinha, deita-se em vasilhas com tampa, ou em paneiros pequenos, forrados com folhas sem umidade; a farinha de aviú serve para sopas, bolinhos, farofas e para engrossar caldos.

FARINHA DE PEIXES – ("Piracuí") – Quando há piracema de certos peixes (pesca abundante), as sobras, limpas das vísceras e lavadas, são postas para secar ao sol; estando bem secas, são levadas ao forno de farinha, para torrar; preparada, deste modo, a "farinha de peixe", pelo processo indígena, guarda-se em recipientes fechados ou paneiros, forrados de folhas de sororoca. Iguaria apreciada na Amazônia, utilizam-na em tortas, croquetes, bolinhos, pastelões cobertos com ovos batidos.

UM ALIMENTO TRADICIONAL – (Tacacá) – Na Amazônia, predominando no Pará, com base em subprodutos da mandioca, há tradicionalmente o TACACÁ, alimento composto de goma de tapioca, tucupi, jambu, camarão seco e molho de pimenta-de-cheiro, com sal. Preparado à maneira indígena, o tacacá tem certos requisitos na sua fórmula, desde o cozimento da goma, sem sal, do tucupi, dos camarões, do jambu; o molho extra, com alho e pimenta, é posto na vasilha (cuia), "traçando" com a goma e o tucupi, para ser bebido pela borda da cuia; da vasilha, pegam-se com os dedos os camarões e o jambu para comer. Dizem haver um complexo etnográfico, para as pessoas que fazem o tacacá, por exemplo, mulatas, pretas, crioulas, caboclas, brancas mestiças, porque as brancas "alvaçãs", de sangue "limpo", não sabem dar ao tacacá o paladar, e porque aquelas outras mulheres são peritas em prepará-lo.

MINGAUS DIVERSOS, DE CEREAIS, FRUTOS E SUBPRODUTOS DA MANDIOCA

DE MILHO BRANCO – Posto de molho de véspera, no dia seguinte retira-se a água, lava-se, pondo ao fogo a quantidade de milho para cozinhar; estando amolecido, adiciona-se sal, folha de canela, açúcar, deixando amaciar o conteúdo da panela; junta-se leite de coco e um pouco do que foi ralado, para dar melhor gosto e retirar do fogo. É uma das tradições alimentares nas festas juninas, de arraial, tomado em cuias, polvilhado de canela; nos mercados e nas feiras, em Belém, é consumido diariamente.

DE ARROZ – Lava-se a porção de arroz branco (no interior é usado o que é pilado com a película) e põe-se a cozinhar, com algum sal, folhas de canela, até amolecer e engrossar; derrama-se o leite de coco, ou da castanha-do-pará, podendo tornar-se mais denso, com fubá de arroz. É servido em quaisquer vasilhas, substituindo, às vezes, o mingau de milho branco.

DE CARIMÃ – Subproduto da mandioca feito em bolos, ou goma solta, bem seca, com isso é preparado o carimã, mingau muito substancial indicado para crianças, no período da aleitação, para dietas de doentes, substituindo, quando preciso, o caribé.

DE CRUERA – Outro elemento extraído da mandioca, composto de resíduos que sobram da massa grossa, que não passou no crivo da peneira, e por isso não vai ao forno para torrar; estes resíduos são espalhados ao sol e, já em condições de soca, vão ao pilão, retirando-se a "poeira" (polvilho) por meio de uma peneira fina; tornado em farinha de bagos irregulares, faz-se com ela o mingau, mexendo-se com colher de pau, para não embolar; serve-se em cuias ou outras vasilhas, não muito frio.

DE FARINHA-D'ÁGUA OU SECA – (Caribé) – Alimento recomendado e conhecido, é um mingau delicado e fino, de farinha-d'água ou seca (suruí), que fica de molho, para lavar; posta a água a ferver, com sal, ou sem ele, derrama-se a farinha, mexendo por igual. Toma-se habitualmente em jejum, sendo aconselhado para as pessoas fracas, convalescentes, e às magras, para aumentar de peso, como fazem no Pará e na Amazônia.

DE BURITI – Coletados os frutos dessa palmeira, são botados em água morna, abafados com folhas de bananeira, para amolecer; raspa-se a casca, aproveitando a polpa, que é reduzida a massa, produzindo um vinho de cor amarelecida. Feito o mingau de farinha-d'água, de farinha de tapioca, ou de arroz, derrama-se o vinho de buriti, mexendo-se bem, para não coalhar; pode ou não levar açúcar, em virtude de o buriti ser portador de sacarina vegetal.

DE AÇAÍ – Do vinho do açaí, fresco ou azedo, põe-se em mingau de farinha-d'água, ou de farinha de tapioca, ou de cruera, a quantidade desejada, mexendo-se para pegar o gosto do fruto; serve-se em cuias, ou outras vasilhas, tendo este mingau consumo constante no interior amazônico.

DE BACABA – Como se usa o mesmo processo do vinho do açaí, utiliza-se o da bacaba, fruto de palmeira com este nome, para o mingau, ou "bacabada"; um tanto oleoso, porém de sabor *sui generis*, serve-se em vasilhas comuns e cuias, meio morno, com ou sem açúcar.

DE TUCUMÃ – Dos frutos dessa palmácea, bem maduros, macerados no pilão, obtém-se a massa, que é dissolvida em água, passando-se em peneira, para perder o "lisume", um pouco de gosma que o fruto contém; feito o mingau de farinha-d'água, junta-se o vinho de tucumã, mexendo para tomar o gosto; as gentes interioranas tomam-no com delícia, meio grosso, sem açúcar, como excelente alimento vegetal.

Nota: Texto especialmente escrito para *Antologia da alimentação no Brasil*, no Belém do Pará, em fevereiro de 1963.

Este estudo, um dos últimos do grande folclorista paraense, é de valor inestimável em sua justa extensão de registro fiel e completo.

7

COZINHA GOIANA
. . . .

W. Bariani Ortêncio

ARROZ COM SUÃ – Um quilo de suã para um quilo de arroz. Cozinha-se a carne temperada e frita-se bem em seguida. A suã bem frita evita que o arroz fique gordo e enjoativo. Refogar o arroz, juntamente com a carne, em dois litros de água. Quando secar o arroz, este estará cozido.

ARROZ COM GALINHA – O mesmo processo do arroz com suã.

ARROZ COM ENTRECOSTO (costelinhas de porco) – O mesmo processo do arroz com suã, porém o entrecosto deverá ser salgado na véspera.

MARIA-ISABEL ou ARROZ SIRICADO – Carne-seca, bem seca, picada fininha. Fritar a carne quase até torrá-la. Refogar o arroz com a carne como no arroz com suã. Usa-se, ao fritar a carne, colocar rodelas de limão-galego, sem amassar. Há quem goste de coloração e use o açafrão para amarelar ou tomates bem maduros, de horta (redondos e pequeninos), para avermelhar.

CASADINHO – Refoga-se bem o arroz, com sal, cebola, alho e pimenta-do-reino. Coloca-se o feijão cozido, inteiro (sem amassar), com bastante caldo, pois este caldo é que vai cozinhar o arroz. Não leva água.

ARROZ COM PEQUI – Refoga-se o pequi com sal, alho, cebola e pimenta-do-reino. Pôr água e deixá-lo cozinhar; ele é mais duro que o arroz, até a água secar. Adiciona-se o arroz, refoga-se bem; colocar água e deixar cozinhar juntos. Usa-se também comer o pequi apenas refogado, com bastante caldo ou molho grosso, como mistura para o arroz, já no prato. O pequi à sua época é largamente usado em Goiás; comumente com arroz, com carne ou separado. Faz-se também o licor, mas em bem menor escala que em Mato Grosso.

FEIJÃO FRITO – Refogar bem cebolinha verde, pimenta-do-reino, sal socado com alho. Adiciona-se feijão sem amassar, refoga-se bem e mexe-se com farinha de mandioca à hora de servir.

FEIJÃO TROPEIRO – O mesmo processo do feijão frito. Adiciona-se bastante cebola de cabeça e torresmo de toucinho fresco.

FEIJOADA GOIANA – Um quilo de pé de porco, orelha, focinho e rabo (porco). Cozinhar na véspera, temperado com sal, alho e pimenta. Não vai gordura. Põe-se meio quilo de feijão roxinho para cozinhar pela manhã, tudo junto. Deixar cozinhar a gosto.

TORRESMO COM OVOS – Vai-se fazendo o torresmo; assim que ele se frita, boia; quebra-se um ovo para fritá-lo com o torresmo, pois este vai-se entranhando naquele. Vai-se fritando torresmo e frita-se um ovo de cada vez. A operação é trabalhosa, mas o resultado é muito bom.

EMPADÃO – A capa é a mesma da empadinha. É feita individual-mente em uma panela de barro, pequena, até uns vinte centímetros de diâmetro. Forra-se a panela com a massa; depois de colocado o recheio, cobre-se com a massa e leva-se ao forno. Recheio: os melhores pedaços do frango (coxas inteiras), batatinhas cozidas inteiras e cortadas ao meio, ovos cozidos inteiros, guariroba (palmito amargo), tomates maduros e tempero bem forte.

MANDIOCA COM ENTRECOSTO (costelinhas de porco) – Costelinha salgada na véspera. Segue-se o mesmo processo do entrecosto com arroz. Mandioca picadinha, refoga-se com a carne bem frita, adicionando-se toma-te, cebola, alho e pimenta. Água o tanto que para cozinhar a mandioca.

QUIBEBE – Mandioca bem picadinha e refogada com sal, cebola, alho e pimenta. Água o bastante para cozinhá-la. Há os que preferem com mais ou menos caldo. Serve-se como parte do trivial.

REFOGADINHO DE MILHO VERDE – Lavra-se a espiga de milho verde com uma faca; depois dos grãos assim cortados, refoga-se a porção na gordura, com alho, sal, pimenta e cebolinha da horta (verde). Serve-se com farinha ou como molho.

PAMONHA COZIDA (PAMONHADA) – Primeiro rala-se o milho verde duro; depois raspa-se o sabugo com faca. Põe-se gordura de porco bem quente e sal. (Em Goiás não se usa pamonha de doce.) Usa-se pôr mantei-ga de leite em lugar da gordura de porco. Preparo da palha: escolham-se boas cabeças de milho verde, apare-se o pé da espiga com um facão bem afiado. A palha, assim, solta-se facilmente, onde são retiradas as folhas do centro. Põe-se uma palha dentro da outra, cabeça com cabeça, ficando as pontas opostas. Coloca-se uma concha da massa temperada com pedaços de queijo ou carne de porco cozida. Usam-se também pedaços de linguiça de porco ou lombo. Fecham-se as palhas, dobrando-se as pontas, e amarra-se com o próprio amarrilho da palha seca e molhada. Põe-se para cozinhar na água fervendo. A pamonha estará cozida assim que a palha tornar-se amarela. Serve-se com manteiga de leite e café. Quando se faz pamonha, a refeição do dia será apenas isto. É costume não tomar água após uma pamonhada. Não passar a massa da pamonha na peneira.

PAMONHA FRITA – Depois da pamonha cozida, retira-se a palha e corta-se em pedaços, fritando-se em gordura quente, de porco. É o que há de bom para o café matinal.

PAMONHA ASSADA – O mesmo processo, porém, antes de fritar, colocar na assadeira e levar ao forno bem quente. A pamonha assada vai doce e não sal e, comumente, canela.

PAMONHA FRITA DE MASSA CRUA ou BOLO DE MILHO VERDE – Mesmo processo no preparo da massa. Adicionam-se queijo ralado, ovos e sal. Frita-se às colheradas em gordura bem quente. Cada colherada será um bolo. Serve-se com café.

CURAU – Rala-se o milho verde, bem duro. Mistura-se com leite cru e passa-se um pano. Pôr açúcar e levar-se ao fogo brando, mexendo-se sempre para não encaroçar, até tornar-se um mingau bem firme. Serve-se em pires, com canela em pó. Pondo mais massa e menos leite, depois de frio, pode-se cortar em pedaços.

PASTELA – Um quilo de mandioca ralada, uma concha de gordura, açúcar, queijo ralado e canela à vontade. Modo de assar: enrola-se na folha da bananeira murcha ao fogo; amarra-se como pamonha e coloca-se ao forno quente.

MANDIOCA FRITA COM QUEIJO – Cozinham-se pedaços de mandioca rachada. Deixar a água escorrer. Pôr o queijo ralado, enquanto quente. O queijo adere à mandioca quente. Depois de bem misturado, frita-se em gordura bem quente.

CREME DE MANDIOCA – Racha-se a mandioca descascada e põe-se para cozinhar. Deixa-se escorrer a água, depois de cozida. Colocar, numa vasilha, manteiga de leite, açúcar refinado. A manteiga de leite e o açúcar, em contato com a mandioca bem quente, derretem-se, e forma-se uma calda amarela. Serve-se como sobremesa.

BISCOITO DE QUEIJO – Um prato de polvilho doce, um prato de queijo ralado, uma concha de gordura de porco, quatro ovos, sal, amassar bem e enrolar (biscoito redondo). Forno quente.

PÃO DE QUEIJO – Um litro de polvilho doce, um litro de leite, uma concha de gordura de porco, sal, quatro ovos. Modo de fazer: ferve-se o leite com a gordura e, com ele, escalda-se o polvilho. Juntar os ovos e amassar. Modele-se com a mão o pãozinho redondo. Forno quente.

BROA DE FUBÁ DE CANJICA – Um prato de fubá, bem cheio, um pires de café de polvilho, um prato de gordura de porco, prato fundo, até no vinco, um prato cheio de água, sal, ovos, até dar o ponto. Modo de fazer: misturar a água fervendo com a gordura, escalda-se o fubá com o polvilho, amolecer com ovos até o ponto de enrolar, que não deve ser muito mole. Forno regular. Broa redonda.

CANJICADA – Canjica, amendoim, leite, açúcar, canela; cozinha-se a canjica. Torrar o amendoim e passá-lo na máquina. Misturar tudo. Uma pitada de sal. Deixar cozinhar mais um pouco até tomar uma consistência (caldo grosso).

DOCE DE OVOS – Uma dúzia de ovos, um prato de queijo ralado. Modo de fazer: calda de um quilo e meio de açúcar, bater as claras em neve, misturar as gemas e continuar a bater a fim de perder o gosto de ovo. Despejar o queijo ralado na calda, um pouco rala, e deixar cozinhar. Mexer devagarinho para que não empelote.

AMBROSIA – Quatro chávenas de açúcar para um litro de leite; seis ovos. Modo de fazer: fazer calda do leite com o açúcar. Pôr a ferver e quando estiver no ponto de chocolate (caldo grosso) despejar os ovos batidos em neve, deixar cozinhar e mexer devagar. Canela em casca fervida no leite.

AMEIXA (DOCE) – Calda de um quilo de açúcar, um prato de queijo ralado, seis ovos. Modo de fazer: amassar o queijo com os ovos, fazer bolinhos em forma de ameixas e colocar um cravo formando a castanha. Levar à calda fervendo.

BISCOITO DE GOMA ou PETA, PIPOCA, MENTIRA ou POLVILHO – Um prato de polvilho doce, um prato de gordura de porco, um prato de água, sal, uma dúzia de ovos. Modo de fazer: escaldar o polvilho na água e gordura. Esperar esfriar um pouco e amassar com os ovos. Fazem-se os biscoitos espremendo a massa num pano furado, estendendo na forma untada. Forno quente.

FEIJÃO PAGÃO ou CALCADO – Cozinhar o feijão e coá-lo um pouco (tirar um pouco de água). Colocar, numa vasilha maior, cebola picadinha de cabeça, cebolinha verde, sal, um pouco de farinha de mandioca. Escaldar com gordura quente e misturar um pouco de torresmo. Servir com ovos fritos.

MANJAR ou MAMINHAS – Fazer o mingau com farinha de arroz e fubá, leite, açúcar, um pouco de água de flor de laranjeira. Feito o mingau, vai-se armando no prato, às colheradas, formando uma rosa ou montículos, dando a forma de maminhas. Assar um pouco e levar à geladeira. Usa-se servir com calda.

OLHA ou COZIDO – Costelas de vaca, mandioca, batata-doce, cenoura, colocar tudo isto picado numa panela bem grande e cozinhar. Adicionar cebola picadinha de cabeça, cebolinha verde, couve, banana--da-terra, tomate maduro, sal e pimenta e água. Depois de bem cozido, deverá ficar um caldo abundante, pois deste caldo faz-se o pirão com farinha de mandioca.

BOLO DE ARROZ – Dois pratos de fubá de arroz bem fresco, de preferência pilado e na hora, coado numa peneira bem fina. Um prato de açúcar, um prato de banha de porco, uma colher, das de sopa, de fermento, dois ovos e erva-doce, uma pitada de sal, uma colher de bicarbonato na hora de amassar, um litro de água morna para dissolver o fermento e o fubá. Deve ser preparado à noite e assado no dia seguinte em forno bem quente. O ponto é o mesmo de bolo.

BERÉM – Fubá de milho pilado ou moído bem fino, rapadura na base de 50% em relação ao fubá empregado, tempero à vontade (em geral não se usa tempero). Deixar em fusão por uma noite, levar ao fogo e fazer o mingau, murchar a folha da bananeira ao fogo e proceder como na pamonha: uma concha de mingau em folha de bananeira. Colocar na geladeira e servir gelado. Antigamente, quando a geladeira não constava das utilidades domésticas, em Goiás, usava-se encher um pote de barro de berém e colocá-lo num canto frio da casa.

Informantes – Inhola de Moraes, Ana Silva, Santa da Silva e Sousa, Anita Ferreira da Silva Velasco e Benedita Alves Bueno Lobo.

Nota: W. Bariani Ortêncio, jornalista, estudioso e pesquisador da cultura popular de Goiás, reuniu esta excelente documentação especialmente para *Antologia da alimentação no Brasil*. Meus agradecimentos pela sua preciosa colaboração.

8

O vatapá e a Frigideira de siris moles
Constâncio Alves (1862-1933)

Glórias Nacionais

A Societé Nationale d'Acclimatation houve por bem incluir no cardápio cosmopolita do seu recente banquete anual pratos genuinamente brasileiros.

Quem se incumbiu do encargo tão cheio de responsabilidades de organizar essa lista que eu não ouso chamar *menu* (para não assanhar contra mim os defensores do vernáculo), já recebeu dos convivas, a quem felicitou, agradecimentos de inegável sinceridade.

Muito pode mentir a boca, quando fala. Mas o que ela não pode fingir é a água que lhe vem da gula deliciada por obras-primas da arte culinária, é o encanto com que saboreia maravilhas criadas por cozinheiros dignos, pela sua benemerência, de subirem à categoria de deuses.

Além dessas homenagens da gratidão mastigadora, o organizador do cardápio merece o reconhecimento patriótico de milhões de almas que, embora daquele jantar não tivessem sequer sentido o cheiro, estão impando de felicidade, como se houvessem comido a fartar.

Tiveram também o seu regalo de boca os brasileiros, porque naquela mesa parisiense figuraram honrosamente nos quitutes capazes de arrancar unânimes aplausos.

Naquela mesa posta num salão da cidade que distribui a glória houve para bem-dizer um concurso universal de comedorias.

Países entraram com pitéus característicos, e o Brasil não se saiu mal, não voltou do certame cabisbaixo, vertendo lágrimas de fel sobre uma terrina desprezada.

Não, aquilo com que contribuiu para o êxito da festa recebeu honrarias especiais de estômagos maravilhados.

Nem era para menos. Quem escolheu os pratos que deviam representar a nossa cozinha tinha dedo! Tirou do nosso guarda-comidas joias preciosas.

O que lá apareceu sob o pseudônimo de *"Timbales de mollusques et de crustaces très appreciés au Brésil"* é a famosa frigideira de siris moles, à qual, sem exagero, cabe a denominação de divina.

E que direi eu do vatapá, a mais prodigiosa invenção do gênio da Bahia?

Lá estava ele, ciente do seu valor, certo de não ser vencido por nenhuma das maravilhas saídas do fogão francês. E o resultado correspondeu à confiança.

A notícia que conta a festa diz que ele foi, com os seus colegas de representação brasileira, enormemente apreciado.

Sucedeu, pois, o que era de esperar.

Bocas habituadas a comestíveis sem pimenta adaptaram-se instantaneamente ao sabor exótico da iguaria que nasceu e só podia nascer em terra de sol ardente.

Não me causou surpresa ter o vatapá conquistado o paladar de estrangeiros, apesar da sua originalidade bárbara.

Aqui, já lhe manifestara a sua admiração um grande homem da Alemanha, que olha do alto coisas da terra e do céu.

Einstein, foi ele, sim, almoçando ou jantando com o dr. Juliano Moreira, quem viu, provou, gostou e não escondeu o seu contentamento, muito embora estivesse em presença do maior adversário de sua teoria. O filósofo, que enxergara em tudo a relatividade, conheceu, enfim, o absoluto.

Para a glória do Brasil, o vatapá bastava.

Mas quem escreveu a lista de pratos quis que a nossa terra desse ainda o ar de sua graça no banquete.

E o Brasil forneceu coisas eminentemente doces, do seu inesgotável repertório de sobremesas: compotas de caju e de mangaba, e jenipapo cristalizado.

Tudo isso, que foi servido tão longe, e que somente vimos em papel de jornal, é grato ao paladar do nosso amor-próprio e adoça a boca ao nosso patriotismo.

Já está felizmente um pouco manso o orgulho que sentimos quando louvam a nossa natureza.

É bela, não há dúvida, não podemos, porém, contemplá-la com satisfação de criador. Nem sequer colaboramos com o Supremo Artista que trabalhou como escultor e pintor. Não contribuímos para a magnificência do panorama, com um montículo ao menos, com um arbusto sequer. Temos, pelo contrário, arrasado morros e derrubado árvores, e feito na tela retoques não muito felizes.

O que nos cabe fazer, quando nos louvam a beleza da terra, é devolver ao Eterno os elogios que os turistas nos dirigem.

Mas se motivo não há de tirarmos vaidade do Pão de Açúcar, que não levantamos, nem do Amazonas, que não estendemos por léguas e léguas – podemos sim, olhar, com alegria, para as panelas que demonstram a fecundidade, a originalidade do espírito nacional.

Isso é nosso, feito por nós, unicamente brasileiro.

Não quero para minha demonstração outros exemplos senão os que constam do cardápio da Societé Nationale d'Acclimatation: a frigideira de siris moles e o sobre-humano vatapá.

A matéria-prima desses prodígios é puramente nacional, e nacional o gênio que realizou os referidos poemas.

Quando, pois, o estrangeiro leva à boca uma garfada da frigideira ou uma colherada do vatapá, e de boca cheia e de olhos gratos manifesta o seu entusiasmo, então, sim, temos razão de aceitar os encômios. Louvar-nos por isso é dar o seu a seu dono. Quanto aos hinos à baía de Guanabara... que os receba o Autor da Criação.

Pode ser, e eu não nego, que haja intervenção celeste na feitura da referida frigideira e do supradito vatapá, que a Bahia imaginou e realizou com tamanha perfeição. Nesse caso, porém, a influência viria por intermédio do Senhor do Bonfim, que é baiano.

O banquete, efetuado recentemente em Paris, está mostrando que a nossa cozinha é um elemento de propaganda extraordinário; e uma boa cozinheira, de repertório rigorosamente nacional, fará com a sua colher mais que muitos artistas com pincel, rabeca e trombone.

Não quero dizer com isso que pintura e música sejam artes inferiores à arte de cozinhar. Pobre dela, que não se ensina em conservatório, e não é objeto da crítica que estuda quadros e óperas.

Digo apenas que a cozinheira é artista mais compreensível, e a sua arte capaz de atrair maior número de amadores.

Haverá quem ignore que muita gente é insensível à ação do gênio de Ticiano e de Beethoven e que até os espíritos superiores olham com desdém para os quadros mais admiráveis e ouvem com desprazer as músicas mais suaves?

Quem é, porém, que conhece inimigos de bons petiscos? Até os que comem ervas, ou vivem em duros jejuns, são sensíveis aos prazeres da mesa e, por isso mesmo, deles se privam, para que Deus tome em consideração tamanho sacrifício.

Sendo assim, uma inspirada cozinheira, que o Brasil enviasse por esse mundo, em missão especial de conquista, com seus abanos, o seu fogareiro, o seu sortimento de preparos para os pratos nacionais – seria mais útil à mãe-pátria e poderia torná-la mais conhecida e mais admirada que dez cantoras, vinte pianistas e outros tantos pintores.

Disse certo filósofo, olhando uma tela: "Quanto pano estragado!". Não foi um filósofo, mas um poeta que definiu a música: "O mais suportável dos barulhos".

Mas não se encontrará filósofo, poeta, sapateiro, seja quem for, que repila alguma criação genial da arte da cozinha, que não tem musa inspiradora, mas merece lugar junto às belas-artes, pelo menos.

E há quem a coloque em plano superior. Rossini, por exemplo, que deixou de ser músico, a fim de subir a cozinheiro, aviava as suas óperas com descuidada facilidade; mas, com que atenção, com que cuidados preparava o seu complicado macarrão, que lhe causava mais orgulho que *O barbeiro de Sevilha*.

Espalhada pelo mundo a fama da nossa cozinha, quantos estrangeiros não viriam aqui, simplesmente para comer? Não deixaria de amar a nossa natureza; ela, porém, passaria ao papel secundário de fornecer o elemento decorativo para o almoço ou o jantar à sombra de mangueiras majestosas, que prazer! Mas a mesa rústica ou pomposa seria o principal. E a panela do vatapá, consagrado pelo consenso unânime dos povos, ficaria mais alta que as nossas montanhas.

Quando saíssem daqui, lambendo os beiços, os visitantes não teriam palavras azedas para os hóspedes e levariam impressões intensas. A gratidão do paladar é mais duradoura que a dos outros sentidos. Música que entra por um ouvido pode sair pelo outro. A visão de uma paisagem esmorece na memória frágil. Mas a reminiscência de um bom vatapá é eterna. Demais, quem teve a fortuna de prová-lo quer repetição. E nem todos os que ouviram uma ópera fazem questão de ouvi-la novamente.

Não se diga que seja indigno do orgulho nacional o empenho de ganhar a atenção do mundo por quitutes.

A celebridade alcançada por esse meio não é inferior à que se obtém pela filosofia, pela arte e pela ciência.

Uma cozinha pode revelar gênio e os seus gênios são iguais. Na culminância da sua arte, ela fica no mesmo plano superior a que subiram Kant, Raphael, Mozart e outros habitantes das grandes alturas.

Quando presidente da República, Thiers era visitado por Mignet, que aparecia em palácio, sempre, com um embrulho embaixo do braço. Aquilo havia de ser um livro. Pois, não era. O que ele levava era uma lata hipócrita, e dentro dela havia a famosa *bouillabaisse*, à moda de Marselha. Fechavam-se os dois no gabinete da presidência e aí se entregavam à delícia daquele prato regional, às escondidas de Mme. Thiers, que obrigava o marido a uma severa dieta.

Quando se despediam, era com essa frase de entusiasmo: "É a obra-prima do espírito humano!".

Isso diziam dois historiadores, que deveriam reservar aquelas palavras para as obras de Tácito e Tito Lívio.

Animados por esse exemplo, não hesitemos em afirmar que a humanidade nos deve obras-primas do espírito humano, dessas que florificam uma nação e imortalizam um povo. O vatapá pode considerar-se tão sublime quanto a *Crítica da razão pura*, com a vantagem de ser igualmente profundo e mais acessível ao gosto do gênero humano, que parece preferir, à melhor filosofia, os bons-bocados.

Nota: Reproduzido de *Jornal do Commercio*, Rio de Janeiro, 9 de outubro de 1930.
Constâncio Alves esqueceu que no *menu* constavam outros pratos brasileiros que Rodrigo Octávio, participante, registrou *in Minhas memórias dos outros* (Última Série, 154-55, Livraria José Olympio Editora, Rio de Janeiro, 1936): "*Dinde à la brésilienne, farcie à la* farofa", "*confitures de* caju *et de* mangaba", "Genipapo *cristallisé*", além da "Fritada de mariscos *à la* baiana", "Vatapá *de poulet*".

9

NOVE SOPAS. BARREADO. A ORIGEM DA MÃE-BENTA

Mariza Lira

SOPA CATARINENSE – Cozinhem-se em água e sal batatas-inglesas, descascadas, em quantidade suficiente. Separado, passem-se na gordura duas colheres de fubá mimoso com uma cebola picada. Deite-se, por cima, caldo de carne, pimenta, salsa e cebola. Deixe-se ferver por mais algum tempo, para engrossar um pouco.

SOPA DE OURO PRETO – Faça-se um refogado com banha, cebola, tomate, cebolinha e salsa; junte-se a ele uma colher de fubá de milho que se refoga. Junte-se água quente que dê para todos. Ferva-se um pouco e despeja-se nos pratos sobre uma porção de farinha de mandioca que se julgar suficiente.

SOPA DE SERGIPE – Cozinhe-se couve, repolho, cenoura, batata-inglesa, abóbora, aipim em água temperada com sal, e adicionada a todos os temperos secos e verdes. Deixe-se ferver bem, até tudo ficar cozido, quase a desmanchar, passe-se na peneira e despeje-se o caldo grosso sobre pedaços de pão fritos em gordura de ovos de tartaruga.

SOPA DE TROPEIRO – Afervente-se um palmito-doce. Depois, refogue-se em gordura com sal e demais temperos. Junte-se depois fubá mimoso que se deixa engrossar a gosto.

SOPA DOMÉSTICA – Ponha-se a cozinhar, numa panela, carne de vaca e toucinho. Quando tudo estiver cozido, junte-se repolho, batatas, cenouras, aipim, abóbora, tudo partido em pedaços. Deixe-se cozinhar bem, juntando-se-lhe, por último, uma porção de arroz, suficiente.

SOPA MANUEL-SEM-JALECO – (Minas Gerais) – Ponha-se no fogo um bom refogado, ao qual se junta um pedaço de lombo de porco, e um paio, que se cobrem com água para cozinhar. Logo depois, juntem-se pedacinhos de nabo, folhas de mostarda, couve e serralha em pedaços. Quando tudo estiver cozido, engrosse-se, ligeiramente, com fubá de milho.

SOPA MINEIRA – Deixe-se cozinhar o feijão-preto com ossos de tutano ou carne de vaca bem gorda. Quando estiver cozido, faz-se, à parte, um bom refogado com banha, alho, cebola, tomate, salsa e cebolinha. Junte-se uma concha de feijão. Deixe-se ferver um pouco. Passe-se na peneira juntamente com o feijão, do qual já se retirou o tutano e as carnes que se abandonam. Junte-se, então, a couve, partida bem fina, e um punhado de arroz à vontade. Quando tudo estiver cozido, sirva-se com uma colher de manteiga.

SOPA DE MANDIOCA – Faça-se um bom caldo de tutano e carnes gordas. Coe-se o caldo e engrosse-se com farinha de mandioca à vontade.

SOPA DE SERRA ABAIXO – Cozinhe-se carne de vaca com aipim, abóbora e batata-doce, temperando-se com sal, gordura, alho, tomate, cebola etc. Quando estiver fervendo, junte-se aos poucos um mingau feito com três ovos, meia colher de polvilho e duas de fubá mimoso. Deixe-se ferver bem e sirva-se.

BARREADO – É o prato tradicional do estado do Paraná. É feito só de carne, que fica a cozinhar durante mais de doze horas, dentro de um panelão de barro, hermeticamente fechado, que se enterra e sobre o qual se acende uma fogueira. O cozimento se faz com o próprio vapor, sem que seja adicionada água alguma. A carne fica tão cozida que se desfia à toa, tomando o aspecto de um pirão. Conta-se que no litoral, os caboclos que se alimentam somente de peixe abusam do *barreado* no Carnaval e morrem de *estupor*, com o ventre inchado e empedrado. Manda a tradição que não se beba água, nem durante a ingestão do "barreado" nem mesmo até duas horas depois da refeição. A única bebida permitida é a cachaça. O "barreado" é comido com acompanhamento de banana e farinha de goma (mandioca). A receita do "barreado", que segue, foi-me cedida pelo prof. Luís Heitor, que a conseguiu em Curitiba, de um especialista, o Pajoaba, que lhe assegurou que o segredo do "barreado" está em saber graduar o fogo. "Coloca-se no fundo de uma panela de barro tiras de toucinho, pondo-se a carne gorda e magra em seguida, acompanhada dos temperos: cominho, cebola, salsa, cebolinha, alho, tomates, pimenta--de-cheiro e limão. Calafetam-se as bordas da panela com uma goma de farinha de mandioca, prendendo-se a tampa por meio de tiras de papel. Além de tudo isso, ainda se amarra para evitar que o vapor se escape. Algumas vezes o barreado se faz, colocando a panela sobre a chapa do fogão, e a fogo lento, durante toda a noite e indo pela manhã adentro até o almoço para se processar o cozimento. É servido com a colher, garfo de pau, a cuia de farinha de goma e o garrafão de cachaça de Morretes."

A ORIGEM DA MÃE-BENTA – Pelo tempo da Regência, morava no Rio de Janeiro, à rua das Violas, 87 (hoje Teófilo Otoni), Benta Maria da Conceição Torres, mãe do cônego Geraldo Leite Bastos, oficial-maior da secretaria do Senado. Mãe Benta era uma famosa doceira. Foi ela quem criou a receita de uns bolos gostosíssimos, muito apreciados pelo regente Feijó, que ia toda tarde à sua casa comê-los com café; e, não era só ele. Outros vultos em evidência deliciavam-se com os bolinhos da Mãe Benta. Os docinhos ficaram em moda. Foram até glosados pelo povo num lundu da época, cujo estribilho dizia assim:

Mãe Benta, me fia um bolo?
Não posso, senhor tenente,
Que os bolos são de Iaiá,
Não se fia a toda gente.

Com o tempo as mães-bentas[1] vulgarizaram-se e hoje não há quem não conheça no Brasil esse doce tão comum.

De um caderno de lembretes de uma senhora carioca é a receita da mãe-benta que se segue: 500 gramas de farinha de arroz, 350 gramas de manteiga, 500 gramas de açúcar, 12 gemas de ovos, 2 claras; batem-se os ovos com o açúcar; depois a manteiga e por fim a farinha. Quando estiver para ir ao forno, bota-se o leite de um coco, sem água, cravo, erva-doce e canela. Leva-se em forminhas de papel ao forno.

Nota: Reproduzido de *Migalhas folclóricas*, "Culinária brasileira", Rio de Janeiro, 1951.
    Excelente investigadora, Mariza Lira compendiou documentário valioso.

1   No II tomo da *História da alimentação no Brasil* [Edição atual – 4. ed. São Paulo: Global, 2011. (N. E.)], V-E, "Bolos e doces", expus o que sabia sobre a "mãe-benta" que está, há século, em Portugal. Lá empregam o fubá de arroz como na receita que Mariza Lira divulgou. Não é a primitiva. Nos "Bolos da Mãe Benta" do *Doceiro Nacional*, 7ª ed., anterior a 1897, ainda consta *farinha de trigo*, também alteração.

   A verdadeira receita trazia a goma de mandioca, polvilho de goma, tradicionalíssimo. Depois é que a farinha de trigo e o fubá de arroz apareceram. O regente Diogo Antônio Feijó saboreou os antigos, com a goma de mandioca, *made in Brazil*.

10

VIRADOS PAULISTAS

Jamile Japur

VIRADO – Ponha gordura numa frigideira e frite rodelas de cebola, alho socado e salsinha. Acrescente um dos seguintes, antecipadamente refogado: repolho, couve picada bem fininha, milho verde cozido, cortado em grãos, cenouras, ervilhas, feijão, fava, vagem etc. Em seguida acrescente farinha de mandioca ou milho, mexendo até ficar mais ou menos seco. Pode fazer também virado de carne cozida e desfiada, de vaca ou de porco, seguindo o mesmo processo.

VIRADO DE FEIJÃO – Depois de pronto, o feijão pode ser usado como virado. Numa frigideira faça um refogado com gordura, rodelinhas de cebola, salsa picada. Junte o feijão e um pouco de caldo. Deixe ferver e, aos poucos, vá misturando farinha de mandioca ou de milho, mexendo até que forme uma pasta meio dura.

VIRADO DE FEIJÃO À PAULISTA – Siga a mesma receita anterior. Todavia, antes de retirar o virado da frigideira, ajunte pedaços de torresmos, misturando bem. Este virado é servido com linguiça e ovos fritos, pedaços de carne de porco frita, ou costeleta, ou entrecosto. É acompanhado de arroz, couve refogada, picada bem fininha e cachaça.

VIRADO DE FRANGO – Corte um frango em pedaços pequenos. Ponha gordura numa panela, frite rodelas de cebola, alho socado e acrescente o frango, sal, tomates sem peles, cheiro-verde e um pouco de água quente. Em seguida, faça um refogado com bastante gordura, cebola cortada em rodelas, ao qual se juntam os pedaços de frango e o molho em que ele foi cozido. Quando ferver, ajunte farinha de milho e vá mexendo até formar virado. Pode usar o frango desfiado, sem ossos. Este prato sempre foi usado em viagens, principalmente em outros tempos. Ninguém viajava sem o seu "virado de frango".[1]

Nota: Reproduzido de *Cozinha tradicional paulista* (Salgados. Doces. Bebidas), Folc-Promoções, São Paulo, 1963.

1   O paulista Francisco de Assis Iglésias *in Caatingas e chapadões* (Notas, impressões e reminiscências do Meio-Norte brasileiro, 1912-1919), Brasiliana, vol. 271-A, 2ª tomo, São Paulo, 1958, registra uma variante no Piauí: "Frito de galinha de alforje". Saberá o paciente leitor (se é do Sul talvez não saiba) o que é um frito de galinha de alforje? Não? Pois frito de galinha é o que os paulistas chamam de virado de galinha, galinha frita, cortada em pedaços e misturada com farinha de milho, como é preparada em Piracicaba. Constitui um farnel próprio para viagens. Daí o caboclo paulista empregar a palavra virado como sinônimo de farnel. Era comum ouvir-se, pelo menos quando eu era menino, o rifão popular que denotava precaução: "Sou caboclo viajado, carrego virado e não como". Essa *galinha torrada com farinha* era, pelo Rio Grande do Norte e Paraíba, o farnel indispensável para os viajantes de certo trato. Não se conhece como *frito de galinha de alforje*.

II

NOTAS SOBRE A CULINÁRIA NEGRO-BRASILEIRA

Artur Ramos (1903-1949)

No estudo das influências do Negro na civilização brasileira, não pode ser esquecida a culinária. Foi pela cozinha que o africano penetrou de modo decisivo na vida social e de família no Brasil. Neste sentido, a sua influência foi fundamental. Muito maior do que a influência indígena.

A cozinha dos índios brasileiros era primitiva e rudimentar. Eles nos deixaram, no entanto, alguns pratos à base de milho, como a *pamonha* e a *canjica*; à base de mandioca (*Manihot utilissima*), como a farinha, o beiju, o mingau, a tapioca etc., além de outros pratos compostos de farinha e carne assada pisada no pilão e peixe seco. Preparavam ainda os indígenas várias bebidas fermentadas, entre as quais se destacava o *cauim*, extraído do milho ou da raiz do aipim amassados, fervidos em água e postos a fermentar.

O africano trouxe uma cozinha muito mais variada e complexa. Foi o Negro quem introduziu, no Brasil, o azeite de coco de dendê (*Elais guineensis*), o camarão seco, a pimenta-malagueta, o inhame, as várias folhas para o preparo de molhos, condimentos e pratos. E o que é mais: trouxe não só os seus pratos naturais, de origem africana, como modificou para melhor, introduzindo os seus condimentos, a cozinha indígena e a portuguesa.

Conta-nos Manuel Querino, autor de uma interessante monografia sobre "A arte culinária na Bahia", que o colono português abastado, na Bahia, reservava sempre um escravo ou escrava africana para o seu serviço culinário. Data daí, desses tempos coloniais, a fama de que goza até hoje a culinária baiana. O Negro africano introduziu excelentes modificações na cozinha portuguesa; assim, nos pratos em que o português usava o azeite de oliveira, o africano adicionou o azeite de dendê; à frigideira portuguesa, preparada com bacalhau pisado, azeite doce, banha e ovos batidos, acrescentou o leite de coco, tornando aquele prato mais saboroso; ou ainda substituiu o bacalhau ou o peixe assado pela amêndoa da castanha do caju. E assim por diante. Na cozinha de origem puramente africana, os Negros faziam uso do *ataré*, ou pimenta-da-costa; do *iru*, espécie de fava de um centímetro de diâmetro; do *bejerecum*, outra fava de tamanho menor; do *ierê*, semente usada como condimento; do *egussi*, outra semente também usada como condimento.

Alguns pratos de origem africana ou modificados pelo africano merecem menção especial, tal a fama de que gozam, na Bahia, no Recife, no Maranhão, pontos onde o tráfico foi mais intenso. O *vatapá* e o *caruru* são os mais famosos destes pratos, de técnica africana. O legítimo *vatapá* baiano é preparado de galinha que se tempera em pequenos pedaços com vinagre, alho, cebola e sal; levado ao fogo, adiciona-se a este cozido o leite de coco misturado com farinha de arroz e ainda camarões pilados, pimenta-malagueta (*Capsicum baccatum*) e azeite de dendê. O vatapá de galinha, como ficou descrito, é o mais comum. Fazem-se, porém, vatapás de peixe, de carne verde, de bacalhau etc.

O caruru é preparado com quiabos (*Hibiscus esculentus*) ou folhas de copeba (*Piper macrophylum*), mostarda, oió, ou outras folhas conhecidas com o nome de bertália, bredo etc.; deitam-se essas folhas no fogo, a ferver, num pouco de água e adicionam-se cebola, sal, camarões, pimenta, tudo pilado e com o indispensável azeite de dendê; a essa massa se acrescenta o peixe assado ou a carne de charque e leite de coco.

E o *efó* prepara-se com a mesma técnica do caruru; é feito de folhas conhecidas com o nome de *língua-de-vaca* (*Tussilago nutans*), e com os demais ingredientes do caruru.

No preparo desses pratos africanos, o Negro fazia uso da *pedra de ralar*, que mede cerca de cinquenta centímetros de comprimento por mais de vinte de largura e cerca de dez de altura. "A face plana em vez de lisa" – escreve Querino – ligeiramente picada por canteiro, de modo a torná-la porosa ou crespa. Um rolo de forma cilíndrica, da mesma pedra, de cerca de trinta centímetros de comprimento, apresenta toda a superfície também áspera. Esse rolo, impelido para frente e para trás sobre a pedra, na atitude de quem mói, tritura facilmente o milho, o feijão, o arroz etc. Esses petrechos africanos são geralmente conhecidos na Bahia e muita gente os prefere às máquinas de moer cereais."

O *acaçá* é assim preparado com o milho, amolecido na água e ralado na pedra e depois passado em peneira ou urupema; escoa-se depois a água, e deita-se a massa no fogo com outra água até cozinhar em ponto grosso; vai-se mexendo com uma colher de pau e depois retiram-se pequenas porções que são envolvidas em folhas de bananeira. O acaçá pode ser servido como a *polenta* italiana, ou ainda ser dissolvido em água e servido como refresco.

O *arroz de haussá* é outro prato africano, preparado com arroz cozido em água sem sal, a que se acrescenta um molho constituído de pimenta-malagueta seca, cebola e camarões, tudo ralado na pedra e levado ao fogo com azeite de dendê.

Com o feijão-fradinho (*Dolychos monachalis*) prepara-se o *acarajé*, outro prato africano também muito apreciado. O feijão é amolecido em água, retirada a cutícula e ralado na pedra; à massa, revolvida com colher de madeira, adicionam-se cebola e sal ralados, e depois se aquece tudo numa frigideira de barro, onde se derrama certa quantidade de azeite de dendê, que é renovado todas as vezes que é absorvido pela massa, até que esta tome a cor loura do azeite. Com o mesmo feijão também faziam os africanos o *humulucu* ou feijão-de-azeite, o *abará* e o *ecuru*, que eram servidos em folhas de bananeira como o acaçá.

Os negros africanos introduziram ainda no Brasil os pratos e guisados de *inhame*, chamado "inhame-da-costa" ou "de-são-tomé" (*Dioscorea sativa*). As bolas de inhame são preparadas com o inhame descascado, lavado com limão e cozido com sal; em seguida, é pilado no pilão e da massa se fazem bolas grandes que são servidas com *caruru* ou *efó*. O *bobó de inhame* é preparado com o inhame cortado em pedaços e preparado da mesma forma que o efó. O *ipetê* é outro prato africano de inhame, muito semelhante ao *bobó*.

Do milho, faziam ainda os negros o *aluá*, bebida fermentada, o *dengué*, milho branco cozido com açúcar; o *ebó*, milho branco pilado; o *aberém*, muito semelhante ao acaçá e que serve para o preparo de refrescos; o *ado*, milho torrado reduzido a pó e temperado com azeite de dendê.

Outros pratos africanos eram o *latipá* ou *amori*, o *olubó*, o *oguedê*, o *efum-oguedê*, o *eram-poterê...* O *oguedê* era um preparado de banana-da-terra (*Musa sapientium*) e o *efum-oguedê*, espécie de farinha da banana-de-são-tomé (*Musa paradisiaca*), descascada, cortada em fatias, seca ao sol, e depois pisada ao pilão para a obtenção da farinha.

O *xinxim* é um preparado de galinha, cortada em pequenos pedaços cozidos com sal, alho, cebola e camarões secos, tudo ralado na pedra, e com o indispensável azeite de dendê.

No 1º Congresso Afro-brasileiro de Recife, alguns *pais* e *mães de santo* apresentaram receitas de quitutes afro-brasileiros, preparados de inhame, como o *eôfufá*, o *eôfunfum*, o *beiinhan*; de feijão-fradinho, como o acará, o *môlôcum* (o *homulucu* descrito por Querino); de milho, como o *axóxó* e o *acaçá* pernambucano; de quiabos, como o *béguiri*; e ainda mais, o *omalá*, espécie de caruru, e o xinxim de folha de mostarda.

Os negros africanos ainda alteraram e melhoraram a cozinha portuguesa, no preparo das *moquecas* e outros pratos de peixe, da feijoada, das frigideiras, dos molhos, dos doces e bolos... Ninguém melhor soube preparar, no Brasil, receitas de doces e bolos do que as velhas negras "vendeiras de tabuleiros"; que ainda hoje exibem as suas mercadorias nas esquinas da Bahia ou do Recife. Alguns destes doces e bolos conservam nomes que evocam tradições africanas: "mães-bentas", "pés de moleque" etc.

Esta tradição culinária africana foi mais intensa no litoral da Bahia e do Nordeste, principalmente na zona de afluência dos negros de procedência sudanesa. Realmente os nomes da culinária africana, sobreviventes no Brasil, são de origem nagô ou jeje. Poucos vêm do quimbundo. De onde podemos concluir que foram os negros negôs que introduziram no Brasil a arte da culinária que tanta influência exerceu no paladar brasileiro. O complexo do inhame vem realmente dos povos da Nigéria ou do Daomé. E também o azeite de dendê.

Muitos destes preparados culinários eram destinados, de início, às cerimônias religiosas e mágicas. Para a feitura do "santo", nos *candomblés*, sacrificavam-se animais como o galo, a galinha, o bode, o carneiro... O sangue era destinado ao preparo dos fetiches ou à iniciação das "filhas de santo". A carne era destinada ao preparo das iguarias, que nas grandes festas dos candomblés se serviam aos *ogans* do terreiro e convidados. Os melhores pratos, de legítima tradição africana, são preparados e servidos nos candomblés. É aí que se encontram os melhores *vatapás*, os melhores *carurus*, os mais saborosos *efós*, *haussás* e *acarajés*.

Depois, a cozinha africana avassalou a vida de família. Os melhores cozinheiros africanos foram disputados. Comercializou-se a culinária africana e surgiram as negras vendedeiras de acarajés e doces de tabuleiro. Os condimentos africanos imprimiram à culinária baiana e pernambucana o seu sabor característico que os tornaram famosos no Brasil, desde os tempos coloniais segundo a opinião insuspeita dos nossos visitantes estrangeiros.

O vatapá baiano tornou-se um prato indispensável nos restaurantes nacionais, como um guisado genuinamente brasileiro, de origens africanas. A sua fama ultrapassou as fronteiras nacionais. A Societé Nationale d'Acclimatation, de Paris, incluiu, no cardápio de um dos seus banquetes anuais, o bom vatapá do Negro baiano. E o filósofo Einstein, quando visitou o Brasil, não escondeu a sua admiração diante de um prato de vatapá. A sua filosofia rendeu homenagem generosa aos Brillat-Savarin da velha cultura afro-brasileira.

Nota: Reproduzido de *Aculturação negra no Brasil*, Brasiliana, vol. 224, São Paulo, 1942.

12

Capítulo da mesa, em São Paulo

Leonardo Arroyo

Em torno da mesa larga,
largavam as tristes dietas,
esqueciam seus fricotes,
e tudo era farra honesta
acabando em confidência.

Carlos Drummond de Andrade

A quantas andamos em matéria de culinária em São Paulo? Uma nova edição do livro de Manuel Querino, *A arte culinária na Bahia*, coloca em foco a necessidade, no Brasil, de uma ordenação de pesquisas no sentido de um inventário da nossa cozinha. Não só da nossa cozinha típica, que alcança em algumas regiões do país perfeita sistemática culinária, como também daquela que nos trouxeram os maiores contingentes de emigrantes que aqui trabalham, aqui vivem e aqui difundem valores culturais que se manifestam de modo todo particular na cozinha. Este fenômeno se observa, principalmente, nas grandes concentrações urbanas pela facilidade de sua interação, ao passo que nas áreas rurais se circunscreve, geralmente, a certas comunidades. A velha civilização do açúcar criou todo um complexo de doces já inventariado por Gilberto Freyre em seu pequeno mas importante e raro trabalho *Açúcar*; a concentração de negros na Bahia provocou o aparecimento de uma cozinha simplesmente notável, da qual a grande maioria de pratos, senão todos, se encontram relacionados no livro de Manuel Querino. De várias regiões do país conhecemos este ou aquele prato típico, uma forma de doce, uma técnica de fabricação de vinhos ou licores, que estariam a exigir, para a formação de uma sistemática, maiores pesquisas, identificação e registro.

Mesmo em São Paulo o campo para pesquisa de tal ordem está à espera de algum interessado, ou *gourmet*, dotado de orientação, não apenas "gustativa", mas sociológica. Colher-se-iam notas para uma tentativa de geografia paulista de cozinha e suas possíveis repercussões sobre a pluralidade de pratos que existem à nossa disposição, alargando-se tais estudos às frutas, formas de pão, qualidades de vinho (vejam-se os invejáveis produtos da zona de Atibaia), à variedade de doces. A contribuição da cozinha italiana, portuguesa, síria e espanhola, da francesa, a que se podem juntar algumas outras já um tanto exóticas (chinesa, húngara, japonesa, russa etc.) faz-se sentir sob muitos aspectos, inclusive o puramente turístico.

No Brás, o Tiradentes goza de fama internacional (ou pelo menos teve essa condição até há alguns anos atrás) pela sua *pizza* que Jean-Louis Barrault costumava frequentar e elogiar, todas as segundas-feiras, acompanhada do vinho Cambriz (tinto ou branco – branco na preferência do editor José de Barros Martins, outro grande *gourmet* de São Paulo) e onde Osmar Pimentel, o nosso lúcido mas ausente crítico literário, pôde classificar a *pizza* de ortodoxa, para alegria de outros comilões de classe, como o ensaísta Sérgio Buarque de Holanda, o saudoso romancista José Lins do Rego, Luís Jardim (o escritor, desenhista, pintor e melhor prosa destes meridianos), os editores José Olympio e Daniel Pereira, o romancista Antônio Olavo Pereira com as restrições impostas pela sua rebelde vesícula, o velho e saudoso Dácio Pires Correia – a crônica mais viva de São Paulo antigo –, o permanentemente jovem e exaltado professor Francisco Teive de Almeida Magalhães, o garfo mais impressionante desta múltipla terra de Manuel da Nóbrega e, finalmente, mas não o último, esse menino permanente também que é Luís Gonzaga Melo frente a qualquer prato e ao vinho Médoc de sua preferência. E diga-se desde já, como anotação sociológica, que o *pizzaiuolo* não é nenhum napolitano desgarrado na grande cidade, mas um cidadão louro, filho de alemães e nascido na cidade de Limeira, no interior de São Paulo.

Ainda no setor italiano poderíamos apontar algumas casas de ótima qualidade, que é preciso saber procurar. Mas não pretenda o leitor aí o ambiente sofisticado dos restaurantes e cantinas de turistas, de que São Paulo anda cheio, com o seu falso exotismo e com sua falsa comida. Em São Paulo come-se bem dentro de um admirável espírito democrático, democraticamente racial, pela variedade de homens e mulheres que se podem encontrar em tais casas de pasto, como são chamadas, à margem de uma recordação juvenil, em Lisboa, esses modestos restaurantes. Modestos por fora, talvez mesmo em suas instalações, mas com pratos, para usar uma imagem do velho Eça de Queiroz, feitos no céu. Ainda a *pizza*, com a mesma classe, mas diferente na espessura da massa e no equilíbrio do tempero, pode ser degustada com muita alegria na cantina Montenero, na Rua da Graça, no Bom Retiro, o bairro dos judeus, mas não exclusivamente dos judeus, e em cujas ruas há uma inequívoca demonstração da nossa vocação democrática racial a um simples exame da paisagem humana. É outra cantina frequentada por intelectuais, jornalistas, homens de letras, enfim, e onde não será raro encontrar um Mário Mazzei Guimarães, um Mário Chamie, o poeta concretista, um Constantino Ianni, um Isaac Jardanovski, o arquiteto, um Júlio Abramchick, o médico, e aquelas figuras que frequentam o Tiradentes, no Brás, a discutir as excelências da *pizza*. Prato que mais uma vez não é nunca preparado por um filho da península, mas pura e simplesmente por Laurindo, legítimo baiano que Deus conserva na sua maestria culinária.

O frango assado, ou alho e óleo, os miúdos de frango, o *spaghetti con le vongole*, a sardela, o pão toscano, uma notabilíssima polenta frita, a linguiça calabresa seca e crua, iguarias fortes e reconfortantes, têm seu ponto alto numa cantina familiar do velho Bexiga – o Chamarré, o encanto de um Mário da Silva Brito, de um Pedro Brasil Bandecchi, de uma Helena Silveira, de uma Maria de Lourdes Prestes Maia, da poetisa Lupe Cotrim Garaude, de Fernando Mendes de Almeida, do jornalista Lauro D'Agostini, do desenhista Nélson Coletti, do livreiro Moacir Gouveia, do poeta Edgar Braga, também jovem e permanente *gourmet* como jovem poeta de vanguarda não obstante suas antigas produções românticas. O encanto também de escritores e editores, de um Arnaldo Magalhães de Giacomo, do impressionante garfo que é Thomaz Aquino de Queiroz, de Leandro Meloni, comprido e exigente, do cozinheiro e editor Jorge Saraiva, dos dois Fernandos, o Góes e o Jorge. Fernando Góes e Fernando Jorge, o primeiro requintado nas exigências de guisados e na defesa do vinho nacional e, o segundo, inquieto e rápido, comendo mais pão que outra coisa qualquer. O Alberto, no Chamarré, terá sempre à nossa disposição um reconfortante Visconde de Ayala, de garrafa comprida, tão bom sempre que parece engarrafado no céu, aplaudido pelo exigente paladar de um Rubens de Barros Lima, habituado aos Chateaux franceses, aos Bucelas, aos Carcavalos e aos Colares portugueses, *veritable soleil en bouteille*. E no setor italiano pode-se ignorar essa instituição culinária que é o Capuano? Há mais de trinta anos que o velho Capuano alegra a numerosa clientela que frequenta o porão do prédio situado na Rua Major Diogo, ainda no velho Bexiga de tantas tradições. A cantina do Capuano se integrou na paisagem urbana e social paulista como uma mesa de grandes virtudes onde os pratos dependem exclusivamente do fornecedor que recebe os clientes num porão e que se transforma à medida que surgem os acepipes; o *fuzilli*, o camarão com arroz, este preparado à base de linguiça calabresa, uma das grandes coisas que se comem em São Paulo, o cabrito assado, a salada. É possível que se possam apontar numerosos outros restaurantes ou cantinas italianas com pratos especiais. Mas não tenham dúvidas os leitores que, as mais das vezes, não valeriam a experiência pelo excesso do sal na conta final.

Os restaurantes árabes são muito conhecidos, lamentando-se neste particular as já hoje desaparecidas, ou encontradas com muita raridade, casas de família que costumavam, num dia da semana, fornecer a alguns raros iniciados as primícias de sua cozinha transplantada do Oriente para a imensa cidade, juntamente com o famoso queijo duro de leite de cabra, que se saboreava com azeite, conforme preconizava o saudoso Miguel Helou. O mesmo se dirá de restaurantes chineses espalhados às dezenas pelos quatro cantos da cidade, com uma riqueza e variedade, o exotismo principalmente de pratos que se constituíram verdadeira surpresa para os críticos literários Eduardo Portela e Sílvio Castro, para o escritor Alexandre Eulálio, para o biógrafo Waldir Ribeiro do Val e tantos outros intelectuais do Rio que em São Paulo, as mais das vezes, realizam verdadeiras excursões culinárias pelas casas mais excêntricas e curiosas.

Toda a rica cozinha espanhola, barroca quase sempre, está representada em São Paulo, na sua mais legítima expressão, não num restaurante de luxo com *néon* colorido à porta, numa das ruas centrais da cidade. Mas na descoberta do médico Luís Vidal Reis, presidente da Casa de Cervantes. Esta casa não é apenas um centro cultural, mas um centro onde, mensalmente, se reúnem espanhóis e brasileiros para apreciar o conforto e confraternizar-se em torno de um Marquês de Riscal de 1952, que rega e valoriza o *callo a la madrileña*, a *paella valenciana*, a *fabada*, ou o *gazpacho andaluz campino*, tudo isso somado, ao fim, com típicas canções espanholas, muitas do famoso compositor basco Imparraguirre, de tantas tradições no país dos bascos. Essa descoberta é *doña* Carmen, que reside na Água Rasa e exerce uma função eminentemente diplomática: a de embaixatriz da cozinha castelhana, que em São Paulo ajudava ao saudoso cônsul-geral de Espanha, *don* Barnabé Toca y Perez de la Lastra, a matar saudades da cozinha de sua terra.

Mas se *doña* Carmen se desloca de Água Rasa para a Casa de Cervantes é para alcançar algo mais permanente. E assim foi que, no bar que com seu marido mantém na Avenida Álvaro Ramos, abriu um restaurante que hoje os grandes *gourmets* de São Paulo, principalmente os intelectuais, conhecem e cultivam como das coisas mais raras desta terra: a Maresqueria Playa Grande. Aí, *don* Curro, ex-toureiro hoje em disponibilidade que se comprova por numerosas fotografias nas paredes do restaurante, a que se juntam enormes cartazes num convite inútil à velha Espanha, encanta seus clientes com uma salada de atum, com o chouriço espanhol, com as *papas* fritas, com o *callo*, com a *paella*, com as lulas recheadas, mariscos, lagostas, camarões defumados e tenras rãs que a mais das vezes ele cultiva em seu quintal. É possível que em São Paulo haja muitos lugares em que se possam comer produtos marítimos. Mas é certo que em nenhum deles com tanto "caráter" como na Maresqueria de *don* Curro, cuja cozinheira, para bem de todos nós, ainda é *doña* Carmen.

E nesse distante lugar, de difícil acesso, reúnem-se quase sempre um Edgar Braga, um Pedro Brasil Bandecchi, um Fernando Góes, um Rubens de Barros Lima, um Thomaz Aquino de Queiroz, um Leandro Meloni, um Arnaldo Magalhães de Giacomo, um Moacir Gouveia, um Nélson Palma Travasso, um Mário da Silva Brito, um Daniel Pereira, um Luís Gonzaga Melo, um Mário Mazzei e tantos outros que picam o apetite com um Tio Pepe, que tem a luz e a cor dos céus de Espanha. Eis aqui algo capaz de imprimir ao entusiasmo, à finura de elogios de um Marcelino de Carvalho, novas formas de admiração. Também lá foram levados pelas excelências da cozinha de *don* Curro, certa noite, o editor Octales Marcondes, Yan de Almeida Prado, o livreiro Olynto de Moura, Francisco Matarazzo Sobrinho, o prefeito Prestes Maia, o jornalista João de Scantimburgo, Paulo Ayres, Franco Montoro e Lívio Abramo.

Falamos acima em casas particulares, de famílias de origem árabe, que costumavam receber em certos dias de semana a alguns iniciados e amigos. E neste particular, como deixar sem uma referência especial a mesa de Yan de Almeida Prado? Por ela desfila o que de mais interessante há em São Paulo em seus diversos setores culturais, com admirável ciência.

Mestre Marcelino de Carvalho – mestre no bom gosto que se alonga por vários setores da vida social e autor de um dos livros, senão o único, mais deliciosos da literatura gastronômica, *Assim falava Baco* – sugeriu com muita oportunidade uma tomada de depoimentos dos intelectuais que frequentam a casa e a biblioteca, famosa, de J. F. de Almeida Prado. Eis aí uma ideia brilhante e que deve ser concretizada para que não se perca a memória de um dos últimos lugares mais interessantes de São Paulo. Em síntese, mestre Marcelino de Carvalho quer publicar um livro sobre as reuniões lideradas por J. F. de Almeida Prado. Lideradas é mal expresso. Porque o autor do *Thomas Ender* muitas vezes, ou quase sempre, é apenas um patriarca que recebe os "meninos" com xerez e deixa-os dar larga à fantasia em meio às salas cheias de preciosos livros, gravuras, quadros, requintadas encadernações que se rivalizariam com as de Aldo Manuzio, tudo pretendendo doar ao Município para os estudiosos de São Paulo terem uma biblioteca brasiliana especializadíssima. Foi, porém, negociada com a Universidade.

Mestre Marcelino de Carvalho lembra muito bem o que se perdeu, por falta de registro oportuno, dos salões famosos de São Paulo, como o de D. Veridiana, de que nos ficaram algumas referências de Ramalho Ortigão na carta dirigida a Eduardo Prado e publicada na *Revista Nova*; o de d. Olívia Penteado, para citar apenas dois, por onde passou, durante muito tempo, toda a vida intelectual paulistana. E nem se diga que a crônica de tais salões não teria importância e que aí só andariam os "comedores de palha", como queria a crítica azeda de Tobias Barreto. Os estudos de nossos sociólogos de maior projeção baseiam-se em grande parte em tais depoimentos, cartas, "livros de assento", que refletem uma época, uma estrutura social, caracteres individuais, preconceitos etc. Daí a oportuníssima sugestão de Mestre Marcelino de Carvalho convocando os intelectuais que frequentam a casa de J. F. de Almeida Prado, "o mais genuíno anfitrião dos tempos contemporâneos nesta cidade de São Paulo", como se expressa, a prestar depoimento para um livro de colaboração comum. Que se mantenha a tônica dos depoimentos com o subtítulo de "Ensaio de constantes de amizade em torno à mesa" é a nossa sugestão. E esse possível livro muito teria que contar, não apenas elogiar, muito de crítica haveria em suas páginas, não só sob o aspecto cultural, mas inclusive econômico e político, antes o político, e principalmente o culinário. J. F. de Almeida Prado muito tem do duque de La Vallière – o mais célebre bibliófilo francês – alongado nos trópicos com duas eminentes virtudes: a da amizade e a da mesa. Incontáveis figurões, escritores, pintores, industriais, professores nacionais e estrangeiros, passaram pelo seu salão da casa da Avenida Brigadeiro Luís Antônio. Muito se teria que registrar, inclusive fatos que, por conveniência temporal, ficassem registrados fora do livro, mas já arquivados para não perder a memória, pois muitos deles resultaram da voz confidencial enternecida por vinhos inumeráveis, em cujas garrafas se encontra quase sempre a fugidia verdade.

Estou tentado a citar Alexandre Dumas, não pela autoridade, mas por sua justa observação. Costumava dizer que existiam casas em que se sentia *enverve,* assim que nelas entrasse. Dumas tinha a sua experiência. Assim é a casa de J. F. de Almeida Prado. Ajuntemos também que dali se sai sempre acrescentado de algo de novo, quer pelo aprendizado de novos pratos, quer pela excelência dos vinhos, quer pelo brilho das observações intelectuais. Observações que nascem inspiradas pelos raros xerezes que ali se bebem. Xerezes ricos, de caráter, cujos cálices se tomam ao compasso e no conselho da poesia popular em Portugal, lembrada por Antônio Batalha Reis no seu "Roteiro do vinho português".

> O primeiro bebe-se inteiro
> O segundo até o fundo
> O terceiro como o primeiro
> O quarto como o segundo
> O quinto bebe-se todo
> O sexto do mesmo modo
> O sétimo bebe-se cheio
> O oitavo duas vezes e meio.

Contudo, são vinhos que, no dizer de Antônio Augusto de Aguiar, "respeitam a inteligência" de quem os bebe, e muitas vezes funcionam na frase de frei Rafael, também citado por Antônio Batalha Reis: chaves que, sem voltas, abrem o coração e soltam o pensamento. Mas nunca como nos versos populares:

> O vinho é coisa santa
> que sai duma cepa torta;
> faz uns quebrar a cabeça
> e outros errar a porta.

Lembre-se, a propósito, que o vinho talvez seja a única bebida bíblica. As páginas dos Livros Sagrados estão cheias dele. Samuel fala no vinho e diz que ele é capaz de fazer falar ao lábio mudo.

A mesa de Yan de Almeida Prado é hoje famosa em São Paulo, não apenas pela excelência do que possui em iguarias, mas pelo que pode reunir em torno da cocada e dos raros vinhos franceses e portugueses o que de mais inteligente, de contraditório, de expressivo, cordial e humano há em São Paulo em seu meio intelectual.

No setor da cozinha estrangeira em São Paulo há todo um vasto campo de estudos, porque o homem, como quer Guerra Junqueiro, citado por Bernardino José de Sousa, no prefácio do livro de Manuel Querino, *A arte culinária na Bahia*, tem toda a sua alegria derivada de "gastro-intestinais combinações obscuras". Também não poderiam passar despercebidas algumas casas baianas, cada vez mais raras, que durante muito tempo gozaram de imenso prestígio, como o modesto restaurante do Santos, na Rua dos Andradas, que servia pratos afro-brasileiros durante toda a semana e onde se reuniam escritores e jornalistas, artistas, cantores, para apreciar inclusive o seu doce de coco. Mas o Santos, ingrato com a Gruta do Bonfim (era esse o nome do restaurante), qual Ulisses desgarrado no trópico, ouviu o canto da sereia da política e sua casa acabou perdendo a fádica cozinheira, que foi depois contratada por rica família de São Paulo. Mais tarde, voltou para a Bahia, onde ainda parece estar vivendo. O que consola alguns apreciadores da cozinha baiana em São Paulo é a mesa muito particular de Pedro Menezes, um baiano arraigado em São Paulo que não abdicou da sua cozinha e assim, num raro apartamento em Pinheiros, reúne ainda o editor Mestre Jou e alguns outros eleitos para saborear uma frigideira de bacalhau, uma moqueca de peixe, uma moqueca de peixe à moda do pescador, uma feijoada tipicamente baiana.

Tais casas, porém, se tiveram vida relativamente efêmera, tantas foram que puderam criar certas exigências e hábitos de que se aproveitaram outros restaurantes para apresentar pratos típicos de algumas regiões brasileiras. É curioso como o que menos se come em São Paulo talvez sejam as especialidades brasileiras, de modo geral. Foi também o que observou Gilberto Freyre em sua mais recente visita a São Paulo (1961), quando saboreava uns bolinhos paulistas tradicionais oferecidos ao ilustre escritor e sua mulher, d. Madalena, na Casa do Bandeirante por Paulo Florençano. O conhecimento das especialidades se disseminou, valores de traços culturais de outros estados e outros países, no que diz respeito à cozinha, penetraram em várias casas e se conservam vivos, atuantes, pedindo pesquisas, identificação, catalogação para tentativa de uma geografia paulistana de cozinhas, de pratos típicos ou já mudados por diversos fatores, pois a mesa continua sendo, entre nós e em todo o mundo, um elemento cordial de entendimento, de solidariedade, de integração, de amizade, de alegria e de valorização da vida. Entre os exemplos de interação culinária poderíamos apontar a farofa que se faz em São Paulo em algumas casas com a farinha de mandioca e o azeite de dendê baianos e a linguiça calabresa. Ou ainda a combinação magnífica da linguiça calabresa com o filé à parmigiana.

Quanto às casas portuguesas, não será fácil encontrá-las com o caráter, por exemplo, das italianas. Entendemos por casa de caráter a que não se condiciona exclusivamente ao seu aspecto de industrialização da comida. Isto é, que não se cinge a aspecto puramente comercial, mas que tem a destacá-la o que poderíamos chamar de artesanato culinário. A casa de caráter é aquela onde, entre o povo, se realiza a mais completa democracia ao redor da mesa. A quantidade de casas sem caráter, por isso, em São Paulo, é enorme. Há certos restaurantes que trocam mensalmente de proprietários, sem que sua cozinheira sofra a menor diferença. Numa casa de caráter isso não será possível. Mas, se o leitor procurar bem, há de encontrar casas portuguesas em alguns bairros com seus enfeites muitas vezes típicos, com seus nomes muitas vezes tradicionalmente portugueses, a estender para São Paulo aquela saudade lusitana que se manifesta até nas paredes de uma casa lusa transplantada para o trópico.

Paradoxalmente, os restaurantes portugueses não ganham projeção. E isto se torna mais curioso quando se sabe que a colônia lusa em São Paulo é enorme (a segunda, depois da italiana, segundo as estatísticas). Algumas das poucas dessas casas em São Paulo, que não têm uma duração acentuada, como a Adega de Lisboa Antiga, a da Bairrada (para citar somente duas) podem apresentar pratos típicos e bons vinhos portugueses. O branco de Bucelas ou o verde de Monção. Ao invés de se centralizar em restaurantes, a cozinha portuguesa, contudo, se espraia pela influência doméstica. Será raro não encontrar em São Paulo qualquer traço dessa culinária que fazia o encanto de nossos avós.

Algumas sociedades culturais em São Paulo costumam cultivar a culinária dos países de que são originários seus membros. É o caso já citado da Casa de Cervantes e o será também o do Centro Catalão, onde se poderão apreciar alguns pratos típicos, como a *butifarra* com feijões brancos e tomar o vinho a caráter, isto é, nos *porrones*, ambos, a *butifarra* e o *porrón*, já fabricados em São Paulo. No setor israelita o mesmo sistema existe, dependendo apenas do interessado o desafio a pratos exóticos e de forte significação culinária.

Todo esse complexo, já se observou, constitui com a habitação e o vestuário um dos fundamentos essenciais da geografia econômica. Já houve época em que os homens eram classificados de acordo com a alimentação. A importância histórica e sociológica da mesa, o poder obrigacional dos alimentos, a sua significação, encontram reminiscências no estudo do folclore. Aquele livro de Manuel Querino foi publicado pela primeira vez há 35 anos. Ainda é uma sugestão, um incentivo para maiores pesquisas em certos centros regionais ou numa cidade como São Paulo, encruzilhada do mundo, rica desses valores culturais em termos de alimentação.

Junho, 1962

Nota: Reproduzido de *O tempo e o modo*, "Capítulo da mesa", Coleção Ensaio, Ed. Conselho Estadual de Cultura, São Paulo, 1963. Fixa a paisagem gastronômica de São Paulo em junho de 1962.

13

MODELO DE JANTAR MINEIRO

Antônio Torres (1885-1934)

Segundo mandou dizer de Belo Horizonte um correspondente jornalístico, para certo jantar oferecido pelo senador Francisco Sales, não foram convidados alguns cidadãos suspeitos de *não salismo*; e o sr. Sales, para explicar essa exclusão, tão fora dos moldes da hospitalidade mineira, declarou que não os convidara por ser muito acanhada a sua sala de jantar; por onde se vê que a sala de jantar do egrégio senador é, quanto à capacidade, semelhante ao seu intelecto. Quer-me parecer que um senador como o sr. Sales, chefe político, ex-ministro e, portanto, milionário, não tem o direito de ter sala de jantar assim, tão estreita, como a de qualquer pobre diabo – eu, por exemplo; até porque a sala de qualquer político deve sempre exceder em capacidade o seu crânio.

A homem como o sr. Sales incumbe a obrigação de ter várias salas de jantar, capazes de conter não só os correligionários políticos, como e principalmente os adversários. Ninguém já hoje em dia nega a influência de um bom jantar na orientação de uma boa política. Deem-me bons cozinheiros e um ponto de apoio no orçamento e eu dominarei o mundo.

Pode um homem ser inimigo político de outro; mas se jantar em casa desse outro e encontrar lá boa sopa, bons vinhos do Reno, bom peixe, bons ensopados, bons assados, sobremesa fina e charutos capitosos; algumas senhoras inteligentes (que conversem mais com os belos olhos e com os magníficos dentes do que com a inteligência); uma dona de casa que não fale a respeito de criados; duas ou três senhoras que sejam capazes de cantar agradavelmente e sem insistir muito numa ária de Gluck, de Rossini, de Wagner, de Gounod ou de Carlos Gomes (*O ciel di Parahyba...*); alguma senhora capaz de interpretar um noturno de Chopin ou uma sonata de Beethoven; um pequeno conjunto de músicos de câmera que nos deem alguma coisa de César Franck ou de Vincent d'Indy; tudo isso com muito tato, finura e proporção, nesses momentos olímpicos em que o princípio da digestão e o início da embriaguez do charuto começam a espalhar-se por todo o corpo, desde os cabelos até os pés, um bem-estar generalizado que frisa com o mais delicioso estado de estupidez gentil; pergunto: o homem que jantar em tal casa poderá algum dia ser inimigo do seu anfitrião? É preciso que seja muito dispéptico para cometer tamanha ignomínia...

Por isso digo: se o senador Sales tivesse mais tino político, teria convidado a todos os seus adversários para jantar intimamente ou na sua casa ou no Grande Hotel. Eu – e Deus me livre de tal! – não desejo estar na pele desse macambúzio senador; mas se, porventura, *eu fosse ele*, convidaria para jantar comigo todos os *não salistas*. E, de duas, uma: ou eles viriam ou não viriam; se viessem em massa, eu ficaria prestigiado; se não viessem, ficariam sendo pasto das intrigas dos adversários e concorrentes.

Assentados, pois, todos em volta da minha vasta mesa de jantar, apresentar-lhes-ia eu um cardápio bem mineiro e executado sob minha imediata e escrupulosa fiscalização. Para começar, sopa de legumes (daqueles adoráveis legumes que há na chácara do senador Sales) bem escolhidos por mim em pessoa – a alface tenra, a cenoura nova, a couve-flor macia, o repolho bem novinho, com tempero de salsa e cebolinha de todo o ano, isso bem cozido em caldo de galinha gorda, mas tirada a enxúndia, para não fazer mal aos convivas de estômago delicado, se é que os há entre políticos...

Depois desta sopa, eu mandaria servir uma traíra, pescada pela manhã no rio das Velhas, aí por perto de Santa Luzia, e vinda em trem especial, se preciso fosse; guisada em molho de tomates com pimenta-malagueta discretamente dosada, fumegante e aromal; para acompanhar a traíra, arroz branco, bem quente e bem cozido com miolo de repolho bem tenro. A traíra, sendo bem feita, tem a faculdade de fazer os convivas lamber os beiços tão voluptuosamente como se fossem cães de gente rica...

Depois do peixe, frango ensopado com batatas muito novas e guisado por cozinheira sábia. Depois, viria o lombo de Minas, mas o lombo clássico, como só se conhece lá nas montanhas, depois de subida a serra da Mantiqueira.

Um antigo tratado de culinária, *La cuisinière bourgeoise*, citado pelo velho Dumas nos seus *Propos d'art et de cuisine,* traz a seguinte e deliciosa calinada: *Pour faire un civet de lièvre, prenez un lièvre.* Eu, porém, vos digo, ó leitores: *para fazer um leitão assado, matai uma leitoa; e para fazer um lombo de porco tostado, matai um porco.* Assim, pois, abatido pela manhã o porco, um grande porco de toucinho de palmo, retira-se-lhe o lombo, puro, sem nenhuma gordura. Deita-se esse lombo em água limpa, que se renovará a quando e quando, até que não haja nele vestígio de sangue. Faz-se uma salmoura de vinagre, cebola, sal, folhas de louro, pimenta e alho, tudo bem moído e misturado num almofariz. Despeja-se essa salmoura numa vasilha conveniente, na qual, em seguida, se coloca o lombo; toma-se um furador com a mão esquerda; com a direita, empunha-se heroicamente uma colher; e, à proporção que a esquerda vai furando o lombo a esmo, a direita, com a colher, vai-lhe derramando molho por cima, tendo-se o cuidado de repetir essa operação em cada uma das faces dele. Quando o operador, segundo o seu senso artístico, julgar que não é necessário furar mais o lombo, deixe-o em depósito na salmoura até o momento de levá-lo ao fogo. Chegado esse momento, deve ele ser colocado numa frigideira seca e assado a fogo lento; à medida que se for suavemente tostando, não se esqueça o cozinheiro de o ir lubrificando com uma pena de galinha ou de peru embebida na salmoura em que ele esteve depositado. Quando esse lombo vem para a mesa, traz, por dentro, uma alvura virginal; por fora, a sua cor é como se ele estivesse sendo dourado pelos últimos raios do sol poente; o seu perfume é grato aos heróis e aos deuses; e antes de comê-lo, deve o conviva farejar o ambiente em torno, recolher-se alguns momentos dentro de si mesmo, agradecer a seu deus, seja qual for, o dom da vida do porco e meditar sobre a alegria de viver...

Para acompanhar esse lombo, salada de alface e de chicória, colhidas em um canteiro especial, regado toda manhã por mim em pessoa.

Sobremesa: doce do mais puro leite de Minas; compota de laranjas curtidas em água corrente sob o luar montanhês; figos frescos, cristalizados por alguma senhora idosa, digna continuadora das gloriosas tradições de glutoneria dos capitães-generais das Minas.

Quanto a vinhos, esmorece um pouco o meu patriotismo mas – por Baco! – uma garrafa de Chianti, de Colares ou de Bourgogne sempre se encontra em qualquer parte. Para concluir, uma xícara de café, preparado segundo todas as regras e exigências da arte.

Terminado este jantar, eu quisera ver se haveria algum adversário que não estivesse convertido às minhas ideias e à minha cozinha, aos meus discursos e às minhas panelas, aos meus condimentos e aos meus paradoxos. Tenho quase certeza de que só não seriam meus amigos os que, no dia seguinte, tivessem morrido de embaraço gástrico...

Nota: Reproduzido de *Prós e contras*, "Crônica culinária", Livraria Castilho, Rio de Janeiro, 1922.

Uma senhora mineira, de Ouro Preto, aprovou o cardápio tradicional, dizendo-o excelente e típico nas velhas famílias. Discordou, porém, do frango ensopado com batatas, preferindo-o com quiabos, prato histórico, já elogiado por Saint-Hilaire em 1817. A receita do lombo de porco estava perfeita.

14

FEIJOADA À MINHA MODA

Vinicius de Moraes

Amiga Helena Sangirardi
Conforme um dia eu prometi
Onde, confesso que esqueci
E embora – perdoe – tão tarde.

(Melhor que nunca!) este poeta
Segundo manda a boa ética
Envia-lhe a receita (poética)
De sua feijoada completa.

Em atenção ao adiantado
Da hora em que abrimos o olho
O feijão deve, já catado
Nos esperar, feliz, de molho.

E a cozinheira, por respeito
À nossa mestria na arte
Já deve ter tacado peito
E preparado e posto à parte

Os elementos componentes
De um saboroso refogado
Tais: cebolas, tomates, dentes
De alho – e o que mais for azado.

Tudo picado desde cedo
De feição a sempre evitar
Qualquer contato mais... vulgar
Às nossas nobres mãos de aedo

Enquanto nós, a dar uns toques
No que não nos seja a contento
Vigiaremos o cozimento
Tomando o nosso uísque *on the rocks.*

Uma vez cozido o feijão
(Umas quatro horas, fogo médio)
Nós, bocejando o nosso tédio
Nos chegaremos ao fogão.

E em elegante curvatura;
Um pé adiante e o braço às costas
Provaremos a rica negrura
Por onde devem boiar postas

De carne-seca suculenta
Gordos paios, nédio toucinho
(Nunca orelhas de bacorinho
Que a tornam em excesso opulenta!)

E – atenção! – segredo modesto
Mas meu, no tocante à feijoada:
Uma língua fresca pelada
Posta a cozer com todo o resto.

Feito o quê, retira-se caroço
Bastante, que bem amassado
Junta-se ao belo refogado
De modo a ter-se um molho grosso

Que vai de volta ao caldeirão
No qual o poeta, em bom agouro
Deve esparzir folhas de louro
Com um gesto clássico e pagão.

126

Inútil dizer que entrementes
Em chama à parte desta liça
Devem fritar, todas contentes
Lindas rodelas de linguiça.

Enquanto ao lado, em fogo brando
Dismilinguindo-se de gozo
Deve também se estar fritando
O torresminho delicioso

Em cuja gordura, de resto
(Melhor gordura nunca houve!)
Deve depois frigir a couve
Picada, em fogo alegre e presto.

Uma farofa? – tem seus dias...
Porém que seja na manteiga!
A laranja, gelada, em fatias
(Seleta ou da Bahia) – e chega.

Só na última cozedura
Para levar à mesa, deixa-se
Cair um pouco de gordura
Da linguiça na iguaria – e mexa-se.

Que prazer mais um corpo pede
Após comido um tal feijão?
– Evidentemente uma rede
E um gato para passar a mão...

Dever cumprido. Nunca é vã
A palavra de um poeta... – jamais!
Abraça-a, em Brillat-Savarin
O seu Vinicius de Moraes.

Nota: Reproduzido de *Para viver um grande amor* (Poemas e crônicas), Editora do Autor,
   Rio de Janeiro, 1962.

15

CANTIGA PARA FAZER PAÇOCA

Newton Navarro

Dois, dois
O pilão batucando
Dois, dois
A pancada a soar
Dois, dois
Duas mãos arremessam
Dois, dois
Outra mão para o ar
Dois, dois
Na madeira furada
Dois, dois
A farinha a pisar
Dois, dois
Carne-seca moída
Dois, dois
No pilão a socar
Dois, dois
Mandioca plantada
Dois, dois
Farinhada desfez
Dois, dois
Carne ao sol espetada
Dois, dois
Carne verde de rês

Dois, dois
Mandioca em farinha
Dois, dois
Carne ao sol ressecou
Dois, dois
No pilão misturadas
Dois, dois
Em paçoca virou
Dois, dois
Meu irmão, camarada,
Dois, dois
Se abanque pra cá
Dois, dois
Seu café no caneco
Dois, dois
Pra paçoca provar
Dois, dois
E também não se esqueça
Dois, dois
De outra coisa dizer
Dois, dois
Sem banana a paçoca
Dois, dois
Não adianta comer
Dois, dois
E assim explicada
Dois, dois
Na toada ficou
Dois, dois
A paçoca gostosa
Dois, dois
Que Sinhô Rei me mandou!

Nota: Newton Navarro, pintor, jornalista, poeta, orador, escreveu na praia de Redinha, Natal, em junho de 1964, essa toada da paçoca no velho ritmo de "bater caçula", socando a carne e a farinha com cebola vermelha, nas batidas alternadas das mãos sapientes, mantendo contemporânea uma solução brasileira do século XVI.
Conforme Teodoro Sampaio, in *O tupi na geografia nacional*, 3ª ed., Bahia, 1928, "à carne ou peixe pilado e misturado com farinha davam o nome *pó-çoka*, que quer dizer pilado à mão ou esmigalhado à mão".

16

Molhos da Bahia

Sodré Vianna (1904-1945)

Para a regra geral do baiano, todo "molho" é de pimenta. Os sucos de carne, os refogados, os "molhos" chamados no Sul, aqui são "caldos". Caldo de mal-assada, caldo de ensopado, caldo de moqueca. Seja ralo ou rico; é caldo. Assim, quando neste caderno se diz que tal comida se serve com "molho tal", já se sabe que este é de pimenta.

O molho baiano é inconfundível. Na sua confecção entram detalhes que não se podem desprezar.

Não se deve apenas *quebrar* a pimenta. É essencial que ela seja *ralada, transformada em pasta*.

Para isto, deve-se misturá-la a um pouco de sal, de preferência grosso.

Nenhuma vasilha de louça deve ser utilizada para que nela se rale a pimenta. Só as de barro não vidrado oferecem uma aspereza que facilita a operação. Da mesma forma, nenhum instrumento de metal serve para triturador. O "molho baiano" é feito com machucadores de madeira, facilmente encontráveis nas quitandas.

Há várias espécies de pimenta: malagueta, cumaru, dedo-de-moça etc. A verdadeira pimenta do "molho baiano", porém, é a malagueta, que se destaca das demais por ser pequena e de ardor bem mais ativo.

Também não se usa pimenta madura, nem de conserva, nem seca, a não ser para o "molho de acarajé", quando esta última é preferida.

Nos demais casos, *malagueta verde* é que é a matéria-prima do "molho baiano". A seguir, daremos as receitas dos quatro molhos fundamentais da cozinha baiana: *molho de pimenta e limão*, o mais comum para guisados, assados etc.; *molho de acarajé*, que se usa com os acarajés, o arroz de haussá e, em certas ocasiões, com o xinxim; *molho de azeite e vinagre*, típico do Recôncavo, e *molho de nagô*, cujo caráter afro só tem similiar no do *molho de acarajé*.

Ao *molho de nagô*, pela quantidade de elementos que exige, os pretos chamam também "molho de guloso" ou de "lambão".

Assim, por exemplo, o chamava dona Maria Coquejo Sampaio (Maria Santana), neta de Congos, Mãe do terreiro de "seu" Cambanranguangê Genti de Cacurucaia, no Lobato.

MOLHO DE PIMENTA E LIMÃO – Numa vasilha de barro, põe-se um pouco de sal e pimenta. Cortam-se rodelas de cebola e, quando se goste, um dente de alho. Rala-se tudo, até ficar transformado em pasta. Mexe-se até que ela se dissolva completamente no suco. Cortam-se outras rodelas de cebola, que são postas inteiras dentro da mistura.

Este molho deve ser feito uma hora antes de ser servido. De um dia para outro não serve: fermenta com muita facilidade.

MOLHO DE AZEITE E VINAGRE – Sal, pimenta e cebola, tudo bem ralado como ficou dito acima. Um *bouquet* de coentro bem verde, macerado. Põe-se depois azeite e vinagre, na proporção de 2 de vinagre para 1 de azeite. Juntam-se rodelas de cebola, galhos de coentro inteiro para enfeitar.

MOLHO DE NAGÔ – Rala-se pimenta, com pouco sal. Junta-se à pimenta um punhado de camarões secos descascados e bem moídos. Depois o suco de meio limão, quiabos e jilós cozidos. Esmaga-se tudo com o machucador, mexendo-se até que o pó de camarão se misture uniformemente à massa. Quando é para *cozido* (em que é mais usado) pode-se juntar a este molho um pouco de caldo de panela, para que ele diminua de consistência e possa ser melhor misturado ao pirão.

MOLHO DE ACARAJÉ – Pimenta-malagueta seca, bem moída. Camarões secos, descascados e moídos. Cebolas picadas, um pouco de sal. Frita-se tudo no azeite de dendê, preferentemente em vasilha de barro. Serve-se frio.

Nota: Reproduzido de *Caderno de Xangô* (50 receitas de cozinha baiana do litoral e do Nordeste). Livraria Editora Baiana, Bahia, s. d. (1939).
Cambanranguangê Genti de Cacurucaia é o orixá Xangô na *linha de caboclo*, no candomblé de influência indígena.

17

BEBIA-SE NO RIO DE JANEIRO DE 1900

Luís Edmundo (1878-1961)

Quem acreditará que o Rio de Janeiro do começo de século teve uma vida noturna, relativamente muito mais ativa, muito mais ruidosa e, sobretudo, muito mais alegre que a de nossos dias? Frívola embora, era ela intensíssima, alimentada, sobretudo pelos rapazes que ainda não faziam *sport*, pelos caixeiros de um comércio que os prendia até tarde, nas lojas que só se fechavam às dez horas da noite, rapazes esses que, quando se soltavam, eram como cabras ou potros num terreiro; e, finalmente, pelos que buscavam na rua o conforto que não podiam encontrar na morada triste e vazia de qualquer conforto, como foi a nossa morada no começo do século. Se os ricos podiam criar, para viver, ambientes agradáveis em matéria de conforto, a grande massa da população vivia mal, sobretudo durante o estio, quando a casa de residência se transformava numa verdadeira estufa, sem os naturais recursos de defesa que em outras partes do mundo já então se empregavam para suavizar os rigores da estação. O pobre filho da terra vivia a beber a "água da quartinha", bufando a abanar-se com uma eterna ventarola de palha, camisa sobre a pele, a gola aberta e as mangas arregaçadas. Ainda se dormia, por esse tempo, como na idade colonial, por alcovas estreitas, sem luz, sem ar, com um vasto cortinado de filó, por vezes muito espesso, a tornar ainda maior a ardentia da cama, mas que era a única defesa que existia contra o implacável mosquito, a triste lamparina de óleo de colza queimando a noite inteira diante da oleografia do Senhor dos Passos ou da Nossa Senhora da Conceição.

De tal sorte esses interiores abafavam que era comum, quando anoitecia, ver as famílias, sobretudo nos arrabaldes ou subúrbios, buscarem o respiradouro das janelas ou o da calçada da rua, onde ficavam refrescando até o momento do suplício de recolher para o leito, onde se dormia de pernas abertas sobre lençóis que escaldavam o rosto todo coberto de suor.

Por isso, na casa inconfortável, em geral, só ficavam as mulheres e as crianças. Os homens saíam, indo em busca, fora, do consolo de largos ambientes arejados. Iam para os jardins dos teatros, iam pelos bares, pelos cafés e até pelos logradouros mais centrais da *urbs*, de chapéu na mão, a passos lentos, em passeios intermináveis, ou ficavam, então, em grupos, parados pelas esquinas, a falar, a rir, a discutir. Refrescavam-se. Desenfadavam-se. Espaireciam. E, à vezes, por esses lugares assim permaneciam, loquazes e tarameleiros, até uma, duas, três e quatro da madrugada.

Daí a vida noturna que tínhamos, tão falada, tão discutida e bem maior, relativamente, que a de hoje, com a casa brasileira igual a qualquer casa de qualquer país muito adiantado e progressista, nela prendendo, comodamente, o homem, prendendo a família inteira.

Não nos faltavam, pelo tempo, excelentes espetáculos em teatros, em *music-halls*, em restaurantes e outros lugares públicos de reunião e convívio, com música, com alegria, com mulheres. Somente, por essas noites de espairecimento e alívio, em qualquer desses lugares, diga-se de passagem, bebia-se muito, bebia-se demais, bebia-se como talvez não haja ideia de se haver bebido no Brasil. Bebia-se pelas compoteiras! No calor, para refrescar, no frio para aquecer... E as nossas predileções eram todas pelas bebidas portuguesas, que o colonizador para cá trouxera mal surgíamos para o mundo, fortes e capitosos vinhos procedentes do Porto e da Madeira, que tínhamos como os melhores do Universo, a aguardente de cana e outros produtos da indústria portuguesa de bebidas. Num país tropical, como o nosso, exigindo o uso de bebidas frescas e saudáveis, com dosagem mínima de álcool, o que se procurava beber, quase sempre, era o corrosido de 14 graus, ou mais, que malbaratava o fígado, causticava o estômago, pondo em petição de miséria todo o sistema vascular, os rins e o coração. Mais que a febre amarela, endêmica, matava o abuso do álcool. A displicência dos poderes públicos, em questões de saúde, corria, então, parelha com a ignorância do povo.

Bebe-se muito por todo esse Rio de Janeiro. Muito. Emílio de Menezes, que consolida a fama de intrépido bebedor, vai deixando pelas mesas por onde passa este axioma, que ainda não se perdeu de todo: "Beber, às vezes, é uma necessidade, saber beber uma ciência, embriagar-se uma infâmia".

Todos, porém, bebem sem necessidade abusando do álcool, sem ciência, infamemente se embriagando. Plácido Júnior, mais epicurista do álcool que um viciado vulgar, assim nos fala, um dia:

– Ah, quem me dera uma garganta sensível como a que possuo, mas em forma de rosca de parafuso!

Naturalmente pergunta-se-lhe:

– Por quê?

E ele, sem se perturbar, respondendo:

– Para que nela, o que bebo possa ir passando bem devagarinho...

Frase deliciosa de outro grande bebedor desse tempo.

– Afinal não bebo água por uma questão de puro sentimentalismo.

– De sentimentalismo?

– Sim, para não arrancar o pão das pobres lavadeiras!

Que diz Guimarães Passos, sempre que leva alguém a beber?

– Vamos levantar o moral!

E que espécie de bebidas bebem os homens do Rio de Janeiro, pela época?

Afora a cerveja, que apenas começa a se impor, todas as bebidas existentes sobre a face da terra, e de preferência as mais fortes, as que maior dosagem de álcool apresentam. O vinho quase todo ele é português. Naturalmente os vinhos de França, de Espanha, da Alemanha, da Itália e da Áustria aqui nos chegam, mas em escala muito reduzida. O comércio, em geral, faz contra esses vinhos uma perseguição feroz.

A velha frase: *de fazer azia em caixa de bicarbonato* é desse tempo e aplicada sistematicamente aos vinhos de França, Espanha, Itália ou Alemanha. No entanto, a maior parte do vinho que aqui se vende como ótimo, vinho de Portugal, com raras exceções, é todo ele falsificado ou "batizado".

E o que se importa, finalmente, de vinho português, pela época, do puro ou de zurrapa? Uma enormidade! Para se ter uma ideia de que isso é pelo começo do século, basta lembrar, citando estatísticas oficiais, que se chega a importar de Portugal, isso só no que se refere a vinho comum, num ano – 43.400.000 litros! (Estatísticas do Ministério da Agricultura.) Possuía o Brasil, por esse tempo, uns 22 milhões de habitantes. Quer isso dizer que, para uma população como a de hoje, teríamos que importar, se bebêssemos como outrora, nada menos de 90 milhões! Noventa milhões! O que se dá, porém, e o que se vê pelas estatísticas, também oficiais, de 1932, é que em lugar desses 90 milhões o que se importou nesse mesmo ano foi pouco mais de 3 milhões.

Queda fantástica.

Além do vinho português, bebe-se muito, pelo tempo, a aguardente de cana (também do reino) e o nosso parati, este dignificado por fantasiosas misturas. Por exemplo, com goma, uma espécie de xarope que dá ao líquido um sabor um tanto doce, com pingos de Fernet ou Bitter. São as famosas *abrideiras*, vermute de pobre, aperitivo nacional particularmente querido e apreciado.

Pede-se num balcão: *Uma patrícia com botões doirados*, o que equivale a pedir: uma aguardente da terra com pingos de Bitter ou Fernet. A alcoolatria indígena tem, por vezes, expressões de um refinado carinho para indicar todas as bebidas. E assim se chama ao parati *água-de-nossa-senhora, branquinha, aguinha*. Cerveja é *virgem-loira*. Absinto – *prêmio-do-céu*. Pede-se *um cavalinho*, quando se quer tomar um uísque. E ainda há a ginjinha, a genebrinha, a laranjinha... E todos esses alcoóis tremendos a cidade vive a absorver em quantidade fantástica.

Bebe-se por gosto, por vício, por *chic*, por obrigação, para *não fazer feio*, para não desmanchar prazeres...

Nota: Reproduzido de *O Rio de Janeiro do meu tempo*, vol. 2, Imprensa Nacional, Rio de Janeiro, 1938.

18

FRUTAS DO BRASIL "À LO DIVINO"

Frei Antônio do Rosário (1647-1704)

Escolheo o filho de Deos entre todos os officios o cortar & lavrar madeyros, pela simpatia, que tinha como lenho da Cruz em que havia de ser crucificado, & por esse mysterio daremos aos carpinteiros, & aos mais que trabalhão em madeiros, torneiros, marcineiros, serradores, daremos como aos mais officios que cá se usaõ, frutos & frutas; frutos dos Santos, frutas da terra: os frutos dos Carpinteiros he o Santo dos Santos Christo Senhor Nosso, S. Joseph, & S. Jacobo de Boemia; as frutas serão bananas, porque cortadas com huma faca mostraõ no miolo a effigie de hũ Crucifixo, para lembrança da simpatia de Christo com o lenho da Cruz no officio de carpinteiro.

Os Pedreiros tem a Sam Proculo por fruto, & as Gaiabas por fruta; as Gaiabas são as maçãs do Brasil, dellas se fazem os materiaes para o edificio do corpo, porque se fazem tijolos, & ladrilhos, & gaiabada, que pode servir de cal, & area; mas tomára eu, & tomarão os Pedreyros, que fazem obras materiaes, & corporaes, que fazem casas, & templos, se lembrárão daquella casa da eternidade, que se faz com as obras da vida, para a qual havemos de ir todos antes, ou depois do S. João: *Ibit homo in domum aeternitatis suae.*

Como sam tantos os officios de ferro, latão, cobre, estanho, chumbo, caldeireyros, serralheiros, latoeiros, cutileyros, espadeiros, havemos de darlhes uma fruta de varias castas, Araçazes, Aracaaçu, Merim, Pedrado, Perinho, para que dos metaes, de que fazem varias obras, tirem o fazer aquelas obras solidas. Os ourives do ouro, & prata tem suas Ubaias, ou Pitombas, amarellas da cor do ouro.

Çapateiros, corrieiros, selleiros, livreiros, levarão a reção de menduis: a fruta diz com a materia do officio: os menduis tem cor de cinza, cor de penitencia; a materia destes officios saõ peles, & couros, de que tambem se fazem os trajes da penitencia.

Os lavradores, & hortelões plantem Morecis; saõ como uvas, mas azedas; para que se lembrem da pena, que pelo pecado se deu a Adão.

Também os vaqueiros, carniceiros, pescadores, & marinheiros tem frutas, & frutos. Os que tem officio no mar, nas prayas acharáõ cardos como figos roxos, por dentro alvos, carocinhos pretos, doces, & azedos, que bem mostraõ a variedade da fortuna do mar, ora muito, ora nada, bom jantar, má cea; os que tratão de gados, & e açougues, para serem como forão os Santos do seu trato, que bẽ podem ser, se quizerem, contemtemse com Ubaias, que aos ourives bastão as Pitombas. Ubaias tem a casca com avelã, a massa de dentro algum tanto azeda, mas gostosa.

Não se queixem os alfayates que ficão de fora; que ainda que elles as vezes faltão com as obras, que promettem, não lhes faltaremos com a fruta, que está guardada para elles, chamase Oitituruba, he do tamanho de huma laranja, tem um caroço de huma banda preto, no qual se vê hũa pessoa como em hum espelho: que melhor espelho para os alfayates, que são Homobono, que sendo do mesmo officio, foy tam bom homem.

A fruta dos mercadores chamase Joás, como medronho, tem sua doçura com resaibo de amargura; & que mayor resaibo de amargura pode ter a mercancia ambiciosa, & avarenta, que o que Christo Senhor nosso diz nos Evangelhos sobre os ricos avarentos, que difficultosamente se salvaráõ.

Nota: De *Frutas do Brasil numa nova, e ascetica monarchia.* Consagrada à Santissima Senhora do Rosário. Author o seu indigno escravo Fr. Antônio do Rosário, o menor dos Menores da Seráfica Família de S. Antonio do Brasil, & Missionários no dito Estado. Mandando-a imprimir O Commissario Geral da Cavallaria de Pernambuco Simam Ribeyro Riba. Lisboa. Na Officina de Antonio Pedroso Galram. Com todas as licenças necessárias. Anno de 1702. Capítulo III. "Do estado do Povo".

Não alcancei consultar o original. Transcrevo trechos de um estudo, "Frutas do Brasil: Uma obra ignorada na história dum lugar-comum", do sr. Gerald Moser, *Revista da Faculdade de Letras*, Universidade de Lisboa, III série, nº I, Lisboa, 1957.

O frade menciona 36 frutas brasileiras. Viveu nos sertões de Pernambuco desde 1689. Faleceu guardião na cidade do Salvador, Bahia. Regista: Ananas, Cana de Assucar, Coroa (Caruá?), Mamões, Umbús, Jabuticabas, Cajus, Mapurungas, Cambois (Camboins), Oiticorós, Piquiás, Jenipapos, Spucáias, Gargauba (?), Fruta-do-Conde, Coqueiros, Areticuape, Macujés, Mangabas, Jaracateá, Mandacaru, Cajás, Pitangas, Caroatazes, Bananas, Araçazes, Ubáias, Pitombas, Manduis (amendoins), Muricis, Cardos, Oititurubas, Joás, Maracujá, Perluxos.

Ainda nos restaõ duas frutas, que por serem uteis, & medicinaes, as offerecemos aos Medicos, Cirurgiões, & Boticarios, Maracujás & Perluxos. O licor, & as pevides do Maracujá he tão suave, & refrigerativo, que pode servir de cordeal; os Perluxos naõ saõ importunos, & impertinentes, mas antes opportunos, & prestadios, saõ do tamanho de cereijas, da casca se faz excellente doce, a massa liquida com seu agro doce; he cordeal fino, & as pevides pedra bazar.

19

FRUTAS DO BRASIL

Frei Manuel de Santa Maria Itaparica (1704-1768)

Os coqueiros compridos e vistosos
Estão em reta série ali plantados,
Criam cocos galhardos e formosos,
E por maiores são mais estimados;
Produzem-se nas praias copiosos,
E por isso os daqui mais procurados,
Cedem na vastidão à bananeira,
A qual cresce e produz desta maneira.

De uma lança ao tamanho se levanta,
Estúpeo e roliço o tronco tendo,
As lisas folhas têm grandeza tanta,
Que até mais de onze palmos vão crescendo;
Da raiz se lhe erige nova planta,
Que está o parto futuro prometendo,
E assim que o fruto lhe sazona e cresce,
Como das plantas víbora, fenece...

Os limões doces muito apetecidos
Estão virgíneas tetas imitando;
E quando se vêm crespos e crescidos,
Vão as mãos curiosas incitando;
Em árvores copadas, que estendidos,

Os galhos têm, e as ramas arrastando,
Se produzem as cidras amarelas,
Sendo tão presumidas, como belas.

Os melões excelentes e odorosos
Fazem dos próprios ramos galerias;
Também estende os seus muito viçosos
A pevidosa e doce melancia;
Os figos de cor roxa graciosos
Pouco se logram, salvo se à porfia
Se defendem de que com os biquinhos,
Os vão picando os leves passarinhos.

No ananás se vê como formada
Uma c'roa de espinhos graciosa,
A superfície tendo matizada
Da cor que Citereia deu à rosa;
E sustentando a c'roa levantada
Junto com a vestidura decorosa,
Está mostrando tanta gravidade,
Que as frutas lhe tributam majestade.

Os araçás diversos e silvestres,
Uns são pequenos, outros são maiores;
Oitis, cajás, pitangas, por agrestes
Estimadas não são dos moradores.
Maracujás chamar quero celestes,
Porque contêm no gosto tais primores
Que, se os antigos na Ásia os encontraram,
Que era o néctar de Jove imaginaram.

Nota: Reproduzido de *Descrição da ilha de Itaparica* (Canto heróico), Bahia, 1841. Extraído
do *Eustachidas* (Poema sacrotragicômico), Lisboa, 1769, publicado sem nome de autor
e local de impressão.

20

FRUTOS, CAÇA E PESCA DO BRASIL

Frei José de Santa Rita Durão (1720-1784)

Das frutas do país a mais louvada
É o régio ananás, fruta tão boa,
Que a mesma natureza, namorada
Quis como a rei cingi-la da coroa.
Tão grato cheiro dá, que uma talhada
Surpreende o olfato de qualquer pessoa;
Que, a não ter do ananás distinto aviso,
Fragrância a cuidará do Paraíso.

Nem tu me esquecerás, flor admirada,
Em quem não sei se a graça, se a natura
Fez da Paixão do Redentor Sagrada
Uma formosa e natural pintura;
Pende com pomos mil sobre a latada,
Áureos na cor, redondos na figura,
O âmago fresco, doce e rubicundo,
Que o sangue indica que salvara o mundo.

As fragrantes pitombas delicadas
São como gemas d'ovos na figura;
As pitangas com cores golpeadas
Dão refrigério na febril secura;
As formosas goiabas nacaradas,

As bananas famosas na doçura,
Fruta que em cachos pende e cuida a gente
Que fora o figo da cruel serpente.

Distingue-se entre as mais na forma e gosto,
Pendente de alto ramo o coco duro,
Que em grande casca no exterior composto,
Enche o vaso int'rior de um licor puro;
Licor que, à competência sendo posto,
Do antigo néctar fora o nome escuro;
Dentro tem carne branca como a amêndoa,
Que a alguns enfermos foi vital, comendo-a.

Não são menos que as outras saborosas
As várias frutas do Brasil campestres;
Com gala de ouro e púrpura vistosas,
Brilha a mangaba e os mocujés silvestres;
Os mamões, moricis, e outras famosas,
De que os rudes caboclos foram mestres,
Que ensinaram os nomes, que se estilam,
Janipo e caju vinhos destilam.

Vê-se o cameleão, que não se observa
Que tenha, como os mais, por alimento
Ou folha, ou fruto, ou morta carne, ou erva,
Donde a plebe afirmou que pasta em vento;
Mas sendo certo que o ambiente ferva
De infinitos insetos, por sustento
Creio bem que se nutra na campanha
De quantos deles, respirando apanha.

Gira o sareuê, como pirata,
Da criação doméstica inimigo;
À canção da guariba sempre ingrata
Responde o guaxinim, que o segue amigo.
Da vária caça, que o caboclo mata,
A narração por longa não prossigo.
Veados, capivaras e coatias,
Pacas, teús, periás, tatus, cotias.

Entre as voláteis caças mais mimosa,
A zebelê, que os francolins imita.
É de carne suave e deliciosa,
Que ao tapuia voraz a gula incita.
Logo a enha-popé, carne preciosa,
De que a titela mais o gosto irrita;
Pombas verás também nesses países,
Que em sabor, forma e gosto são perdizes.

Juritis, pararis, tenras e gordas,
A hiraponga no gosto regalada,
As marrecas, que ao rio enchem as bordas
As jacutingas, e a aracan prezada.
E, se do lago na ribeira abordas
De galeirões e patos habitada,
Verás, correndo as águas na canoa,
A turba aquátil que, nadando, voa.

Piscoso o mar de peixes mais mimosos,
Entre nós conhecidos rico abunda,
Linguados, sáveis, meros preciosos,
A agulha, de que o mar todo se inunda,
Robalos, salmonetes deliciosos,
O xerne, o voador, que n'água afunda,
Pescadas, galo, arraias, e tainhas,
Carapáos, enxarrocos e sardinhas.

Outros peixes, que próprios são do clima,
Bejupirás, vermelhos, e a garopa,
Pâmpanos, corimás, que o vulgo estima,
Os dourados, que preza a nossa Europa,
Carapebas, parus, nem desestima
A grande cópia, que nos mares topa,
A multidão vulgar do xaréu vasto,
Que às pobres gentes subministra o pasto.

De junho a outubro para o mar se alarga,
Qual gigante marítimo, a baleia,
Que palmos vinte seis conta de larga,

Setenta de comprido, horrenda e feia;
Oprime as águas com a horrível carga,
E de oleosa gordura em roda cheia,
Convida o pescador que ao mar se deite,
Por fazer, derretendo-a, útil azeite.

Sobre a costa o marisco apetecido
No arrecife se colhe e nas ribeiras,
As lagostas, e o polvo retorcido,
Os lagostins, santolas, sapateiras,
Ostras famosas, camarão crescido,
Caranguejos também de mil maneiras,
Por entre os mangues, onde o tino perde
A humana vista em labirinto verde.

Nota: Reproduzido de *Caramuru* (Poema épico do descobrimento da Bahia), Régia Oficina
Tipográfica, Lisboa, 1781.
Esta é uma transcrição da edição da Livraria Garnier, Rio de Janeiro, sem data, possi-
velmente de 1913.

21

As Fruitas e os Legumes

Manuel Botelho de Oliveira (1636-1711)

As fruitas se produzem copiosas,
E são tão deleitosas,
Que, como junto ao mar o sítio é posto,
Lhes dá salgado o mar o sal do gosto.
As canas fertilmente se produzem,
E a tão breve discurso se reduzem,
Que, porque crescem muito,
Em doze meses lhe sazona o fruito.
E não quer, quando o fruto se deseja,
Que sendo velha a cana, fértil seja.
As laranjas-da-terra
Poucas azedas são, antes se encerra
Tal doce nestes pomos,
Que o tem clarificado nos seus gomos:
Mas as de Portugal entre alamedas
São primas dos limões, todas azedas.
Nas que chamam da China
Grande sabor se afina,
Mais que as de Europa doce, e melhores,
E têm sempre a vantagem de maiores,
E nesta maioria,
Como maiores são têm mais valia.
Os limões não se prezam,

Antes por serem muitos se desprezam.
Ah se Holanda os gozara!
Por nenhũa província se trocara.
As cidras amarelas
Caindo estão de belas,
E, como são inchadas, presumidas,
É bem que estejam pelo chão caídas.
As uvas moscatéis são tão gostosas,
Tão raras, tão mimosas,
Que se Lisboa as vira, imaginara
Que alguém dos seus pomares as furtara;
Delas a produção por copiosa
Parece milagrosa,
Porque dando em um ano duas vezes,
Geram dous partos, sempre, em doze meses.
Os melões celebrados
Aqui tão docemente são gerados,
Que cada qual tanto sabor alenta,
Que são feitos de açúcar, e pimenta,
E como sabem bem com mil agrados,
Bem se pode dizer que são letrados;
Não falo em Valariça, nem Chamusca:
Porque todos ofusca
O gosto destes, que esta terra abona
Como próprias delícias de Pomona.
As melancias com igual bondade
São de tal qualidade,
Que quando docemente nos rodeia,
É cada melancia uã colmeia
E as que tem Portugal lhe dão de rosto
Por insulsas abóboras no gosto.
Aqui não faltam figos,
E os solicitam pássaros amigos,
Apetitosos de sua doce usura,
Porque cria apetites a doçura;
E quando acaso os matam
Porque os figos maltratam,
Parecem mariposas, que embebidas
Na chama alegre, vão perdendo as vidas.

As romãs rubicundas quando abertas
À vista agrados são, à língua ofertas,
São tesouro das fruitas entre afagos,
Pois são rubis suaves os seus bagos.
As fruitas quase todas nomeadas
São do Brasil de Europa transladadas,
Porque tenha o Brasil por mais façanhas
Além das próprias fruitas as estranhas.
E tratando das próprias, os coqueiros,
Galhardos e frondosos
Criam cocos gostosos;
E andou tão liberal a natureza
Que lhes deu por grandeza,
Não só para bebida, mas sustento
O néctar doce, o cândido alimento.
De várias cores são os cajus belos,
Uns são vermelhos, outros amarelos,
E como vários são nas várias cores
Também se mostram vários nos sabores.
E criam a castanha
Que é melhor que a de França, Itália, Espanha.
As pitangas fecundas
São na cor rubicundas
E no gosto picante comparadas
São de América ginjas disfarçadas.
As pitombas douradas, se as desejas
São no gosto melhor do que cerejas,
E para terem o primor inteiro,
A ventagem lhes levam pelo cheiro.
Os araçases grandes, ou pequenos,
Que na terra se criam mais ou menos
Como as peras de Europa engrandecidas,
Com elas variamente parecidas,
Também se fazem delas
De várias castas marmeladas belas.
As bananas no mundo conhecidas
Por fruto e mantimento apetecidas,
Competem com maçãs, ou baonesas,
Com peros verdeais ou camoesas.

Também servem de pão aos moradores,
Se da farinha faltam os favores;
É conduto também que dá sustento,
Como se fosse próprio mantimento;
De sorte que por graça, ou por tributo,
É fruto, é como pão, serve em conduto.
A pimenta elegante
É tanta, tão diversa, e tão picante,
Para todo o tempero acomodada,
Que é muito aventejada
Por fresca e por sadia
A que na Ásia se gera, Europa cria.
O mamão por frequente
Se cria vulgarmente,
E não preza o mundo,
Porque é muito vulgar em ser fecundo.
O maracujá também gostoso e frio
Entre as fruitas merece nome e brio;
Tem nas pevides mais gostoso agrado,
Do que açúcar rosado;
É belo, cordial, e como é mole,
Qual suave manjar todo se engole.
Vereis os ananases,
Que para rei das fruitas são capazes;
Vestem-se de escarlata
Como majestade grata,
Que para ter do Império a gravidade
Logram da croa verde a majestade;
Mas quando têm a croa levantada
De picantes espinhos adornada,
Nos mostram que entre reis, entre rainhas,
Não há croas no mundo sem espinhas.
Este pomo celebra toda a gente,
É muito mais que o pêssego excelente,
Pois lhe leva aventagem gracioso
Por maior, por mais doce, e mais cheiroso.
Além das fruitas, que esta terra cria,
Também não faltam outras na Bahia;
A mangava mimosa

Salpicada de tintas por formosa,
Tem o cheiro famoso,
Como se fora almíscar oloroso
Produze-se no mato
Sem querer da cultura o duro trato,
Que como em si toda a bondade apura,
Não quer dever aos homens a cultura.
Oh que galharda fruita, e soberana
Sem ter indústria humana,
E se Jove a tirara dos pomares,
Por ambrosia as pusera entre os manjares
Com a mangava bela e semelhança
Do macujé se alcança;
Que também se produz no mato inculto
Por soberano indulto:
E sem fazer ao mel injusto agravo,
Na boca se desfaz qual doce favo.
Outras fruitas dissera, porém basta
Das que tenho descrito a vária casta;
E vamos aos legumes, que plantados
São do Brasil sustentos duplicados:
Os mangarás que brancos ou vermelhos,
São da abundância espelhos;
Os cândidos inhames, se não minto,
Podem tirar a fome ao mais faminto.
As batatas, que assadas, ou cozidas
São muito apetecidas;
Delas se faz a rica batatada
Das bélgicas nações solicitada.
Os carás, que de roxo estão vestidos,
São loios dos legumes parecidos,
Dentro são alvos, cuja cor honesta
Se quis cobrir de roxo por modesta.
A mandioca, que Tomé sagrado
Deu ao gentio amado,
Tem nas raízes a farinha oculta:
Que sempre o que é feliz, se dificulta.
E parece que a terra de amorosa
Se abraça com seu fruto deleitosa;

Dela se faz com tanta atividade
A farinha, que em fácil brevidade
No mesmo dia sem trabalho muito
Se arranca, se desfaz, se coze o fruito;
Dela se faz também com mais cuidado
O beiju regalado
Que feito tenro por curioso amigo
Grande ventagem leva ao pão de trigo.
Os aipins se aparentam
Co'a mandioca, e tal favor alentam
Quem tem qualquer, cozido, ou seja assado,
Das castanhas da Europa o mesmo agrado.
O milho, que se planta sem fadigas,
Todo o ano nos dá fáceis espigas,
E é tão fecundo em um e em outro filho,
Que são mãos liberais as mãos de milho.
O arroz semeado
Fertilmente se vê multiplicado;
Cale-se de Valença, por estranha
O que tributa a Espanha,
Cale-se do Oriente
O que come o gentio, e a lísia gente;
Que o do Brasil quando se vê cozido
Como tem mais substância, é mais crescido.
Tenho explicado as fruitas e legumes,
Que dão a Portugal muitos ciúmes.

Nota: Reproduzido de *Música do Parnaso* (dividida em quatro coros de rimas portuguesas,
castelhanas, italianas e latinas, com seu descante, como reduzido em duas comédias),
Lisboa, por Miguel Manescal, 1705.
O texto faz parte da secção *Ilha da maré*. Devo a cópia ao prof. Antenor Nascentes.

22

SIRICAIA, DOCE DA ÍNDIA

Luís da Câmara Cascudo

Siricaia é um doce muito popular no Brasil. Tem esse e outros nomes. "Doce-de-velhas" no Rio Grande do Sul. "Doce-ligeiro", no Rio Grande do Norte. Siricaia, também no Rio Grande do Sul, São Paulo e Bahia. Por vezes é feito sem denominação específica. Rápido. Fácil. Saboroso.

Esta é a receita gaúcha, de Arminda Mendonça Detroyat, reunida ao *Doces de Pelotas* (Porto Alegre, 1959): "SIRICAIA, DOCE-DE-VELHAS – Ingredientes: 5 gemas, 1 xícara de chá, de leite, 2 claras. Açúcar ao gosto. 1 colher, de sopa, de manteiga. Bata as claras e acrescente-lhes os demais ingredientes. Leve o doce ao forno, para assar, numa forma untada com manteiga. Sirva-o quente ou frio". Em São Paulo a siricaia é mais complicada no plano da elaboração. Regista-a Jamile Japur (*Cozinha tradicional paulista,* São Paulo, 1963): "SIRICAIA – Corte fatias de pão e embeba-as no leite. Corte fatias de queijo fresco. Unte uma vasilha que possa ir ao forno. Arrume uma camada de fatias de queijo, polvilhando-a com açúcar e canela. Acrescente uma camada de pão, também igualmente polvilhada. Vá alternando as camadas, de forma que a última seja de queijo. Leve ao forno para corar. Sirva quente".

Na Bahia a siricaia é mais simples, próxima ao modelo do Rio Grande do Sul. Assim ensina Hildegardes Vianna: "SIRICAIA DA BAHIA – 12 gemas. Duas rapaduras meladas ou 12 colheres de açúcar grosso. Uma colher de manteiga. Uma xícara de leite de vaca ou de coco. Baunilha. Batem-se os ovos com a manteiga. Ferve-se o leite com as rapaduras e a baunilha. Deixa--se esfriar e bate-se tudo até borbulhar. Põe-se em forminhas untadas com manteiga. Vai ao forno em banho-maria" (*A cozinha baiana,* Bahia, 1955).

O *Pequeno dicionário brasileiro da língua portuguesa* (1951) anuncia a nacionalidade siricaiense: "SIRICAIA (Bras.) – Manjar feito de leite, açúcar e ovos".

Fui ao Dicionário de Moraes que é pedra de toque. Lá estava: "SIRICAIA – s. f. Leite em siricaia. Leite cozido com ovos e açúcar, com farinha ou sem ela, em meia consistência". Mas indica a fonte da informação: *Arte de cozinha*. Essa *Arte de cozinha*, citada pelo dicionarista brasileiro, só podia ser a de Domingos Rodrigues, autoridade portuguesa desde 1680 e com várias edições no século XVIII. Antônio de Moraes Silva não inclui a *Arte de cozinha* na bibliografia do seu *Dicionário,* embora a considere fonte abonadora de verbetes.

A siricaia, pelo exposto, não é brasileira e sim portuguesa. Pelo menos veio de lá.

Viera da ilha de São Miguel. Nos Açores dizem *Sirico-de-São-Miguel* e também *Siricaia*. A fórmula açoreana é a seguinte: "SIRICAIA ou SIRICO-DE-SÃO-MIGUEL – Leite, 1 litro. Açúcar, 225 gramas. Gemas de ovo, 6. Claras de ovo, 6. Farinha, 3 colheres de sopa. Junta-se tudo menos as claras. Vai ao lume até estar consistente como uma papa. Deixa-se esfriar bem e juntam-se as claras batidas em castelo. Vai depois ao forno num prato próprio, polvilhada com canela em pó". Compare-se com a Siricaia de São Paulo. (*A cozinha do mundo português*, Porto, 1962.)

Entra aqui a figura de frei João dos Santos, dominicano que foi missionar por Moçambique, de agosto de 1586 a agosto de 1597, quando passou às Índias. Voltou a Portugal em janeiro de 1600. Publicou em Évora o seu *Etiópia oriental*, dois tomos, 1609. Regressou ao Índico, não sei quando, falecendo em Goa no ano de 1622. A *Etiópia oriental* que possuo é a segunda edição, Lisboa, 1891. Falando de d. frei Jorge de Santa Luzia, primeiro bispo de Malaca, escreveu: "Uma mulher de Malaca pretendeu matar este servo de Deus, porque lhe tolhia certos tratos ilícitos que tinha. E para isso fez um manjar de leite e açúcar, a que na Índia chamam *Syricaya* (que é um comer muito excelente) e deitou-lhe dentro peçonha".

O bispo recusou servir-se do *comer muito excelente* e ficamos sabendo de divulgação do manjar pela Índia e Indochina na segunda metade do século XVI. Continua-se comendo a *Siricaia de Goa* sem solução de continuidade.

A cozinha do mundo português salvou a receita do doce cinco vezes secular: "SIRICAIA DE GOA – Leite, 2 1/2 decilitros. Gemas de ovo, 6. Baunilha, uma colher de chá. Limão, 1. Açúcar, q. b. Ferve-se o leite até engrossar e tira-se do lume. Depois de frio misturam-se-lhe gemas de ovo bem batidas, açúcar, baunilha e casca de limão. Estando tudo isto bem ligado, vaza-se em tigelas e coze-se no forno com fogo brando por cima e por baixo".

Comparando-se a receita com a de Pelotas, no Rio Grande do Sul, comprova-se a fidelidade do modelo asiático. A da Bahia é uma nacionalização, incluindo rapadura e leite de coco. A paulista alinha-se na fileira das "sopas douradas", com as sucessivas camadas de queijo e de pão, polvilhadas de canela, úmidas de leite açucarado, acepipe de sobremesa com aspecto diverso do trivial.

A siricaia, manjar do vice-rei da Índia, é contemporânea no Brasil. Vivo e gostoso, registrado em três recentes coleções de receitas brasileiras.

23

VIAGEM AO REDOR DE UM ALMOÇO

João Chagas (1863-1925)

O restaurante define. A lista de uma casa de pasto é muitas vezes um elemento de crítica maneira social. Saber por que maneira um povo come é penetrar na sua vida íntima, conhecer o seu gosto, apreciar o seu caráter. Hoje em dia, comer já não é como outrora – alimentar-se. Comer é revelar-se.

Os povos modernos têm os seus alimentos prediletos, como têm as suas canções, suas danças e os seus jogos favoritos, e, segundo o que eles comem e pela forma por que comem, assim se pode frequentemente estabelecer o seu modo de ser e de pensar.

Os franceses comem pouco e bem. Sabem comer, isto é, comem com esmero e com frugalidade, isto é, com preceito. Na sua mesa abundam os pratos delicados, como as aves e certos legumes saborosos e leves, os molhos brancos, os queijos frescos e a manteiga sem sal. Os franceses são sagazes e são espirituosos; têm a graça que é deles, e essa sutil faculdade de tudo reduzir a fórmulas transparentes e fáceis, que nenhum outro povo possui como eles e que faz com que eles tenham sido, de todo o tempo, os mais destros operários do pensamento. Toda a inteligência humana é, por isso, tributária da França e toda a ideia que pretenda correr mundo tem forçosamente que receber o carimbo do seu gênio. A sua mesa é fútil; é fútil o seu caráter. A sua cozinha é feita de ninharias: salsichas, rábanos e rodelas de limão; o seu espírito é ninharia – canções, ditos, motes e notícias de jornal. Com uma comédia fazem uma revolução, um panfleto leva-os à barricada, os seus heróis vivem um dia, e uma mulher cantando estribilhos é pior inimigo dos seus governos que todos os seus publicistas e tribunos.

Veja-se o inglês. O inglês come muito e come mal. Atasca-se em carne e encharca-se em líquidos. Come carneiro às postas e carne de vaca em sangue, *puddings* de cebo e batatas cozidas. Bebe a cerveja que embrutece ou o chá emoliente. O vinho embriaga-o. O inglês é pesado. Tem a inteligência necessária para se governar, no seu lar e no seu Estado, mas só essa. Entende do que precisa e nada mais. Sabe, além disso, que existe a Inglaterra. Munido desse conhecimento, vive bem. Os seus jogos são brutalidades, a vida de seus clubes brutalidades, as suas lutas políticas brutalidades, os seus prazeres como os seus vícios, brutalidades – carnes em postas, carne em sangue. Tudo quanto cria é bom, isto é, duradouro, e em tudo quanto faz há um pensamento bárbaro de defesa, desde as suas leis até as produções do seu gênio industrial. Só um inglês poderia ter inventado a galocha. Para se embriagarem, os franceses fizeram o delicioso *champagne*; os ingleses fizeram o *gin* abominável, que os embriaga e ao mesmo tempo os aquece. Os franceses dizem – *atrás de tempos, tempos vêm, Lês beaux jours viendront*; os ingleses dizem – *time is money.*

Aqui temos nós, por exemplo, os espanhóis. Conhece-se porventura povo que se alimente com mais caráter? Dos chamados povos civilizados, o espanhol é seguramente aquele que mais resiste à influência das civilizações estranhas e o que menos se deixa penetrar por costumes e hábitos alheios. Portugal assimila tudo; a Espanha nada. A isto se chama ter caráter, isto é, ter conformação. Na cozinha espanhola não há vocábulos franceses; tudo é à espanhola e em espanhol. A lista de Fornos, o mais elegante dos cafés de Madrid, é toda redigida em espanhol. Isto esclarece. Um povo que não redige os seus *menus* em francês é indubitavelmente um povo de caráter. Quando uma nacionalidade desce a estes detalhes, o seu feitio moral está estabelecido.

O modo de alimentar-se dos espanhóis é caracterizado pela ferocidade, no uso dos alimentos crus, como os tomates e os pimentões maduros, que eles comem cortando-os simplesmente às talhadas com uma navalha, ou ainda no uso da própria carne, que a muitos tenho visto comer crua, com alguns grãos de sal. A esta alimentação bárbara corresponde, no temperamento espanhol, um equivalente de barbárie. O homem é o que come. Dize-me o que comes, dir-te-ei quem és. O espanhol é cru. Comer carne crua, pimentões crus, tomates crus é definir-se. O espanhol é apaixonado, violento, sanguinário. O seu ideal é a bravura e de bravura são feitas as suas palavras, os seus movimentos, os seus gestos.

O alemão, planturoso e sentimental, come carne assada em compota de doces; o português patriarcal e honesto tem a mesa lauta – galinhas cozidas, arroz de forno, frangos, perus, leitões e cabritos assados, a negra azeitona dos seus olivais, o seu azeite em almotolias e o seu vinho espumante em canecas de barro.

Munido deste velho preconceito, entrei no Mongini. Chamava-se assim o restaurante.

O restaurante Mongini tem interiormente o aspecto de um dos muitos *restaurantes à prix fixe* de Paris – sala espaçosa, pequenas mesas cobertas com toalhas de irrepreensível asseio, alguns cabides, um lavabo. Numa palavra, banal, decente, mas sempre agradável, porque, em virtude de uma prevenção que eu mesmo não sei explicar, se espera pior. Noto, sobre uma *étagére*, grande número de pratos com comidas frias, já feitas, aguardando apenas que as peçam para serem aquecidas.

Explicam-me que é um costume e que assim quem chega poupa-se ao incômodo de percorrer a lista dos pratos do dia, escolhendo sobre o aparador aqueles que mais lhe apeteçam. Eu, no entanto, reclamo a lista. Quero ver a lista, porque a lista é o meu primeiro documento. Vem a lista, que um criado, de maneiras sacudidas e sem trajo especial que o distinga, coloca um pouco bruscamente sobre a mesa a que me sento. Abro-o e, em duas longas folhas de papel, leio uma interminável enumeração de iguarias. O que primeiramente me choca é que essa lista está eivada de vocábulos estrangeiros. Por outro lado, noto, a cada verba, nomes próprios de aves de caça e de legumes do país e, com as genuínas expressões portuguesas de cozinha, certos diminutivos como *mãozinha, picadinho, coxinha*. Como iguarias – tudo, tudo o que eu não conheço e que suspeito picante, ardente, diabólico, extravagante e apetitoso. Se o restaurante é banal, a lista não o é. Tudo são camarões, ostras, caranguejos, picados, *ragoûts*, doces, compotas, conservas e uma data de nomes raros, tais como *moqueca, farofa, churrasco,* que me desorientam e me atraem. Peço cozinha brasileira e ponho-me a comer, com curiosidade e com fome.

O criado mostra-me uma lista opulenta de vinhos e dá-me à escolha Chianti, Pommard ou Bordéus, vinhos da Hungria ou do Reno, numa pompa que me deslumbra e me vexa, e, como eu hesite, propõe-me Virgem. Virgem? – Pois seja! Venha vinho virgem.

Lembra-me que no meu almoço houve ervas picadas com carne picada, à mineira, camarões picantes com talos de palmito cozido, bananas fritas em manteiga, açúcar e pó de canela, um excelente Camembert e um delicioso café, e que fiquei um pouco sobressaltado quando o criado, apresentando-me o total da conta em um pedacito de papel, me disse que eram – *cinco mil e quinhentos*. Logo, porém, me repus deitando cálculos ao câmbio, tarefa em que, de resto, ocupa bastante tempo o estrangeiro recém-chegado ao Brasil, depois do que, acendendo um desses morenos charutos da Bahia que fazem a reputação universal do tabaco brasileiro, me entreguei ao prazer de raciocinar.

O brasileiro – pensei – deve ser isto. Sensual e guloso. Estas comidas traiçoeiras o indicam; esta lista de iguarias o diz. Diagnostiquemos: as comidas picantes e açucaradas denunciam paladar viciado, hábitos de gozo, sibaritismo. Os povos que abusam do açúcar são essencialmente voluptuosos. O Oriente é todo açúcar. A sentimentalidade alemã é feita de volúpia transcendente; por isso os alemães adoçam com geleias as carnes verdes, como a dulcificar o ato material da nutrição, espiritualizando-o. O açúcar está para a carne como o amor platônico está para o amor sexual. O alemão é platônico.

Por outro lado, os carinhosos diminutivos portugueses – *mãozinha, coxinha* etc., dizem-nos a índole amorosa da raça portuguesa, tão famosa por tão enamorada, subsistindo nos elementos étnicos da nova nacionalidade. *Mãozinha de carneiro, coxinha de frango,* não é banal; é sintomático. Mas o português não diz *mãozinha de carneiro*: diz *mão de carneiro,* e, quando emite ou escreve o diminutivo *mãozinha,* aplica-o à mão da mulher, se é pequena, ou à mão da criança, por ser pequena. Tudo se explica – o português é amoroso, o brasileiro é amoroso e voluptuoso. O português ama a mulher; o brasileiro ama a vida. Para o brasileiro, a mesa é um dos bons regalos da vida. Assim ele imprime ao ato material de nutrir-se a mesma volúpia e o mesmo gozo que aplicará ao ato imaterial de amar, e se come com exaltação, designa os alimentos de que se nutre com interesse e carinho.

Dir-se-ia absurdo, mas é assim. Pedir *mãozinhas de carneiro* num restaurante parece um ato trivial e contudo é uma revelação. Pedir *mãos* de carneiro é querer comer; pedir *mãozinhas* é querer gozar.

Mas o estudo desta lista de restaurante não me conduziu apenas às presunções que acabo de anunciar. Uma das faces do caráter da raça parecia-me estabelecido, e o meu espírito ousou ir mais longe.

Percorrendo atentamente as duas laudas de papel notei com escrúpulo, além de uma rara abundância de vocábulos franceses, ingleses, italianos, como *oxtail, petit-pois, risotto,* o que me pareceu significar cosmopolitismo, exotismo, influência estrangeira, uma desordem e um tumulto pouco vulgares na enunciação destes documentos. Em geral, as listas dos restaurantes são metódicas. Nesta não só não havia método, como havia confusão. As iguarias não vinham indicadas segundo a ordem habitual por que são servidas, ou em grupos e categorias, mas enumeradas ao acaso, como num inventário de copa, feito à pressa. Depois, como o papel não chegasse, o copeiro, provavelmente, escreveu nas margens e de través *post-scriptum*, ajuntando o resto, de modo a caber tudo.

Então, como disse, quis ir mais longe e, tendo vislumbrado o gênio da raça, tentei conceber o sistema da sua civilização, a sua organização política e civil, o Estado, o lar doméstico, o cidadão, e pareceu-me que em tudo existiria, como nessa lista de restaurante, desordem, confusão, anarquia. No estatuto fundamental de um país que assim redige os seus *menus*, deve forçosamente haver tumulto. A sua administração deve ser má; o lar, o cidadão, turbulentos. Notei por último que tinha sido mal servido, que o criado, andando devagar e dirigindo-se a mim com fastio, me parecera inconveniente, e que o próprio cocheiro pouco antes me tratara com rudeza; e, recompondo impressões, cheguei a esta fórmula – indisciplina, rebeldia de classes, vida civil desregrada.

O charuto estava a concluir e, com o seu fumo, o meu paradoxo. Tendo encetado a digestão nesse estado saudável de espírito em que a vida nos parece boa de viver, levantei-me da mesa, estiquei as pernas, sacudi os bolsos e, tendo deixado a guardar a minha maleta, sem mesmo cuidar em alojar-me, pedi que me indicassem a Rua do Ouvidor.

Nota: Reproduzido de *Le Bond* (*Alguns aspectos da civilização brasileira*), IV, Lisboa, 1897. João Chagas era filho de portugueses, conservou sua nacionalidade, mas era nascido no Rio de Janeiro a 1º/9/1863. Faleceu no Estoril, arredores de Lisboa, a 28/5/1925. Foi jornalista, escritor, político, diplomata, uma das égides da propaganda republicana, multado, preso, exilado, recomeçando a batalha com a Proclamação da República. Foi ministro de Portugal em Paris, várias vezes presidente do Conselho de Ministros, delegado à Conferência da Paz e membro da Liga das Nações. Sua bibliografia é um documentário da história política do seu país, desde o *ultimatum* da Inglaterra, em 1890, até 1924, quando se recolheu à linda praia para sossegar e morrer. Este estudo vem de ser aqui divulgado por uma sugestão do escritor Leonardo Arroyo (São Paulo).

24

OS CHARUTOS DO PADRE BRITO GUERRA

Manuel Dantas (1867-1924)

O sertanejo, antigamente, apesar da simplicidade da vida do campo, quase nada ficava a dever aos outros povos no tocante aos hábitos de boa sociedade. Famílias havia que se tratavam até com certo luxo.

Naqueles tempos era costume todos os fazendeiros abastados irem anualmente ao Recife fazer compras, de modo que daquela cidade traziam sempre as últimas novidades do vestuário.

As festas que se celebravam todos os anos, no Caicó no mês de julho e no Acari em dezembro, eram muito concorridas e notadas pelo luxo e riqueza de trajes dos sertanejos.

Em outras coisas, porém, os nossos antigos eram um pouco descuidados: a habitação e a mesa.

As casas tinham pouco conforto, e o passadio, muito substancial, era simples e servido sem o gosto e o requinte das sociedades cultas, apesar de serem comuns em algumas casas as baixelas de prata.

O padre Guerra,[1] tendo sido eleito deputado geral em 1833, quando voltou do Rio de Janeiro, no ano seguinte, trouxe excelente mobília de

---

1   O padre Francisco de Brito Guerra (1777-1845), vigário colado do Caicó (RN), em 1833 tomou assento na Câmara dos Deputados como suplente do deputado José Paulino de Almeida e Albuquerque. Eleito deputado geral (1834-1837), concorreu à vaga senatorial de Afonso de Albuquerque Maranhão, em maio, sendo escolhido senador do Império pela Carta Imperial de 10 de junho de 1837, empossando-se a 12 de julho do mesmo ano. Foi o segundo senador pelo Rio Grande do Norte, no Império, e o único nascido na província que representava na Câmara Vitalícia.

jacarandá, um rico aparelho de jantar, copeiros adestrados nos costumes da Corte, e preparou a sua casa no Caicó com certo luxo e bom gosto.

Entre as novidades que o padre Guerra introduziu na sociedade caicoense, não foi menor a do charuto, que até então nem talvez de nome fosse conhecido.

Conta-se que, à volta do padre Guerra do Rio de Janeiro, foram visitá-lo dois amigos, cujos nomes a tradição não conservou.

O padre mandou servir-lhes o almoço e, no fim da refeição, depois de atacados, com a força de estômagos sertanejos, a carne assada, a galinha torrada, o queijo e outros quitutes da cozinha de um vigário rico que sabia tratar-se, o criado carioca apresentou aos hóspedes, numa rica salva de prata, dois magníficos charutos.

Os pobres matutos ficaram em dificuldades, porque desconheciam o *manjar* que, por apresentarem em bandeja de prata, não podia deixar de ser uma das iguarias finas do Rio de Janeiro. Convencidos de que se tratava de uma comedoria, foram com o charuto ao dente, porém não lhes soube bem o gosto. Recorreram, então, ao expediente de cortá-lo miúdo e comê-lo com farinha-seca.

Assim repletos com tão *saborosa* sobremesa, voltaram à sala de visitas, onde o padre, obsequioso, perguntou-lhes:

– Então, compadres, almoçaram bem?

– Muito bem – respondeu um deles – mas aquele doce seco que nos deram no fim era amargo demais. Só com farinha-seca pudemos tragá-lo.

Conhecida a natureza do *doce,* o padre riu gostosamente da forma pela qual seus amigos saborearam o precioso *baiano,* e ainda hoje se relembra naquelas paragens o que bem se poderia denominar – a história do primeiro charuto no Caicó.

Nota: Reproduzido de *Homens de outrora*, VI, Biblioteca de História Norte-Rio-Grandense, IV, Irmãos Pongetti Editores, Rio de Janeiro, 1941.

25

A DECADÊNCIA DO BOM CAFÉ

Alfonso Reyes (1889-1959)

Sea como fuere, la momentánea decadencia de las tradiciones no siempre se explica ni justifica. Véase el caso del buen café, que se anda perdiendo sin remedio y no tenia por qué perderse. Nadie ha querido creer en mi sinceridad cuando me he quejado – yo ni que tanto amo al Brasil, donde producen tan buen café – de que la gente del Brasil ni sabe gustarlo ni prepararlo. En vez de tostarlo, es frecuente que lo carbonicen; después lo desvirtúan con el exceso de azúcar; y luego todavia, lo engullen de un trago y sin paladearlo, dizque para evitar que se enfríe. Pero quemarse no es saborear. Del viejo *Mineiro* (lo más castizo del Brasil) cuentan que siempre reclama porque no le sirven el café bastante caliente; y entonces lo escupe de rabia diciendo que está frio, y el perro que recibe el escupitajo sale ardido y aullando *cuán-cuán* a todo correr.

Pues figuráos que, además, el buen café del Brasil desaparece del mundo sin llegar a dar su fina flor, y he aquí por qué: los cosecheros paulistas tienen vendida la exclusiva de los mejores tipos a los Estados Unidos. Yo sólo pude lograr, por cortesía de la Bolsa de Santos, que me obsequiaran un saco de café de primera, pues vendérmelo les estaba prohibido. Y ese café de primera, que emigra lamentablemente rumo a los Estados Unidos, allá, todos lo saben, se convierte en una agua turbia y sin aroma.

Un día me propuse dar un ejemplo y ofrecí café mexicano, despulpado, suave y fino, al Ministro de Relaciones Exteriores,[1] en Rio de Janeiro.

---

1   O ministro das Relações Exteriores era Afrânio de Melo Franco (1870-1943).

Yo quedé más que satisfecho; pero siento decir que ni él pareció apreciarlo mucho, por el mal hábito adquirido, ni quiso creer que aquel café era mexicano, sino que lo creyó de Colombia; porque mi caro y llorado amigo tenía de mi país una idea quimérica, y tampoco pude convencerlo nunca de que nuestros ferrocarriles son algo mejores que los del sur.

Y no hablemos de otros vicios más o menos generalizados; aquel desacato de ennegrecer el café con azúcar chamuscada, ignorando que el buen tinte es rojizo; aquel desacato de echarle garbanzo, como en las fondas de mala muerte; aquel desacato de mezclarlo con achicoria, pecado de que participa aun la Europa más refinada. Cierto que hay sus venerables excepciones: el napoleónico Corcellet, en París; el expreso, de Italia, que es muy potable al fin y al cabo. Ventura García Calderón confiesa que debe a Balzac la receta del buen café. Pero es posible que diga esto un peruano?

Y voy a probar el mal con el caso que más me duele y más me confunde. De regreso a mi país, me he encontrado con que también por acá va desapareciendo el noble arte de elaborar el café. Fuí en su busca hasta la meca del café michoacano, hasta Uruapan. La hermosa carretera de Morelia a Pátzcuaro – una de las más hermosas del mundo – se bifurca a cierta altura, y alli una senda nos conduce a Uruapan, por entre oleajes de cumbres y huertas y selvas olorosas. Pronto la tierra – rojiza como en São Paulo, tierra que promete y da el café – comienza a envolvernos. Uruapan se acerca, dormida gloriosamente en sus jardines, sus cascadas y aquellos románticos toldos vegetales – tema de la literatura descriptiva en ciertos años, según lo ha notado Azorín.

Y el campo tiene un "sí sé qué" de campo europeo, evocado por las golondrinas y las cercas de palo. Aquí está Uruapan, fresca planta del suelo. Lindas muchachas observan la llegada del auto, con unos ojazos del color del café. La tez morena y dorada de la raza exalta la imagen del café, de la omnipresencia del café, a extremos de alucinación... Y cuál no fué mi desengaño! Allí me dieron a beber un frío y negro extracto de cucaracha, viejo y torcido de varios días, en una botella mal tapada con un taco de papel de periódico, y me pusieron al lado – abominación de la abominación! – una jarrita de agua caliente para que graduara a mi gusto el ponzoñoso brebaje.

Nota: Reproduzido de *Memorias de cocina y bodega,* "Descanso XI" (trechos essenciais), México, 1953.

26

A SAÚDE FINAL

· · · · · · · · · · ·

Paulo de Verbena (Marcelino de Carvalho)

Há um velho e bom costume que não deve desaparecer. É aquele de se levantar o copo à saúde de alguém ou do grupo todo que se senta à mesa de um bar ou uma refeição. É amável e a gente deve ser sempre amável, quando se procura a companhia de outros.

Esse costume, às vezes, vai um pouco mais longe. Nos países nórdicos, o anfitrião levantará o seu copo tantas vezes quanto o número de suas convidadas. Verdade seja que – em compensação – estas convidadas não têm direito de levar o copo aos lábios, sem que sejam provocadas pela saudação de um convidado. Se alguma delas tocar no copo e olhar para algum convidado, este deve perceber que ela está com sede e convidá-la a beberem juntos um trago.

Há centenas de maneiras de se beber à saúde de alguém. Cada povo tem mais do que uma palavra para isso. Algumas dessas expressões são corriqueiras e não precisam ser citadas. Outras são pitorescas.

Os ingleses – além de seus *cheers* de praxe – dizem muitas vezes *God blees you* ou *Happy days*. A sra. Jorge da Silva Prado prefere dizer *Happy nights,* porque acha que as noites é que devem ser felizes e não os dias.

Conheci uma amiga que, quando saudava em francês, preferia um *Vive l'amour!* ao *chin-chin,* que reproduz onomatopaicamente o bater dos cristais.

Encontrei-me certa vez em Londres com um inglês que tinha passado algum tempo no Brasil. As únicas palavras que aprendera em português eram estas: "À saúde de nossas boas qualidades e das qualidades de nossas boas".

No napolitano há uma expressão que acho uma delícia: *salutee figli maschi*. O sueco diz *skoll*, que é sinônimo de *skull* em inglês. Nós temos a palavra escalpelar que tem a mesma origem. É que os velhos suecos costumavam beber no crânio de seus adversários mortos em combate. E quando alguém quer dar assim ares poliglotas pode até dizer: *"Tine skoll, mine skoll, ala vaquer flik skoll"*, "À sua saúde, à minha saúde, à saúde de todas as mulheres bonitas". Claro que não é assim que se escreve em sueco, mas acho melhor escrever foneticamente em português.

O árabe diz: *Sah-ten*, igual a duas vezes saúde.

Tudo isso não impede que cada qual tenha seu próprio estilo no levantar o copo. O gesto é o principal. O resto não importa muito.

Nota: Reproduzido de *Assim falava Baco*, p. 35-6.

27

OUTRORA, NO CEARÁ

João Brígido (1829-1921)

Até mui pouco tempo não se dizia – um jantar. Nas casas ricas, se anunciava: *A janta está na mesa*. A gente de menos trato dizia: *O di-comer está botado*.

Janta e *di-comer* eram o mesmo no fundo; na forma, porém, cousa diversa.

Um almoço de rico, nos sertões, era antes das 7 horas da manhã, o jantar às 12, a ceia ao cair da noite.

O primeiro consistia principalmente em carne com pirão, o segundo idem, o terceiro idem, com esta diferença – que no jantar havia, de ordinário, um assado com molho chamado de "ferrugem", e vinha por último, para cada um, a sua tigela de caldo da mesma panela. Seguia-se a sobremesa, que era melaço com farinha, ou doces de frutas da terra em mel de rapadura, ou queijo com a dita, melancia, melão etc.

A ceia, no inverno, era uma tigela de coalhada, que se *lapeava* com uma colher de ferro ou de latão.

Como epílogo, a cada uma dessas refeições, rezava-se o *bendito*, e tomava-se a bênção ao chefe da família.

Uma cousa bem entendida: as mulheres não vinham à mesa no copiar. Comiam no fundo da casa, em companhia da dona. Mulher não aparecia entre homens; até do sol fugia, porque era macho.

Os escravos não partilhavam da panela da família.

De envolta com isso, havia nos refeitórios do sertão bem bons petiscos. As nossas avós, justiça lhes seja feita, carregavam a mão no alho e na pimenta-do-reino; mas, em todo caso, eram muito quituteiras.

O que não havia, então, era o café, tampouco o chá.

Matutos havia que, não se sabe por que, embirravam até com o nome!

Um, vimos nós, há cinquenta anos, que, indo a uma mesa de vila, mui prevenido e receoso de fraudes, para lhe meterem no bandulho algum café, não quis participar duma torta; porque, com muita franqueza e desembaraço, declarou à dona da casa: Ela o queria enganar... aquilo era café!...

Um sujeito que, há largos anos, tinha ido à Bahia, falava com acento de admiração e ainda deslumbrado de um baile de militares, a que tinha tido a subida honra de assistir. Contava que ali tinha aparecido um vinho tão bom e tão grosso, que se trinchava a faca e garfo!...

Que diabo lhe disseram ou lhe deram a comer, não se pode adivinhar.

Não há sessenta anos, F..., na vila de Pajeú, precisando sair pela manhã, mandou que, na sua ausência, servissem o almoço a alguns jurados, que se lhe tinham ido meter em casa.

Posta a mesa, os matutos consultaram entre si, como começariam a servir-se do café, do açúcar, do pão e da manteiga, que estavam à vista... Resolveram comer primeiramente o pão e, em seguida, o açúcar, para finalmente beberem o café.

Mas o que fazer da manteiga?

Um deles disse que aquilo era uma papa; outro que uma coisa de se comer com farinha, e um terceiro se propôs a pedi-la.

Um derradeiro, porém, mais avisado em etiquetas e cerimônias de vila, opôs-se, dizendo: Você está doido? Já viu pedir-se farinha na casa alheia?... Então, assentaram todos de comer aquilo, como estava; meteram-lhe as colheres, e foi um dia... manteiga.

Não podemos prosseguir...

Está-nos aí o leitor a fazer sinais de dúvida!

Quando em 1799 se separou de Pernambuco a Capitania do Ceará, que até então lhe estava subordinada, quem fazia mais figura na terra era José Alves Feitosa, rico e faustoso capitão-mor dos Inhamuns, o mais rico talvez do Ceará. Ele era o fiador da Câmara de Fortaleza, o *factotum* da quadra. Os Feitosas sempre tinham sido chefes de grande respeitabilidade, e se impuseram pela ostentação. Quando aparecia um deles no Aracati ou no Forte, fazia-se acompanhar da sua banda de música, como soíam os potentados do tempo. Eram escravos, que tocavam charamelas, trompas, caixas e outros instrumentos de então.

Uma estada do capitão-mor José Alves, no Forte, era um sucesso, e uma derrama de patacões. O dinheiro dele andava adiante de tudo, e havia em palácio comezaina pesada, a que chamavam – comidas *carregadas*, tudo com vinhaça etc.

Em mesas de pernas grossas, como de elefante, sobre toalhas de linho, em louça do Porto, deitavam-se carnes e gorduras, doces, queijos e mil coisas da terra, e tudo se comia atribuladamente, de colher, ou fazendo da faca uma colher. Negros e negras retintas serviam à mesa, de toalha ao ombro, com roupas de algodão e os pés descalços; pois que era malcriação – negro andar de chinelas.

Os talheres, os copos e as bandejas eram de prata fina, obtida do Porto ou da Bahia, e já havia alguns serviços de porcelana dourada, procedente da Índia.

O luxo do tempo era caro, mas era sólido.

Como ainda agora, quando se acabavam as comedorias e *bebedorias*, podiam engordar-se porcos no ladrilho; das toalhas escorria vinho, tudo ficava em desordem.

Em um desses jantares de palácio assistidos por José Alves, os convivas saltaram para cima da mesa, e em pé, furibundos, bebendo e sapateando, quebraram pratos, copos, garrafas e quanto lhes ficava pelos pés.

A prática ainda era a mesma em 1830.

Em um jantar palaciano, foi tal a bebedeira, que à noite os convivas andavam de gatinhas pela casa, e nem podiam dizer – cachorro. O célebre tenente Chaves, derreado, dizia para o padre-mestre Manuel Severino Duarte: Mulatinho, neto do velho Dornelas, vai buscar meus chinelos!

Por baixo das janelas de palácio, corria um tablado, onde se tinha de executar uma cena, comédia ou farsa, que chamavam naquele tempo – baile. Muitas senhoras, da nobreza, estavam assentadas em fila, pimponas, com os seus cocós e babados, roupas finas e lós.

Veio de lá uma súcia de bêbados, debruçou-se para contemplar aquelas deidades, e toca a despejar-lhes a carga, aqui e ali, acabando por dissolver o Olimpo.

Muita fidalga não mais se arriscou a festas, por baixo das janelas de palácio, em noites de jantar.

Nota: Reproduzido de *O Ceará* (Lado cômico). Algumas crônicas e episódios, Ed. Louis C. Cholowieçki, Ceará, 1899.

28

FESTINHA FAMILIAR NA CIDADE DO SALVADOR

Manuel Querino (1851-1923)

O tradicional povo da Bahia, o folgazão de todos os tempos, sempre alegre, desde a comemoração dos fastos da história pátria até as provas inequívocas da hospitalidade, não perdia ocasião de manifestar contentamento, ainda nas coisas insignificantes, exceção feita no regime republicano, que criou a guarda cívica, para desrespeitar desde o mais alto funcionário ao mais simples dos cidadãos.

Facilmente se arranjava um divertimento: as promessas aos santos, batizados, ainda mesmo de bonecas, casamentos, aniversários, a chegada de um parente, as missas de Santo Antônio, S. João, Cosme e Damião, N. S. da Conceição, as festas do Natal, Ano-Bom, Reis, prolongadas até o estúpido divertimento do entrudo, o qual fora substituído pelo Carnaval, em 1878, pelo então Chefe de Polícia, Conselheiro Carneiro da Rocha, que mandou distribuir máscaras e emprestar roupas do Teatro S. João a quem quisesse divertir-se. Os primeiros Clubes Carnavalescos eram denominados: *Comilões* e *Saca-rolhas*.

Os preços dos gêneros alimentares eram convidativos.

Assim era que uma quarta de farinha custava duzentos e quarenta réis; uma libra de carne verde, duzentos réis; e, depois do meio-dia, chamava-se "carne virada", ao preço de cento e vinte réis; carne de charque, uma libra, duzentos réis; um refresco – água, açúcar e limão ou vinagre, quarenta réis; um pão com manteiga e açúcar, quarenta réis.

Comprava-se na taberna: dez réis de cebola, dez réis de azeite doce e pedia-se um pouquinho de vinagre; um vintém de manteiga de porco, misturada com manteiga de vaca, acompanhada de uma cabeça de alho;

um queijo flamengo, por seiscentos e quarenta réis; uma garrafa de aguardente francesa – conhaque –, oitocentos réis; uma garrafa de cachaça, cento e quarenta réis; uma libra de açúcar refinado, por cento e sessenta réis; uma libra de presunto inglês, quinhentos e sessenta réis.

Na quitanda pedia-se: cinco réis de tomate e cinco réis de limão, com uma galha de coentro.

O vinho figueira custava duzentos réis a garrafa, e tudo o mais relativamente.

Com pouco dinheiro organizava-se uma função bem regular. Para os convites, bastava o influente encontrar um camarada, batia-lhe no ombro, dizendo: "Fulano, hoje te espero em casa, às tantas horas; não há festa, mas (citava um dos motivos acima) queremos nos divertir um pouco; não há cerimônia, vá de qualquer forma (era o sonho democrático); arranje quem toque o violão, porque flauta e clarineta já temos".

Aproximava-se a hora da folgança; vêm entrando os convidados; um dos mais desembaraçados ia oferecendo aos homens pequeno trago de genebra, ou aguardente, como aperitivo; às senhoras, porém, delicado cálice de licor.

Começa o jantar.

Num labirinto, come-se, bebe-se, conversa-se, distribuem-se as pilhérias mais picantes. Entrementes, um conviva levanta-se, pede a palavra para brindar a dona da casa, com as formalidades da época. Terminado o brinde antes de se beber, outro conviva pede um *adendo*: "Proponho que a saúde seja abrilhantada pela importância da pessoa, com uma canção". Os presentes tocam as facas nos bordos dos pratos e copos, acompanhando o cantor.

> Papagaio, periquito,
> Saracura, sabiá;
> Todos comem, todos bebem
> À saúde de Sinhá!
>
> Olhem como bebem
> As morenas do Brasil!
> O vinho na garganta delas
> Corre mais que num funil...

Todos:
Papagaio, periquito etc.

– Peço a palavra – diz um conviva. – Vou brindar, meus senhores, à cozinheira, pelo agradável prazer que nos está dando, com os seus apreciados quitutes.

– Pela ordem – exclama outro. – O brinde da cozinheira há de ser concluído com uma canção, ei-la:

> O vinho é coisa santa,
> Nascida de cepa torta;
> Que a uns faz perder o tino,
> A outros errar a porta.

> Se tu és, vinho, robusto,
> Eu sou quem te busco;
> Se deres comigo na lama,
> Bravos toré,
> Darei contigo na cama.

– Para corroborar a fibra – exclama um exaltado – na saúde da cozinheira, me ouçam:

> Amigos bebamos,
> Bebamos com glória.
> Que a nossa vitória
> Vai amanhecer,
> E quando à chamada
> Rufar o tambor!
> Corramos às armas
> Deixemos amor.

Estribilho:

> Amigos e companheiros,
> Vira, vira, vira,
> Companheiros, vira!
> Oh! Que belo marinheiro!
> Como trepa tão ligeiro!
> Quem for covarde
> Saia da mesa,
> Que a nossa empresa

Requer valor – *(bis)*

Vira, vira, vira,
Companheiros, vira.

Bebem todos alegremente, continua o alvoroço, diversos convivas falam ao mesmo tempo; os que estão sentados à mesa esquecem de que pessoas outras estão de pé, nos corredores; uns fumando, outros destorcendo o belo sexo; estes conversando política; aqueles fulos de fome.

O dono da casa anuncia que vai preparar a segunda mesa, sendo necessário que quem está servido ceda o lugar a outro.

Segunda mesa: sentam-se os que estavam de pé. Apresenta-se, na sala, a senhora d. Ambrosina, que vem conduzindo uma sua amiga, a qual, por cerimônia, não quer servir-se de coisa alguma. Levanta-se um cidadão e oferece o seu lugar, dizendo:

– Sente-se aqui, minha senhora.

– Não senhor, muito obrigada, eu fico para depois.

O cavalheiro continua firme na sua gentileza. Afinal, descobre-se o motivo da recusa de d. Ambrosina; é devido à falta de acomodação para a sua amiga.

– Não seja esta a dúvida, retira-se um menino da mesa.

Isto feito, todos acomodados, apresentam-se os tocadores de flauta e violão.

– Peço a palavra – diz um conviva – para brindar d. Fulana, senhora respeitável, de altos dotes. Em resumo: Esta senhora está tocada do espírito de Deus, não mais pertence à humanidade. (*Bravos, muito bem.*)

O homem da flauta toca uma fantasia acompanhado pelo violão.

Depois, uma canção, acompanhada de instrumentos, inclusive castanholas; uma cançoneta, exibida no Teatro S. João:

Dentista que for barbeiro,
Que se intitula doutor,
Sendo, apenas, curandeiro,
Enganando o mundo inteiro,
Que tira dente sem dor!
Abre a boca... tá.

Pomada, pomada, pomada de primor,
Com ela se envolve o negócio do amor.

Rapaz solteiro ladino
Que a casados faz visitas;
E se julga muito fino,
Se faz festas ao menino
Sendo a mãe moça bonita!
– Ó tão bonitinho!
– É todo o retrato do papai.

Pomada, pomada, pomada de primor,
Com ela se envolve o negócio do amor.

Bravos! Muito bem! Batem-se nos pratos, copos etc.

Nota: *A Bahia de outrora,* Livraria Progresso Editora, Cidade do Salvador, Bahia, 1946.

29

O JANTAR NO BRASIL

Jean-Baptiste Debret (1768-1848)

Subordinada às exigências da vida, a hora do jantar variava, no Rio da Janeiro, de acordo com a profissão do dono da casa. O empregado jantava às duas horas, depois da saída do escritório; o negociante inglês deixava a sua loja na cidade ali pelas cinco horas da tarde, para não mais voltar; montava a cavalo e, chegando à sua residência num dos arrabaldes mais arejados da cidade, jantava às seis horas da tarde. O brasileiro de outrora sempre jantou ao meio-dia e o negociante à uma hora.

Era muito importante, principalmente para o estrangeiro que desejasse comprar alguma coisa numa loja, evitar perturbar o jantar do negociante pois este, à mesa, sempre mandava responder que não tinha o que o cliente queria. Em geral não era costume apresentar-se numa casa brasileira na hora do jantar, mesmo porque não se era recebido durante o jantar dos donos. Muitas razões se opunham; em primeiro lugar o hábito de ficar tranquilamente à vontade sob uma temperatura que leva, naturalmente, ao abandono de toda etiqueta; em seguida a negligência do traje, tolerada durante a refeição; e, finalmente, uma disposição para o sossego que para alguns precede e para todos segue imediatamente ao jantar. Esse repouso necessário ao brasileiro termina por um sono prolongado, de duas ou três horas, a que se dá o nome de *sesta*.

No Rio, como em todas as outras cidades do Brasil, é costume, durante o *tête-à-tête* de um jantar conjugal, que o marido se ocupe silenciosamente com seus negócios e a mulher se distraia com os negrinhos que substituem os doguezinhos, hoje quase completamente desaparecidos na Europa. Esses moleques mimados até a idade de cinco ou seis anos são em seguida entregues à tirania dos outros escravos, que os domam a chicotadas e os habituam assim a compartilhar com eles das fadigas e dissabores do trabalho. Essas pobres crianças, revoltadas por não mais receber das mãos carinhosas de suas donas manjares suculentos e doces, procuram compensar a falta roubando as frutas do jardim ou disputando aos animais domésticos os restos de comida que sua gulodice, repentinamente contrariada, leva a saborear com verdadeira sofreguidão.

Quanto ao jantar em si, compõe-se, para um homem abastado, de uma sopa de pão e caldo gordo, chamado caldo de sustância, porque é feita com um enorme pedaço de carne de vaca, salsichas, tomates, toucinho, couves, imensos rabanetes brancos com suas folhas, chamados impropriamente nabos etc., tudo isso bem cozido. No momento de pôr a sopa à mesa, acrescentam-se algumas folhas de hortelã e mais comumente outras de uma erva cujo cheiro muito forte dá-lhe um gosto marcado bastante desagradável para quem não está acostumado. Serve-se ao mesmo tempo o cozido, ou melhor, um monte de diversas espécies de carnes e legumes de gostos muito variados embora cozidos juntos; ao lado coloca-se sempre o indispensável *escaldado* (flor de farinha de mandioca) que se mistura com caldo de carne ou de tomates ou ainda com camarões; uma colher dessa substância farinhosa semilíquida, colocada no prato cada vez que se come um novo alimento, substitui o pão, que nessa época não era usado ao jantar. Ao lado do escaldado, e no centro da mesa, vê-se a insossa galinha com arroz, escoltada porém por um prato de verduras cozidas extremamente apimentado. Perto dela brilha uma resplendente pirâmide de laranjas perfumadas, logo cortadas em quartos e distribuídas a todos os convivas para acalmar a irritação da boca já cauterizada pela pimenta. Felizmente esse suco balsâmico, acrescido a cada novo alimento, refresca a mucosa, provoca a salivação e permite apreciar-se em seu devido valor a natural suculência do assado. Os paladares estragados, para os quais um quarto de laranja não passa de um luxo habitual, acrescentam sem escrúpulo ao assado o molho, preparação feita a frio com a malagueta esmagada simplesmente no vinagre, prato permanente e de rigor para o brasileiro de todas as classes. Finalmente o jantar se completa com uma salada inteiramente recoberta de enormes fatias de cebola crua e de azeitonas escuras e rançosas (tão apreciadas em Portugal de onde vêm, assim como o azeite de tempero que tem o mesmo gosto detestável). A esses pratos, sucedem, como sobremesa, o doce de arroz frio, excessivamente salpicado de canela, o queijo de Minas, e, mais recentemente, diversas espécies de queijos holandeses e ingleses; as laranjas tornam a aparecer com as outras frutas do país: ananases, maracujás, pitangas, melancias, jambos, jabuticabas, mangas, cajás, frutas-do-conde etc.

Os vinhos de Madeira e do Porto são servidos em cálices, com os quais se saúdam cada vez que bebem; além disso um enorme copo, que os criados têm o cuidado de manter sempre cheio de água pura e fresca, serve a todos os convivas para beberem à vontade. A refeição termina com o café.

Passando-se ao humilde jantar do pequeno negociante e sua família, vê-se, com espanto, que se compõe apenas de um miserável pedaço de carne-seca, de três a quatro polegadas quadradas e somente meio dedo de espessura; cozinham-no a grande água com um punhado de feijões pretos, cuja farinha cinzenta, muito substancial, tem a vantagem de não fermentar no estômago. Cheio o prato com esse caldo, no qual nadam alguns feijões, joga-se nele uma grande pitada de farinha de mandioca, a qual, misturada com os feijões esmagados, forma uma pasta consistente que se come com a ponta da faca arredondada, de lâmina larga. Essa refeição simples, repetida invariavelmente todos os dias e cuidadosamente escondida dos transeuntes, é feita nos fundos da loja, numa sala que serve igualmente de quarto de dormir. O dono da casa come com os cotovelos fincados na mesa; a mulher com o prato sobre os joelhos, sentada à moda asiática na sua marquesa, e as crianças, deitadas ou de cócoras nas esteiras, se enlambuzam à vontade com a pasta comida nas mãos. Mais abastado, o negociante acrescenta à refeição o lombo de porco assado ou o peixe cozido na água com um raminho de salsa, um quarto de cebola e três ou quatro tomates. Mas, para torná-lo mais apetitoso, mergulha cada bocado no molho picante; completam a refeição bananas e laranjas. Bebe-se água unicamente. As mulheres e crianças não usam colheres nem garfos; comem todos com os dedos.

Os mais indigentes e os escravos nas fazendas alimentam-se com dois punhados de farinha-seca, umedecidos na boca pelo sumo de algumas bananas ou laranjas. Finalmente, o mendigo quase nu e repugnante de sujeira, sentado do meio-dia às três à porta de um convento, engorda sossegadamente, alimentado pelos restos que a caridade lhe prodigaliza.

Tal é a série de jantares da cidade, após os quais toda a população repousa.

Em 1817 a cidade do Rio de Janeiro já oferecia aos gastrônomos recursos bem satisfatórios, provenientes da afluência prevista dos estrangeiros por ocasião da elevação ao trono de d. João VI. Essa nova população trouxe efetivamente com ela a necessidade de satisfazer os hábitos do luxo europeu. O primeiro e mais imperioso desses hábitos era o prazer da mesa, sustentado também pelos ingleses e alemães, comerciantes ou viajantes vindos inicialmente em maior número. Esse prazer, fonte de excessos, mas sempre baseado na necessidade de comer, dá ensejo, por isso mesmo, a uma especulação certa, monopólio que se garantiram os italianos, cozinheiros por instinto e primeiros sorveteiros do mundo civilizado. Rio de Janeiro teve, por conseguinte, nessa época, seus *Néos*, seus *Tortonis*, em verdade reunidos em uma só pessoa, mas de talento e de atividade, que se encarregava com êxito de todas as refeições magníficas e cujo estabelecimento florescente oferecia aos oficiais portugueses, encantados de encontrar no Brasil uma parcela dos prazeres de que haviam gozado em Lisboa, banquetes e serviços particulares delicadamente executados.

Encorajados com o êxito do restaurador, outros italianos abriram sucessivamente um certo número de casas de comestíveis, bem abastecidas de massas delicadas, azeites superfinos, frios bem conservados e frutas secas de primeira qualidade, e o desejo muito louvável de se sustentarem pela cooperação mútua levou-os a se instalarem numa rua já reputada pela presença de um dos três únicos padeiros da cidade nessa época. A reputação merecida desse empório (aliás bastante caro) cresceu de tal maneira que hoje todo verdadeiro conhecedor sente subir-lhe a água à boca ao ouvir o nome da *Rua do Rosário*, bem construída e memorável para todo gastrônomo que tenha visitado a capital do Brasil; vantajosamente situada no centro comercial da cidade, comunica-se por uma das extremidades com a *Rua Direita* (Rua Saint-Honoré, de Paris, no Rio de Janeiro).

Por outro lado, um francês se encarregou do abastecimento de farinha e a padaria progrediu rapidamente graças ao acréscimo de consumo provocado pela prodigiosa afluência de seus compatriotas *comedores de pão*. Outras padarias se instalaram posteriormente, de alemães e italianos, dignas rivais das francesas que existem agora.

É a um desses padeiros franceses (*Maçon*) também proprietário de uma chácara perto da cidade que se deve em parte a melhoria progressiva da cultura de legumes, cujas primeiras experiências foram suas, bem como o comércio de sementes desse gênero vindas da Europa que se faz na sua padaria. Entretanto, é de observar que o legume francês produzido com sementes brasileiras degenera de maneira incrível já no primeiro ano de cultura. O nabo, por exemplo, perde o açúcar e torna-se ardido e fibroso como um rabanete. O mesmo ocorre com diversas saladas.

É o conjunto dessas importações europeias, naturalizadas há dezesseis anos no Rio de Janeiro, que alimenta hoje o luxo da mesa brasileira.

Nota: Reproduzido de *Viagem pitoresca e histórica do Brasil,* tomo I, trad. e notas de Sérgio Milliet, Livraria Martins, São Paulo, 1940. Jean-Baptiste Debret esteve no Rio de Janeiro de 1816 a 1831.

30

O QUE COMIA O IMPERADOR

Hélio Vianna (1908-1972)

Não são minuciosos os cronistas do Segundo Reinado, quanto à alimentação então usual no Império do Brasil. Omissos, inclusive, quanto ao que comia D. Pedro II, de menino ao trono, aos cinco anos e meio de idade, em 1831, até o ancião diabético de 66 anos, quando de pneumonia faleceu em Paris, 1891.

O GELO E OS SORVETES

Data, entretanto, da Regência Trina Permanente a introdução do gelo no Rio de Janeiro, conforme registrou o abelhudo diplomata francês Conde Alexis de Saint Priest, em comunicação à Corte de Luís Filipe, em 1834:

"Uma particularidade que quase não merecia ser relatada, mas, entretanto, bem singular, é a introdução do gelo no Rio de Janeiro. Nunca fora visto aqui. Um navio americano trouxe agora um carregamento. Nos primeiros dias, ninguém o queria; julgavam os brasileiros que o gelo os queimava, mas hoje, já conseguiu grande voga e emprega-se de modo tão agradável quanto útil, neste clima".[1]

O referido emprego era principalmente nos sorvetes, vendidos a duzentos réis o copo, na Confeitaria Carceler, à Rua Direita, entre Ouvidor e a Igreja do Carmo. Segundo consta, o próprio Imperador-menino teve licença para degustar a novidade.

---

1   Alberto Rangel, *No rolar do tempo...*, Rio de Janeiro, 1937, p. 180.

O bom resultado da introdução do gelo no Rio de Janeiro fez com que aqui mesmo desejasse fabricá-lo o aventureiro genovês José Estêvão Grondona, ex-carbonário na Itália, vice-cônsul da Sardenha e redator, em 1825, do famoso jornal *Sentinela da Liberdade à Beira do Mar da Praia Grande,* que tanto contribuiu para a dissolução de nossa primeira Assembleia Geral Constituinte e Legislativa. Tendo fugido, nessa época, para Buenos Aires, regressando da Bolívia requereu, em 1834, privilégio para fazer gelo por meio de máquina pneumática. Mas teve o primeiro requerimento indeferido, por referir-se, nele, ao *gosto sensual* dos gelados, motivo pelo qual julgou sua pretensão imoral e inconstitucional o Procurador da Coroa e Fazenda Nacional... Explicou-se melhor em nova petição e enfim obteve a ambicionada licença industrial, não constando, todavia, se dela fez uso.[2]

A moda dos sorvetes tão generalizada se tornou, entre nós, que o venenoso político Bernardo Pereira de Vasconcelos, em publicação no pasquim *O Sete de Abril,* de sua orientação, contra o Ministro da Justiça e Negócios Estrangeiros, Aureliano de Sousa e Oliveira Coutinho, futuro Visconde de Sepetiba, acusou-o de ter dado bailes nos quais só em sorvetes gastava mais de 200$000.[3]

A popularidade dos gelados no Rio de Janeiro, no período regencial do Padre Feijó, ficou evidenciada com o aparecimento, em 1835-1836, de dois números de um jornalzinho político impresso na recente Niterói, primeiramente intitulado *O Sorvete de Bom Gosto,* depois *O Último Sorvete de Bom Gosto.*[4]

PRIMEIROS BANQUETES IMPERIAIS

Menino ainda, dos 11 aos 13 anos de idade, teve D. Pedro II de presidir a jantares oferecidos a príncipes estrangeiros que visitavam sua Corte.

---

2 Hélio Vianna, "D. Pedro I e Grondona", folhetim do *Jornal do Comércio,* Rio de Janeiro, 28 de maio de 1960, apud "Documentos biográficos", C-911-45, da Seção de Manuscritos da Divisão de Obras Raras da Biblioteca Nacional.

3 Cf. o folheto *A impostura do sr. Bernardo de Vasconcelos desmascarada,* de 1855, em trabalho intitulado "Período regencial", transcrito na *Revista do Instituto Histórico e Geográfico Brasileiro,* tomo 66, parte I, vol. 107, 1903, p. 335, apud Hélio Vianna, *Visconde de Sepetiba,* Petrópolis, 1943, p. 127 nos *Estudos de história imperial,* São Paulo, 1950, p. 54.

4 Estudado em nossa *Contribuição à história da imprensa brasileira (1812-1869),* Rio de Janeiro, 1945, p. 312-13.

Assim aconteceu em 1836, quando por ocasião do aniversário do Imperador, aqui esteve o Príncipe Guilherme Frederico Henrique de Orange, neto do Rei Guilherme I dos Países Baixos; em 1838, quando pela primeira vez visitou o Brasil seu futuro cunhado, o Príncipe de Joinville, filho do Rei dos Franceses, Luís Filipe; em 1839, quando pelo Rio de Janeiro passou o Príncipe Eugênio de Savoia-Carignano, primo do Rei da Sardenha, Carlos Alberto.[5]

Infelizmente, as crônicas jornalísticas que noticiaram os jantares oferecidos a Suas Altezas não registraram os respectivos cardápios. O mesmo aconteceria quanto aos banquetes realizados por ocasião da Maioridade e Coroação de Sua Majestade, em 1840 e 1841, respectivamente. Eis como, de acordo com jornais da época, resumiu o jantar da Coroação o sr. Francisco Marques dos Santos:

"O banquete foi servido às seis horas, na sala nova do trono, no Paço da Cidade. O Gentil-homem de semana ofereceu ao Imperador água para purificar as mãos, e os Veadores a Suas Altezas Imperiais.

"O Bispo Capelão-mor benzeu as iguarias, depois de descobertas pelo Veador. Concluída a bênção, Sua Majestade tomou assento, tendo à direita a Princesa Imperial,[6] e à esquerda a Princesa d. Francisca.

"Sua Majestade o Imperador foi servido pelo Veador Trinchante-mor, José Maria Correia de Sá, pelo Copeiro-mor, José Alexandre Carneiro Leão; pela Guarda-roupa de semana, Criado Particular e Moço da Mantearia; cada uma das princesas pelos Veadores José Antônio da Silva Maia Júnior e Agostinho Marques Perdigão Malheiros, Visconde de São Leopoldo, Trinchante à Sereníssima Princesa d. Januária, e Francisco Cordeiro da Silva Torres e Alvim, da Princesa d. Francisca, um Moço da Câmara e um Criado Particular".[7]

Nada, quanto às iguarias servidas.

SOBRIEDADE DO IMPERADOR

A 2 de dezembro de 1840, no dia em que completava 15 anos de idade, excepcionalmente registrou D. Pedro II, em seu *Diário*, o simples

---

5   Cf. Francisco Marques dos Santos, "D. Pedro II e a preparação da maioridade", conferência do Instituto Histórico de Petrópolis, a 24 de julho de 1940, publicada na revista *Estudos Brasileiros*, do Rio de Janeiro, nᵒˢ 19, 21, de jul./dez. de 1941, p. 27-38.

6   D. Januária, depois, por seu casamento, Condessa d'Áquila.

7   Francisco Marques dos Santos, op. cit., p. 77.

conteúdo de sua primeira refeição: "[...] almocei o meu costumado: ovos e café com leite, aprazível bebida".[8]

No exercício de suas atribuições, muitos almoços, jantares, banquetes e ceias recebeu e ofereceu o Imperador, em seu efetivo reinado de 49 anos, até 1889. Recebendo visitantes estrangeiros; percorrendo a maioria das Províncias de seu vasto Império; indo à Europa, África, América do Norte, Ásia; nas cerimônias da Corte, que dentro de algum tempo reduziu ao mínimo possível, de acordo com o seu temperamento; em todas essas ocasiões, a julgar pelos registros jornalísticos da época, como dos que constam dos 46 *Diários* de seu próprio punho,[9] não deu D. Pedro II especial importância ao capítulo da alimentação.

Indo à Bahia, em outubro de 1859, anotou o Imperador, quanto ao banquete que no Palácio do Governo lhe ofereceram, que "todo o serviço de mesa é riquíssimo, e o jantar foi suntuosíssimo".[10] Nada, porém, sobre as iguarias servidas. Indo ao Paço de São Cristóvão, a fim de colaborar com D. Pedro II na tradução do *Prometeu acorrentado*, de Ésquilo, constatou João Cardoso de Meneses e Sousa, depois Barão de Paranapiacaba, que o refresco por ele usado contra o calor carioca era apenas água com açúcar, em grande jarro, de que abundantemente se servia.[11] Natural, portanto, que acabasse diabético.

O desapreço que tinha o Imperador pelas refeições muito demoradas e mais caprichadas patenteou-se, por exemplo, na viagem ao Paraná, em 1880. Não tendo sido previamente consultado sobre o caro e grandioso banquete que lhe ofereceriam em Paranaguá, a cargo da principal Confeitaria do Rio de Janeiro – valeu-se daquele pretexto para suprimi-lo do programa, apesar das despesas e providências já tomadas, sem ele

---

8 Hélio Vianna, "Primeiros *Diários* de D. Pedro II", folhetim do *Jornal do Commercio*, de 24 de julho de 1963; trabalho a ser incluído no volume intitulado *Novos estudos de história imperial*.

9 No *Anuário do Museu Imperial*, de Petrópolis, vol. XV, 1954, arrolamos 43 "*Diários,* cadernetas de notas e apontamentos de viagens de D. Pedro II" existentes no Arquivo da Família Imperial, hoje naquele Museu. Posteriormente, acrescentamos-lhe três, publicados em folhetins de 24 e 31 de julho, e 7 de agosto de 1963, no *Jornal do Commercio*.

10 D. Pedro II, *Diário de viagem ao Norte do Brasil*, Salvador, 1859, p. 44.

11 Barão de Paranapiacaba, Introdução à transladação poética do original do *Prometeu acorrentado*, de Ésquilo, na *Revista do Instituto Histórico e Geográfico Brasileiro*, tomo 68, parte II, vol. 112, 1905.

partindo para Curitiba, para grande desaponto dos que pretendiam homenageá-lo.[12]

Para a má saúde de D. Pedro II, em seus últimos anos de vida, terá contribuído a pressa com que comia, em certa fase apenas a canja de galinha ou de macuco, que se tornou seu prato único, a ponto de registrá-lo José de Alencar na vingança literária que dele tomou por não ter sido escolhido senador pelo Ceará, caricaturalmente apresentando-o como o Governador Sebastião de Castro Caldas na *Guerra dos mascastes*, romance pretensamente histórico, na verdade *à clef*.[13]

A propósito da rapidez com que se alimentava o Imperador, em solitárias refeições, de que geralmente apenas participavam os dois cadetes que diariamente lhe enviava a Escola Militar, para que, a cavalo, escoltassem o seu carro, quando saísse do Palácio de São Cristóvão – conta-se o seguinte episódio: Depois de um desses apressados almoços de canja, em que pouco pudera comer um dos jovens convivas militares, surpreendeu-o D. Pedro a furtar umas bananas. Perguntando-lhe por que o fazia, respondeu francamente o cadete que "para matar a fome, pois saía faminto da rápida refeição...". Riu-se o monarca, que prontamente determinou que os rapazes de sua sumária escolta tivessem dali por diante almoços separados, calmos e abundantes.[14]

Convém notar que, se no Rio de Janeiro eram de praxe as refeições que o Imperador fazia desacompanhado, isso não acontecia em Petrópolis, onde tinha a companhia de familiares, como atesta a vasta mesa oval que no atual Museu Imperial voltou ao mesmo lugar que ocupava

---

12 Cf. o *Diário* nº 23, do Imperador, de 17 de maio a 7 de junho de 1880, relativo à viagem à Província do Paraná, a ser publicado no *Anuário do Museu Imperial*, com anotações de seu diretor, sr. Francisco Marques dos Santos. Original no citado Arquivo da Família Imperial, Catálogo B, de Manuscritos sem Data, maço 37, documentos 1.057, conforme o "Inventário" procedido pelo historiador Alberto Rangel, quando o referido Arquivo ainda se encontrava no Castelo d'Eu, em França.

13 Hélio Vianna, "D. Pedro II na *Guerra dos mascates*, de Alencar", e "Personagens reais da *Guerra dos mascates*, de Alencar", folhetins publicados no *Jornal do Commercio* de 28 de fevereiro e 6 de março de 1964; com mais sete folhetins constituirão o estudo "José de Alencar e D. Pedro II (1868-1874)", a ser incluído nos *Novos estudos de história imperial*.

14 Contava-o o piauiense General Cândido Borges Castelo Branco, que fora um dos referidos cadetes. Casado com a cearense d. Antonieta de Alencar Gurgel do Amaral, prima de José de Alencar, seriam pais do Marechal Humberto de Alencar Castelo Branco, presidente da República (abril de 1964 a março de 1967).

nos últimos anos do Império, no único e modesto Palácio que para seu veraneio construiu D. Pedro II.

Em nada contesta a comprovada sobriedade do Imperador o fato de serem então dotados de extensíssimos cardápios os banquetes e festas de sua época, terminados com o impressionante serviço pela Confeitaria Pascoal apresentado no famoso Baile da Ilha Fiscal, oferecido aos oficiais do cruzador chileno *Almirante Cochrane,* que em novembro de 1889 visitava o Rio de Janeiro.[15]

ALIMENTAÇÃO DO IMPERADOR NO EXÍLIO

Se era frugal D. Pedro II quando ainda no trono, mais ainda o seria no exílio, em refeições de hotéis modestos, como quase sempre foram os seus, de dezembro de 1889 a igual mês de 1891.

Todavia, em seus *Diários* desse tempo, várias foram as referências a ter comido *bem,* a ter-lhe sabido o café, o almoço ou o jantar, o que significaria tê-los tomado com apetite, sem más consequências para a já debilitada saúde.

À noite, como pela manhã, tomava chá com pão e manteiga, uma vez *com gravetos de pão torrado,* como registrou. Afinal, suspendeu-lhe o médico o chá à noite, pelas insônias que provocava.

Embora menos ocupado, mantinha-se alheio aos amados "prazeres da mesa", a propósito registrando em Baden-Baden, a 30 de setembro de 1890: "badejos são petiscos para os sibaritas, como a maior parte dos que trocam aqui as pernas".

Quanto à sobremesa, já a 29 de julho de 1891 registrou gostar "de doce de fruta de damasco, por ser amargo".

---

15 "Passaram pela copa 12.000 garrafas de vinho, licores, champanhe, cerveja, águas gasosas e minerais e outras bebidas; 12.000 sorvetes, 12.000 taças de *punch,* 20 peças de açúcar para centro de mesa e 500 pratos de doces variados. Serviram-se 18 pavões, 80 perus, 300 galinhas, 350 frangos, 30 fiambres, 10.000 sanduíches, 18.000 frituras, 1.000 peças de caça, 50 peixes, 100 línguas, 50 *mayonnaises* e 25 cabeças de porco recheadas." Francisco Marques dos Santos. "As duas últimas festas da Monarquia", no *Anuário do Museu Imperial,* vol. II, 1941, p. 77, nota 1.

De 2 de dezembro do mesmo ano, seu 66º e último aniversário, três dias antes da morte, em último *Diário* pelo Imperador anotou a filha, d. Isabel: "4 1/2 Jantei, bom apetite".[16]

---

16 Hélio Vianna, "*Diários* de Exílio de D. Pedro II", folhetins publicados no *Jornal do Commercio* a 17 e 24 de abril, 1º de maio de 1964. Farão parte do livro *Novos estudos de história imperial*.

Nota: Estudo especialmente escrito para *Antologia da alimentação no Brasil*. O autor, Hélio Vianna, era professor universitário de História, eminente pesquisador, grande conhecedor do Brasil Imperial e historiador.

31

Um jantar baïano em 1889

J. M. Cardoso de Oliveira (1865-1962)

Achavam-se todos reunidos em casa do Tavares, que disto fizera questão de gabinete. "Apesar de só conhecer de vista o sr. Santos Pinto, esperava que ele lhe desse a honra de vir com a família, em companhia do Luz, que um mau jantar se passava depressa", dissera.

O modesto empregado, homem de parcos recursos, d. Eugênia, sua mulher, e a Inacinha, a filha casada, havia pouco tempo, com um moço português, empregado numa fundição no Pilar, timbravam em suprir com as mais delicadas atenções e requintadas finezas o que faltava em luxo ao apetitoso jantar. Neste abundavam os pratos baianos, correspondendo ao desejo que, em conversa, o Luz manifestara de conhecê-los. Melhor ocasião não se lhe poderia deparar, porque se d. Eugênia era perita doceira, não era menos uma cozinheira de nota. Naquele dia, então, se esmerou. Desde manhã estava a casa em rebuliço. Na véspera, mandara o Tavares da cidade baixa dois ou três ganhadores com os balaios carregados de mercearias compradas pela cuidadosa lista que lhe dera a mulher. E o que ia por aquela sala de jantar! O sofá cheio de vasos com flores, embrulhos, rumas de pratos e guardanapos. Nas janelas estendia-se uma fila de compoteiras de doces. Em cima da mesa enfileiravam-se as terrinas com ovos batidos, os alguidares de massas, os pacotes de noz-moscada, de cravo e de açúcar. A um canto a Inacinha, apesar de enjoada, temperava o pão de ló, os bons-bocados, os manuês; na cozinha as raparigas aprontavam o caruru de quiabo e de folhas, sessavam a farinha para o vatapá, catavam camarões para o efó. As pretas africanas na quitanda na mesma rua forneciam os abarás, acarajés e aberéns. D. Eugênia tomara ao seu cargo os bolinhos de aipim, os acaçazinhos de leite e as suas duas especialidades – as queijadinhas de coco e o toucinho do céu; mas metia a sua colher em tudo, provando aqui, adicionando manteiga acolá.

– Justina, não te esqueças da cabidela.

– A galinha está muito dura, Iaiá, não quer cozinhar.

– Põe duas rolhas de cortiça dentro, negrinha, que amolece logo.

– Farta vinagre, sinhá, só chegou para pôr o peru de vinha-d'alho.

– Fizeste-o beber bastante cachaça para a carne ficar macia?

– Sim, senhora.

– Toma o ponto da cocada, Folô.

– Mamãe, e a frigideira de camarões?

– A Joana está fazendo.

– Toma sentido que o leite não queime!

– Espreme o coco, Sabina; que negrinha vagarosa, meu Deus! Olha que é para o feijão. Já está catado?

– Estou ainda ocupada com o cuscuz.

– Iá Inacinha, veja Totônio que está furtando as amêndoas.

– Passa pr'aqui, moleque! Já sentado naquele canto!

Atarefadas como estavam as duas senhoras, de mangas arregaçadas, mas sem perder a cabeça no meio de tanta confusão, apresentou-se-lhes para a palestrinha do costume o primo Elias, comensal do Tavares e amigo do mata-rato e das calçadas. Gostava de fazer versos e metera-se em cabeça compor uma ode à prima Eugênia no seu aniversário natalício, cuja data ela por pirraça nunca lhe tinha querido dizer. De resto, que necessidade havia disto, se d. Eugênia, bem conservada, jovial e calma, aguentava muito mais galhardamente o peso dos anos, do que suportaria o dos versos? A lira do Elias era fanhosa, mas pródiga... O pobre Tavares que o dissesse. Se o não sustentava, nutria-lhe ao menos a convicção de que não perdia o seu tempo. Fechava-lhe o caminho a outras ocupações que julgava abaixo de um vate, é verdade, mas abria-lhe as portas da posteridade!

Aqueles preparativos de festa, cujo verdadeiro motivo ele ignorava, fizeram-no desconfiar. Ofereceu-se para ajudá-las em alguma coisa e maliciou:

– Temos mouro na costa; vai haver foliata?

– Esperamos uns amigos do Tavares para jantar. Se você quiser, apareça.

O Elias sorriu com ar incrédulo; farejou tudo, olhando para a prima, para o chão muito bem lavado e coberto de areia e folhas de pitanga, para o ar e para todos os lados, onde se viam florões e enfeites de "barbas-de-

-barata" e folhas da Independência e afirmou balançando o dedo como um finório que se não deixava iludir:

– Não me embaça, não, minha prima. Esta casa hoje... Você faz anos!...

Pegou o lápis! D. Eugênia viu o perigo e cortou-lhe as asas da inspiração.

– Pois sim, como você quiser, contanto que me ajude a desembaraçar esta mesa que o Tavares não tarda.

E era tempo, porque este, suando e sobraçando cinquenta embrulhos, chegou dentro em pouco, folgazão, fez uma carícia à filha, deu um beijo na mulher, um piparote no Totônio, uma palmada no Elias; e, em mangas de camisa, de martelo em punho, pregou duas tábuas para aumentar a mesa, algumas arandelas pelas paredes e um susto ao poeta, dizendo-lhe que lhe havia arranjado um emprego. E depois, gabando à mulher, radiante de alegria, a prontidão e o bom gosto dos seus arranjos, dava-lhe ao mesmo tempo a boa-nova de que a festa seria abrilhantada pela presença do velho professor Buriti, exímio artista no violão, e do afamado flautista Libêncio:

– Eles gostam de tocar duetos de improviso, um criando dificuldades ao outro, para o levar à parede, e nunca houve vencedor, nem vencido. Ah! Vem também o Zeca do cavaquinho.

– Quem é?

– Aquele português que encontramos um dia na recepção em palácio.

– Ah! sim! Toca divinamente.

– Pois por causa do toque, minha amiga, o Presidente, ao retirar-se, arranjou-lhe um bom emprego que exerce até agora. Veja o que é ter prendas!

O Elias rejubilou, lembrando-se da lira, e mais influído que nunca, martelou:

Excelsa estrela, sem medir o abismo...

Mas o que ele também não mediu foi o passo porque, avançando com ar resoluto e heroico para cruzar o imaginário abismo, cuja dimensão tão pouco lhe importava, arrumou uma valente pisadela no pé do Totônio, desalojando-lhe o melhor dos bichos. Assustado pelo grito do moleque, o vate deu um pinote, e perdendo com o fio da ode o equilíbrio do corpo, com tal força agarrou as longas correntes de um relógio de parede, que este lhe caiu em cheio no planalto da careca reluzente, apavorando os pacatos habitantes das capoeiras circunvizinhas; e, por uma irônica alegoria, o lápis, que com o papel lhe saltara das mãos, foi prender a folha branca no pão recheado, onde se espetou endereçando efetivamente à iguaria a ode ideada à prima.

Bateram palmas na porta da rua.

– Quem é?

– Não é ninguém não, sou eu.

– Eu quem?

– Tiago, irmão! Uma esmola para o Divino Espírito Santo!

– Entre.

E apareceu na sala um indivíduo entre moço e velho, suando ranço, incenso e rapé, e trazendo uma opa encarnada e uma vara, em cuja ponta uma pomba de prata simbolizava o Espírito Santo. Do peito pendia-lhe uma chapa do mesmo metal, representando idêntico símbolo. Ambos foram respeitosamente beijados por todos os que estavam na sala e pelo pessoal de serviço, que para isso veio da cozinha, retirando-se o homem da opa com uma esmola, depois de haver bebido um copo de vinho ofe-recido por d. Eugênia.

– Deus lhe acrescente – disse ao sair; não rezando a história se o agradecimento se referia à esmola ou à pinga.

Duas horas depois, começava o jantar na mais franca cordialidade. Na mesa quase não se via a toalha, coberta de flores, compoteiras de doces, fruteiras, garrafas de vinho e pratos de comidas, alguns até em duplica-ta, um em cada extremidade; além de grandes travessas com as peças de resistência, e de vasinhos elegantes com legumes, conservas etc.

D. Eugênia servia o vatapá; o Tavares uma frigideira de camarões; o poeta Elias o arroz de forno com uma deliciosa crosta ponteada de azei-tonas; Álvaro incumbira-se do rosbife; o Borges Manso do peru recheado; o leitão assado, lustroso de gordura, e de dentinhos à mostra ficou aos cuidados do dr. Baiano "como bom anatomista".

– D. Bonifácia, um pedacinho do branco.

– Seu Borges, um pouco de farofa e uma lasquinha deste tostado.

– Chegou a sua vez, d. Brites; vou lhe dar esta asinha que está um mimo.

– Obrigado, com um pouco de caldo. Assim... basta.

O Marcos Parreira tomou lugar junto a uma senhora idosa, excessi-vamente gorda, que ele logo qualificou de "toma-larguras", sem nenhum reconhecimento pelas atenções que ela lhe dispensava e o cuidado para que nada lhe faltasse. A velha que, pequenina, só crescera para os lados, simpatizara com aquele vizinho, que como consertando um erro da natu-reza, o fizera demasiadamente para cima. Era d. Praxedes, tia do Tavares. Desfez-se em agrados ao hóspede e, por fim, quase o obrigou a comer metade de um acarajé, cuja outra parte ela própria mastigou, suspirando. Depois começou a contar-lhe diversos casos de paixões súbitas que se tinham dado ali na Bahia, seguidos de casamentos igualmente inesperados.

– Uma das minhas conhecidas, moça muito bonita e bem-educada, foi chumbar um dente em casa de um dentista americano. Ele tratou-a com muita cachimônia, mas com uma lentidão desesperadora, que não era própria da gente de sua terra, nem do agrado da cliente. Fê-la voltar lá umas oito ou dez vezes; até que a moça, já aborrecida, lhe declarou redondamente que, se não terminasse o trabalho naquele dia, ali não poria mais os pés. Já estava cansada. O bife não se alterou, fez-lhe a vontade. A menina pediu-lhe a conta. E sabe o senhor o que disse o americano? Respondeu, derretido: "Não é nada. Você quer casar comigo?".

– Que dentista! – comentou o Marcos.

– Olhe, tome uma empadinha destas; minha sobrinha é forte nisto. Que tal?

– Ótima! D. Eugênia merece uma estátua!

– D. Quininha, prove este recheio.

– Seu Pedro, porco.

– Nada, eu com isto tenho a minha conta.

– Bem se diz que o casamento e a mortalha do céu se talham – sentenciou suspirosa d. Praxedes – pois, dali a poucas semanas estavam os dois casados e vivem muito felizes!

– Fizeram muito bem – caiu na patetice de dizer o Marcos, entretidíssimo com uma coxa de peru.

– Ah! Já vejo que o senhor tem ideias casamenteiras. Por que não se casa? – perguntou-lhe à queima-roupa. – Quem sabe se não está bem perto a companheira que a natureza lhe destina! – aventou, lançando um olhar por toda a largura do seu corpo e a altura do companheiro, dali passando ao lustre, onde ficou à espera da resposta, admirando o reflexo de um pingente.

– Livra! – resmungou o Marcos, ao tempo em que lhe vinha rapidamente à lembrança a figura raquítica do Curventius a dizer-lhe: "Só não vende quem não tem o que vender".

– Não me será fácil, minha senhora, porque pertenço a uma sociedade – e abaixando a voz misteriosamente – uma sociedade secreta que impõe aos seus sócios a obrigação de ficarem solteiros, ou de só se casarem com mulheres velhas e universalmente afamadas pela sua fealdade, o que vem a dar no mesmo.

– Sirva-me de salada, seu Rocha – disfarçou a velha, fungando forte.

– Com muito gosto.

– Peixe, dr. Sousinha?

– O rabo, faz favor?

– Faço-lhe os meus cumprimentos, d. Eugênia; que mãos tem a senhora para os doces! – dizia d. Felismina. – Como tudo isso está bem-arranjado!

– Tudo feito em casa; também a Inacinha me ajudou muito.

– Parece tão boa moça!

– Um anjo! Não é por ser minha filha. Felizmente, estou descansada quanto ao seu futuro: casamo-la sem grandezas, mas com um moço trabalhador e de bons costumes que há de fazê-la feliz.

– Como ela merece.

– Que tal a moqueca?

– Ótima! Mas tem pimenta a valer!

– É o papel-moeda, meu caro amigo, queixemo-nos do papel-moeda! – afirmava o Santos Pinto ao vizinho.

– Marocas, você não bebe?

– Dois dedos apenas, para lhe fazer prazer.

– Dr. Baiano, prove-me esta galinha, está divina!

– Venha um pouco.

– Se não é indiscrição, d. Celina – perguntou Inacinha –, quem é a sua costureira? Que bonito vestido tem a senhora! Simples, mas de uma elegância!

– Eu mesmo os faço, d. Inacinha, entretenho-me tanto com isto... – respondeu Celina, corando.

– Mas com a reforma da Faculdade, serão criadas novas cadeiras – sustentava o Álvaro ao seu vizinho, candidato à primeira vaga.

– Esperemos... – mastigou o outro; e, enquanto não instruía a mocidade, comia pastelão.

Num dos extremos da mesa, um sujeito careca, inclinado sobre o prato, estava tão completamente absorvido na agradável tarefa, que respondeu: "Com molho de manteiga!" a uma senhora que lhe perguntou se gostava de d. Bonifácia. Foi uma risada geral; e, a propósito, contou um mocinho metido a elegante que fazia os gastos da conversação do lado oposto, o caso de um seu amigo, também muito distraído, que, entrando em uma confeitaria, parou junto ao balcão e caiu imediatamente de fio comprido.

– Uma síncope? – perguntou o dr. Baiano.

– Qual! Tinha-se esquecido de ficar de pé.

Estalaram novamente palmas no corredor.

– Entre.

Era d. Celestina, a beata espanhola de bordo, acompanhada do seu antigo empresário e então marido, o Fuentes, que a esperava na Bahia; um velho conhecido do Tavares.

– Não queremos incomodá-los; não sabíamos que tinham visitas.

– Ora, façam o favor, sem cerimônia. Já jantaram?

– Já, muito obrigado.

– Não faz mal, petisquem ao menos alguma coisa. Doutor, tenha a bondade de chegar um pouco para a esquerda. Inacinha, minha filha, faz aí um lugar para o sr. Fuentes e d. Celestina.

Sentaram-se os dois. A espanhola, sem mais cerimônia, serviu-se e serviu ao marido dos pratos que lhes estavam em frente, declinando os amáveis oferecimentos de diversas iguarias que lhes fazia d. Eugênia.

– *Non, qué! No me gusta* – segredava o Fuentes à mulher, cada vez que ela lhe enchia o prato.

– *Sí. Sí. Que te gusta. Come! Que te gusta mucho! Que te hará muy bien! Come!*

– *Pero...* Celestina... – E o homem comia e... gostava.

O Tavares viu assim explicada a razão por que o Fuentes se queixava amargamente dos *menus* dos restaurantes em que, na ausência da mulher, comeu durante dois meses e, onde, depois de lê-los e relê-los repetidas vezes, num exaustivo trabalho de escolha, acabava sempre por pedir ovos estalados. Faltava-lhe o esporão da beata.

Ricardo, entre o Borges Manso e o poeta Elias, observava tudo, regozijando-se com a intimidade e a atraente franqueza daquela festa. E mais ainda se deleitaria, se não fosse a atenção que, por mera delicadeza, prestava ao Elias, que além de poeta era tenente da Guarda Nacional e um grande admirador do Luz pela parte ativa por ele tomada no movimento abolicionista. Depois de lhes referir indiscretamente as cenas anteriores ao jantar, entrou a contar-lhe toda a sua história, precisando datas e nomes próprios e intercalando versos que compusera a pretexto de vários acontecimentos da sua vida, "que era um romance", afirmava.

– 1864...

Mas o Manso teve pena do Luz e trocando de lugar mansamente, pôs em prática uma das suas máximas prediletas – "cacetear o cacete" – que consistia em interromper a cada momento o maçador com insistentes perguntas sobre os próprios assuntos da narração, de modo a fazê-lo perder o fio do discurso e o gosto da palestra; e se a perícia ajudava a intenção, julgar-se por sua vez caceteado. Era o troféu da vitória para o Manso. E é preciso dizer que o mestre da vida, porque ele assim o era, sem se descobrir, tinha outras normas de proceder que já havia comunicado ao Ricardo com quem deveras simpatizava – raramente respondia com prontidão às cartas em que lhe pediam favores; punha-as de quarentena; e quando, tempos depois, lhes passava uma revista, verificava com surpresa e prazer que a maior parte dos assuntos nelas tratados já haviam sido resolvidos de uma maneira ou de outra e dispensavam a sua intervenção. Mas o seu orgulho estava na terceira e última, que lhe angariaria o apelido de Manso, se este já lhe não pertencesse por herança paterna – era só "discutir" com quem era da sua própria opinião.

A um interlocutor desta força, o Elias teve de render-se, mesmo porque naquele instante, à sobremesa o Tavares se levantou de copo em punho e bebeu à saúde do dr. Ricardo Luz, em poucas palavras, e sem afetação de eloquência. O brindado agradeceu do mesmo modo – "Aproveitando a oportunidade para manifestar a excelente ideia e a saudade imensa que levava da Bahia e dos baianos, cujo convívio e agasalho lhe haviam dado a perfeita impressão de ter estado principescamente hospedado em um dos domínios do talento, servido pela franqueza e bondade".

– É uma boa terra! Não há dúvida! – disse à Pombinha que lhe ficava em frente.

– E tem visgo! – respondeu esta.

Os elogios ao Luz buliram com os nervos do Elias, que pediu a palavra e rompeu o silêncio, falando pausado e saboreando as próprias expressões:

– Há momentos solenes na vida do homem em que a comoção nos embarga a voz, e nos impede de manifestar os sentimentos que nos vão efervescentes n'alma. Se eu tivesse a eloquência de Cícero e os gestos oratórios de Demóstenes... Um instante, senhores! Eu guardo a palavra – interrompeu-se, como que ferido por uma ideia súbita, e desapareceu pelo corredor quase a correr.

No meio da estupefação geral, levantou-se o Marcos Parreira aclamado para brindar o belo sexo. Temperava a garganta, onde já gargarejava uma saraivada de palavrões com que iria bombardear o auditório; levantando, porém, a mão que, em vez do cálice de vinho empunhava por engano um de forte cachaça, por ele pedido às ocultas para rebater o vatapá, tocou em uma das velas do lustre. Um pedaço do morrão aceso, caindo do cálice, incendiou o líquido, comunicando as chamas às bolas de papel fino que ornavam o mesmo lustre. A "Toma-larguras" deu um grito e quase teve um chilique, que por sua vez, acendeu o rastilho da comoção geral. Gritos das senhoras e vozes dos homens puseram por uns bons segundos em decisiva prova de resistência os tímpanos dos circunstantes, alguns dos quais atiraram contra as labaredas a água dos copos e quartinhas que, em vez de abafar o pequeno incêndio, fez as senhoras desabafarem em protestos por causa dos vestidos salpicados.

Afinal o Marcos, trepando em cima da mesa, num rasgo de heroísmo e dando um empurrão à cadeira, que foi cair distante, e um meneio de eloquente abnegação à cabeça hirsuta, segurou as duas pontas dianteiras das incomensuráveis abas da sobrecasaca cor de castanha e, num abraço ao lustre, envolveu-o com elas tão completamente, que de golpe extinguiu o fogo e o pavor de todos.

Além disto ganhou a admiração geral, quando na mesma posição lançando um olhar triunfante por toda a mesa brindou inspirado:

– Ao belo sexo! Aqui o deixo bem em cima, cercado de luzes para como um legítimo representante do feio, ir aplaudi-lo debaixo...

– Da mesa – rematou o Manso, porque o Marcos ao sentar-se, esquecido de que a sua cadeira já se não achava no mesmo lugar, deixou-se cair em cheio no chão pondo em risco os candelabros e tudo o que havia em cima da toalha, a que se agarrou. O puxão, todavia, ficou contrabalançado pela força com que o queixo se apoiou na beira da mesa, espanando o *cavaignac* não injúrias, mas pingos de vatapá, que tinha querido repetir antes de atacar a sobremesa.

Felizmente, todos os olhares dirigiram-se para o outro lado, onde agora, subindo em uma cadeira, fardado em grande gala, despontava o poeta Elias, bradando:

– Senhores, eu guardei a palavra e aqui a trago. Para beber à saúde de um homem como o dr. Ricardo Luz, um dos esforçados batalhadores da campanha abolicionista, só fardado, senhores! E em grande gala! – Abriu os braços, sacudindo as penas do chapéu armado. – Não venho porém fazer-lhes o panegírico da força – desembainhou a meio a ferrugenta espada –, venho, pacífico celebrador de grande feitos, trazer-lhes a dádiva das musas... porque já dizia Castro Alves:

> Nem cora o livro de ombrear co'o sabre,
> Nem cora o sabre de chamá-lo irmão!

E do bolso desembainhou mais perigoso um grande rolo! Palidez e estremeção geral!...

O Elias desenrolou as tiras, mas o Tavares, que conhecia o peso do calhamaço, não se deixou ficar atrás e desenrolou também a língua numa enfiada ensurdecedora de bravos!

– Hip! Hip! Hip!

– Hurrah! – corresponderam os convivas, entoando o Marcos Parreira, logo em seguida, para levar o entusiasmo ao auge, com o vozeirão aumentado pelo terror que lhe infundiu o rolo do poeta, o

> Papagaio, periquito,
> Saracura, beija-flor,
> Todos cantam, todos bebem
> À saúde do doutor!

que repetiram em coro, não excetuando o próprio Elias, em que aquele fecho de brinde tinha a bendita e oportuníssima propriedade de fazer desaparecer o poeta atrás do pagodista.

Nota: Reproduzido de *Dois metros e cinco,* 2ª ed., H. Garnier, Livreiro-Editor, Rio de Janeiro, 1909. O autor, embaixador José Manuel Cardoso de Oliveira, era baiano.

32

As refeições no Rio de Janeiro, princípio do séc. XIX

John Luccock (?-1820)

A família em geral fica na varanda, na parte de trás da casa, lugar em que se acha quase tão isolada do mundo como se se encontrasse nas profundas de uma floresta. As mulheres, sentadas em roda, na postura costumeira, costuram, fazem meia, renda, bordados ou coisas semelhantes, enquanto que os homens se encostam a tudo quanto possa servir para isso ou ficam a vaguear de quarto em quarto.

É ali também que tomam suas refeições, usando de uma velha tábua colocada sobre dois cavaletes, um par de tamboretes de pau para completar e, quando existem dessas coisas, uma ou duas cadeiras. A refeição principal consta de um jantar ao meio-dia, por ocasião da qual o chefe da casa, sua esposa e filhos às vezes se reúnem ao redor da mesa; é mais comum que a tomem no chão, caso em que a esteira da dona da casa é sagrada, ninguém se aproximando dela senão os favoritos reconhecidos. As vitualhas constam de sopa, em que há grande abundância de legumes, carne-seca e feijão de várias qualidades. Em lugar do pão, usam de farinha de mandioca; esta, quando úmida, é servida em cabaças ou terrinas; quando seca em cestas, sendo comida em pequenos pratos de Lisboa. Somente os homens usam faca; mulheres e crianças se servem dos dedos. As escravas comem ao mesmo tempo, em pontos diversos da sala, sendo que por vezes suas senhoras lhes dão um bocado com as próprias mãos. Quando há sobremesa, consta ela de laranjas, bananas e umas outras poucas frutas.

As cozinhas em geral possuem uma vasta chaminé, aberta, e um forno; o fogão tem cerca de dez pés de comprimento, cinco de largo e três de alto; o seu corpo consiste de uma sucessão de divisões de tijolo.

Essas divisões têm cerca de dois pés de comprimento, podendo-se fazer fogo isoladamente em cada uma delas; por cima das que estão sendo usadas colocam tijolos ou pedras, deixando abertos ou vazios de modo a que o calor possa atingir a panela, que em geral é de barro, de fabricação local. Não se usam grelhas, nem trempes, nem guarda-fogos; tais utensílios seriam tidos por supérfluos e incômodos. Para atiçar o fogo, usa-se de uma espécie de leque feito de folhas de palmeira, que supre perfeitamente o efeito de um fole. A mesa de cozinha consta de um sólido bloco de madeira, fixado numa das extremidades da cozinha, tendo por cima umas poucas prateleiras. Sobre uma banqueta, adrede construída, acham-se potes contendo água, sempre pronta para dela se beber ou fazer outro uso qualquer; e por cima deles há uma concha, feita de um coco vazio, que serve para tirar água dos potes e de copo para os escravos.

Quando da minha primeira estada, havia muitas relações entre ingleses e a gente da terra. Os estrangeiros faziam o que podiam por acompanhar os gostos e as maneiras dos residentes; no entanto e a pouco e pouco, sendo as visitas feitas e pagas, nossos modos e usos foram se introduzindo entre eles. A hora do jantar era cerca do meio-dia; pela justaposição de duas ou mais mesinhas formava-se uma única, comprida e estreita, tão alta que dava pelo peito quando a pessoa a ela se assentava; os assentos eram constituídos por tamboretes toscos ou cadeiras. Cobria-se a mesa com uma toalha de algodão limpa, porém grosseira, com alguns bordados abertos e franjas nas extremidades. Nunca jantei em casa brasileira que parte dos objetos de mesa não fossem ingleses, especialmente a louça e a cristaleira. Antes de tais luxos terem sido introduzidos, usavam de pratos de estanho ou de uma espécie de cerâmica holandesa, com uns pequeninos copos portugueses sem pé, estreitos no fundo e com a boca larga; cabaças e cocos, em lugar de terrinas e xícaras, eram comuns, mesmo quando tinham convidados. As colheres e os garfos eram de prata, ambos pequenos e frequentemente de modelo antigo. Cada convidado comparecia com sua própria faca, em geral larga, pontiaguda e com cabo de prata. Por vezes havia pessoas que faziam grande exibição de metais preciosos e joias; não raro que a fortuna andasse justamente nas mãos daqueles que menos conheciam os modos de usar dela com graça e conforto.

Antes de servir-se o jantar, os convidados todos, no caso de serem só homens, ficavam livres de seguir sua própria fantasia, perambulando à toa, ou recostando-se em cadeiras, mesas, camas ou esteiras, no soalho. Havia outro ponto em que todos pareciam também estar à vontade, sacando fora o casaco, os sapatos e outras peças que o calor tornasse opressivas e, nalguns casos, guardando apenas o traje que a decência requer. Quando presentes senhoras, havia um pouco mais de consideração pelo decoro. Nesse caso, a disposição à mesa parecia-nos estranha: ou bem as damas ficavam todas juntas de um lado só e os cavalheiros do outro, ou bem a dona da casa sentava-se ao lado do marido, tendo junto dela uma outra senhora e, então, o marido desta, de tal maneira que duas esposas fiquem sempre no meio dos seus respectivos cônjuges; moda indicativa de uma precaução zelosa, mas não de todo desarrazoada entre um povo de cabeça tão quente. Constitui prova de confiança notável e de grande respeito pela reunião o fato de se trazerem moças solteiras para a mesa; mas este é um favor raramente concedido. O dono da casa senta-se à cabeceira e serve as iguarias que, nos dias livres do calendário, são de espécies variadas; nos dias santos, só servem peixe, feito de maneiras diversas, em geral com uma quantidade suficiente de azeite, embora não desagradável ao paladar. Os pratos são trazidos um por um, serve-se uma porção a cada qual sucessivamente, ninguém recusa nem principia a comer antes do último estar servido; põem-se, então todos juntos, a devorar vorazmente o conteúdo de seus pratos.

Comem muito e com grande avidez e, apesar de embebidos em sua tarefa, ainda acham tempo para fazer grande bulha. A altura da mesa faz com que o prato chegue ao nível do queixo; cada qual espalha seus cotovelos ao redor e, colocando o pulso junto à beirada do prato, faz com que, por meio de um pequeno movimento hábil, o conteúdo todo se lhe despeje na boca. Por outros motivos além deste, não há grande limpeza nem boas maneiras, durante a refeição; os pratos não são trocados, sendo entregues ao copeiro segurando-se o garfo e a faca numa mesma mão; por outro lado, os dedos são usados com tanta frequência quanto o próprio garfo. Considera-se como prova incontestável de amizade alguém comer do prato do seu vizinho; e, assim, não é raro que os dedos de ambos se vejam simultaneamente mergulhados num só prato. Usa-se de uma espécie de vinho tinto fraco, mas, como este é bebido em copos, seus efeitos por vezes se tornam fortes; antes do final da refeição, todos se tornam barulhentos, exagera-se a gesticulação de que mesmo normalmente usam em suas conversas e despedem punhadas no ar, de faca ou garfo, de tal maneira que um estrangeiro pasma que olhos, narizes e faces escapem ilesos. Quando facas e garfos se acham em repouso, fica cada um numa das mãos, vertical e descansando sobre a extremidade do cabo, e quando deles não se tem mais necessidade, limpa-se ostensivamente a faca na toalha da mesa e devolve-se à bainha por detrás das costas. Ali fica ela, até que uma ocasião semelhante a requeira; ou então faz-se uso dela para cortar uma varinha no mato, ou talvez, ainda, para obedecer aos ditames da vingança.

Ficam à mesa cerca de duas horas. Os brasileiros não economizam o vinho, tomando-o aos poucos. Bebe-se uma quantidade suficiente com a comida, e as visitas à garrafa estendem-se muito longe. Quando um cavalheiro toma vinho em companhia doutro, o grau da consideração que reciprocamente alimentam se mede pela plenitude de seus copos, e ambos tudo fazem para levá-lo aos lábios sem derramar uma gota; o vinho é engolido num gole só e, tanto quanto possível, ao mesmo tempo para os dois. Quando o dono da casa propõe uma saúde, em geral dedica-a a sua esposa; e a fim de bem homenageá-la, já vi de uma feita, engolir-se de uma vez uma garrafa inteira, sem tomar fôlego. Mas tais cortesias, em grande parte, constituem novidade no Rio, ainda se tendo implanta-do firmemente nem difundido muito. O fato é que elas foram adotadas em consideração aos ingleses, dos quais desgraçadamente se contou que são muitos devotos da garrafa. Os brasileiros, pouco acostumados a tais maneiras de cortejar, frequentemente representam cenas de bestialidade para as quais a intenção amistosa não constitui escusa bastante.

Terminado o jantar, traz-se o café, de que cada qual toma uma só xícara, como sedativo. Surge então um escravo, de bacia e jarro, ambos em geral de metal maciço e com uma grande toalha atirada ao ombro, vai de convidado em convidado despejando água do jarro sobre as mãos que eles sustêm sobre a bacia. Por esta forma ele lava tudo o que quer e não somente as mãos, como também sua boca e talvez mesmo seu rosto e braços. Embora essas abluções não sejam executadas com muito decoro, elas constituem um dos hábitos mais asseados e de melhores maneiras da terra. Depois disso, cada qual se retira para a sesta, distendendo os membros onde quer que encontre uma sombra bastante para favorecer-lhe o repouso. Alguns há que estendem uma esteira ao ar livre, sob a densa folhagem de uma árvore, entregando-se à volúpia total da preguiça; outros que recorrem ao que enfaticamente denominam *suas diversões*.

Esta descrição aplica-se, porém, quase que exclusivamente ao inte-rior; na cidade, as pessoas logo após o jantar retiram-se para suas respecti-vas casas, onde repousam ou empregam a tarde como melhor lhes parece. Fora da cidade, especialmente se a lua estiver quase cheia, o entardecer encontra os convidados remanescentes em plena alegria de espírito; o sono já dissipou os vapores do álcool, se é que dele se abusou, a roda aumentou com a concorrência dos vizinhos e as guitarras soam, pois que todos sabem tocar; as canções se sucedem, geralmente em tons macios e plangentes, e a dança não fica esquecida. E desta maneira as horas da noite correm, ou nos lanços sempre variados da manilha, ou em ditos jocosos e réplicas inteligentes, em feitos de agilidade e folguedos inocentes (*Rio de Janeiro, 1808*).

No momento em que regressávamos, fomos abordados por um senhor de boa aparência e maneiras polidas que nos informou ter dado ordens para que o nosso jantar fosse servido nos aposentos dele, achando-se tudo pronto. Subimos para um belo lance de quartos, no sobrado da venda, onde encontramos uma família de dez ou doze pessoas, das quais algumas acabavam de chegar do Porto. Para mais de vinte pratos compunham o jantar, dividido em entradas, e homens e mulheres sentavam-se misturados à mesa. Como estranhos, fomos colocados à cabeceira desta, com o dono da casa à nossa esquerda, enquanto que uma senhora idosa me dava a honra de sentar-se à minha destra. A refeição decorreu cordial e animada, com cerimônia muito menor que a que esperávamos e a garrafa circulou à moda inglesa, com liberdade regulada. Passamos a fresca da tarde na melhor das sociedades, em espaçosos jardins e, no crepúsculo, despedimo-nos (*Magé, província do Rio de Janeiro, 1816*).

Nota: Reproduzido de *Notas sobre o Rio de Janeiro e partes meridionais do Brasil* (tomadas durante uma estada de dez anos nesse país, de 1808-1818), trad. de Milton da Silva Rodrigues, Livraria Martins, São Paulo, 1942.

33

Refeições no Nordeste

Henry Koster (1793-1820)

*E*ncontramos a família prestes a servir-se do seu almoço, café e bolos. Depois jogou-se o gamão e cartas até horas do jantar, às duas da tarde. Esse consistia em um grande número de pratos, postos à mesa sem a menor simetria e cuidado quanto à regularidade do serviço. Surpreenderam-me, como era de esperar, as expansões afetuosas dos convivas, pondo no meu prato pedaços de carne que retiravam dos seus. Notei esse hábito, repetidas vezes, particularmente entre as famílias do interior, e esta de que falo está no Recife há muito pouco tempo, mas a maioria do povo da cidade tem outras ideias a respeito desse assunto. Somente duas ou três facas estavam na mesa, obrigando cada pessoa a cortar o alimento em pedacinhos e passar a faca ao vizinho. Havia, entretanto, abundância de garfos de prata e grande quantidade de pratos. O alho era um dos ingredientes de cada prato e eu tomei grande porção de vinho durante a refeição.

Terminado o jantar, toda gente se ergueu e passamos à outra sala. Às oito horas numerosa sociedade se reuniu para o chá e não partimos senão muito tarde (*1810, arredores do Recife*).

Um grande grupo já estava reunido. Era dia do aniversário de nascimento de um dos anfitriões. As senhoras estavam numa sala e os homens noutra. O baralho e o gamão eram as distrações usuais mas a palestra não era desembaraçada e viva.

No jantar as senhoras ficaram de um lado e os homens no canto oposto. Houve profusão de iguarias e se bebeu muito vinho. Alguns homens que gozavam de intimidade não se sentaram à mesa, mas se puseram a servir as damas. Depois do jantar todos os convidados passaram a um amplo salão. A sugestão de um baile foi feita e aceita. Vieram rebecas e, desde as sete horas, cerca de vinte pares começaram e continuaram seu entretimento até depois das duas da madrugada (*Arredores do Recife, julho de 1810*).

No dia seguinte (*6 de novembro de 1810*) chegamos a Cunhau, o engenho do coronel André d'Albuquerque Maranhão, chefe do ramo Maranhão da numerosa e distinta família dos Albuquerques. É um homem de imensas propriedades territoriais. As plantações de Cunhau ocupam quatorze léguas ao longo da estrada e foi adquirida outra terra vizinha, igualmente vasta. Do mesmo modo, as terras que ele possui no Sertão, para pastagem do gado, supõem-se não inferiores de trinta a quarenta léguas, destas que é preciso andar-se três a quatro horas para vencer-se uma.

Trazia-lhe cartas dos seus amigos de Pernambuco. Encontrei-o sentado à porta, com o capelão e muitos dos seus criados e outras pessoas empregadas em seu serviço, gozando a frescura da tarde. É um homem com cerca de trinta anos, bem feito e com um talhe acima do mediano, com maneiras gentis, ou melhor, corteses, como os brasileiros de educação geralmente possuem.

O coronel reside no seu engenho feudal. Seus negros e demais serviçais são numerosos. Comanda o regimento de cavalaria miliciana e o tem em bom estado, atendendo-se às condições da região. Veio para perto de mim, logo que me desmontei, e lhe entreguei as cartas que levava, e ele as pôs à parte para ler com sossego. Fez-me sentar e conversou sobre várias questões, meus planos, intenções etc. Levou-me aos aposentos reservados aos hóspedes, a pequena distância dos seus. Encontrei um bom leito. Trouxeram-me água quente numa grande bacia de latão, e todo o necessário foi providenciado. Tudo era magnífico e até as toalhas tinham franjas. Quando acabei de vestir-me esperei ser chamado para jantar mas, com surpresa, apenas a uma hora da madrugada é que um criado veio buscar-me. Encontrei, na sala de jantar, uma comprida mesa inteiramente coberta de pratos incontáveis, suficientes para vinte pessoas. Sentamo-nos, o coronel, seu capelão, outra pessoa e eu. Quando eu havia saboreado bastante para estar perfeitamente saciado, surpreendeu-me a vinda de outro serviço, igualmente profuso, de galinhas, pastéis etc., e ainda apareceu um terceiro, tendo pelo menos dez espécies diferentes de doces. O jantar não podia ter sido melhor preparado nem mais perfeito, mesmo que fosse feito no Recife, e um epicurista inglês teria ali com que agradar seu paladar. Só me foi possível retirar-me às três horas.

Meu leito era ótimo e tive ainda mais prazer por não esperar encontrar um naquelas paragens. Pela manhã, o coronel não me quis deixar partir sem almoçar, chá, café, bolos, tudo de excelente gosto. Levou-me, em seguida, para ver seus cavalos e insistiu comigo para que escolhesse um deles, deixando ali o meu, a fim de recebê-lo em melhor estado quando de minha volta, pedindo-me que substituísse meus animais e carga, ainda com boa resistência, pelos seus. Recusei aceitar seus oferecimentos. Essas circunstâncias são mencionadas para demonstrar a franqueza com que os estrangeiros são tratados. Só me foi possível sair às dez horas e apenas cavalgamos duas léguas para jantar (*Cunhau, hoje no município de Canguaretama, RN*).

A alimentação dos sertanejos consiste principalmente de carnes, nas suas três refeições, às quais ajuntam a farinha de mandioca reduzida a uma pasta, ou arroz, que às vezes o substitui. O feijão, chamado comumente na Inglaterra *favas francesas,* é a iguaria favorita. Deixam-no crescer em grãos, só o colhendo quando estão completamente duros e secos. Surpreendeu-me verificar o limitado emprego do milho como mantimento, embora algumas vezes usado. A despeito de tudo, fazem uma pasta com a carnaúba e vi comer carne com coalhada. Os vegetais verdes não são conhecidos em seu uso e ririam à ideia de comer qualquer espécie de salada. Os frutos selvagens são numerosos e podem ser colhidos abundantemente, mas poucos tipos são cultivados, entre esses a melancia e a bananeira. O queijo do Sertão é excelente quando fresco, mas ao fim de quatro ou cinco semanas fica duro e coriáceo. Poucas pessoas fabricam manteiga, batendo o leite em garrafas comuns. Trata-se, entretanto, de experiências pessoais e não uma prática geral. Nas próprias cidades do Sertão a rançosa manteiga da Irlanda é a única que se pode obter. Onde as terras permitem, plantam mandioca, arroz etc., mas a grande parte dos alimentos é vegetal e provém dos distritos mais férteis, vizinhos, os vales e as fraldas dos Cariris, serra do Teixeira e outras serras da região (*Sertões da Paraíba, Rio Grande do Norte, Ceará, 1811*).

Ao jantar o grande homem (Capitão-mor de um regimento de Milícias) tomou assento à cabeceira da mesa e o dono da casa ficou perto, para servi-lo. Foi oferecida uma profusão de iguarias, porque o grupo era grande e esse era o costume. Nenhuma espécie de ordem é observada. Cada pessoa se serve do prato que melhor convenha e, muitas vezes, a faca que acabamos de usar em nosso canto é solicitada por dois ou três dos companheiros, para o mesmo fim. Um pedaço saboroso não está seguro num dos nossos pratos, podendo ser frequentemente arrebatado e mesmo substituído por outro, em troca. Bebe-se muito vinho durante o jantar e os copos são usados em comum. Quando nos erguemos da mesa, os comensais foram fazer a sesta habitual, um sono depois do jantar, usado nos países de clima quente (*Santa Cruz, Jaboatão, Pernambuco, 1812*).

Nota: Reproduzido de *Viagens ao Nordeste do Brasil,* trad. e notas de Luís da Câmara Cascudo, Brasiliana, vol. 221, São Paulo, 1942. Viagens efetuadas de 1809-1820, período em que Koster permaneceu no Brasil.

34

O PASSADÍO EM MINAS GERAIS (1817)

Augusto de Saint-Hilaire (1799-1853)

Os habitantes do Brasil, que fazem geralmente três refeições por dia, têm o costume de almoçar ao meio-dia. Galinha e porco são as carnes que se servem mais comumente em casa dos fazendeiros da província das Minas. O feijão-preto forma prato indispensável na mesa do rico, e esse legume constitui quase que a única iguaria do pobre. Se a esse grosseiro manjar este último acrescenta mais alguma coisa, é arroz ou couve, ou outras ervas picadas, e a planta geralmente preferida é a nossa serralha (*Sonchus oleraceus*, L), que se naturalizou no Brasil e que, por uma singularidade inexplicável, se encontra frequentemente em abundância nos terrenos em que recentemente se fizeram queimadas de mata virgem. Como não se conhece o fabrico da manteiga, substitui-se-lhe a gordura que se escorre do toucinho que se frita. O pão é um objeto de luxo; usa-se em seu lugar a farinha de milho, e serve-se esta última ora em pequenas cestinhas ou pratos, ora sobre a própria toalha, disposta em montes simétricos. Cada conviva salpica com farinha o feijão ou outros alimentos, aos quais se adiciona salsa, e faz-se assim uma espécie de pasta; mas, quando se come carne assada, cada vez que se leva um pedaço à boca junta-se uma colher de farinha, e com uma destreza inimitável arremessa-se a colherada sem deixar cair um só grão.

Um dos pratos favoritos dos mineiros é a galinha cozida com os frutos do quiabo (*Hibiscus esculentus*), de que se desprende uma mucilagem espessa semelhante à cola; mas os quiabos não se comem com prazer senão acompanhados de *angu*, espécie de polenta sem sabor. Em parte alguma, talvez, se consuma tanto doce como na província das Minas; fazem-se doces de uma multidão de coisas diferentes; mas, na maioria das vezes, não se distingue o gosto de nenhuma, com tanto açúcar são feitos.

Não é esse, entretanto, o gênero de sobremesa preferido; o que delicia os mineiros é o prato de *canjica,* nome que dão ao milho descascado e cozido em água. Nada iguala a insipidez de semelhante iguaria e, no entanto, estranha-se que o estrangeiro tenha o mau gosto de adicionar-lhe açúcar. É muito raro encontrar vinho em casa de fazendeiros; a água é a sua bebida ordinária, e, tanto durante as refeições como no resto do dia, é ela servida em um copo imenso levado em uma salva de prata, e que é sempre o mesmo para todos. Em casa de gente pouco abastada encontra-se, a um canto da peça denominada *sala,* uma enorme talha com um copo preso a um cabo, e cada qual bebe por sua vez. Não existe, talvez, em parte alguma do mundo, água tão deliciosa como a das partes montanhosas da província das Minas; o calor excita a bebê-la em grande quantidade e nunca ouvi dizer que alguém sofresse por isso.

Os indivíduos de mais baixa categoria, tais como os condutores de bois e de burros, são os únicos que amassam e comem com os dedos a farinha e o feijão-preto. É necessário, aliás, que um homem com casa própria seja muito pobre para não possuir alguns talheres de prata; mas esses talheres são, geralmente, de extrema pequenez. Usa-se por toda a parte toalha, mas não se oferecem guardanapos aos convivas. O escravo que serve à mesa está sempre de pés no chão, por melhor vestido que se apresente, e leva ao ombro uma toalha de algodão arrematada por uma bainha larga. Os mineiros não costumam conversar quando comem. Devoram os alimentos com uma rapidez que, confesso, muitas vezes me desesperou, e quem se contentasse em assisti-los comer tomá-los-ia pelo povo da terra mais avaro do seu tempo.

Depois da refeição os comensais se levantam, juntam as mãos, inclinam-se, rendem graças, fazem o sinal da cruz e, em seguida, saúdam-se reciprocamente. Esse costume é, sem dúvida, respeitável; mas fica-se surpreso de ver o escravo que serviu à mesa juntar-se aos convivas, e agradecer a Deus um repasto em que não tomou parte.

À tarde, após as orações de graças, as crianças têm o costume de se aproximar do pai; pedem-lhe a bênção e recebam-na.

Todo mundo, antes de se deitar, lava os pés com água quente. Nas casas ricas um negro, com sua tolha ao ombro, leva a água ao estrangeiro em uma grande bacia de cobre; os pobres, porém, se contentam com uma gamela de madeira. Muitas vezes, em casa de gente de cor, o próprio dono da casa vem, como nos tempos antigos, lavar os pés do viajante que acolheu com a mais franca hospitalidade.

Nota: Reproduzido de *Viagem pelas Províncias de Rio de Janeiro e Minas Gerais,* trad. e notas de Clado Ribeiro de Lessa, Brasiliana, vol. 126, tomo I, São Paulo, 1938. Saint--Hilarie esteve no Brasil meridional e central de 1816 a 1822.

35

SOCIOLOGIA DO MATE NO RIO GRANDE DO SUL E PARANÁ DE 1858

Robert Avé-Lallemant (1812-1884)

O símbolo da paz, da concórdia, do completo entendimento – o mate! Todos os presentes tomaram mate. Não se creia todavia que cada um tivesse sua *bomba* e sua *cuia* próprias; nada disso! Assim perderia o mate toda a sua mística significação. Acontece com a cuia de mate como à tabaqueira. Esta anda de nariz em nariz e aquela de boca em boca. Primeiro sorveu um pouco um velho capitão. Depois um jovem, um pardo decente – o nome de mulato não se deve escrever; depois eu, depois o *spahi,* depois um mestiço de índio e afinal um português, todos pela ordem. Não há nisso nenhuma pretensão de precedência, nenhum senhor e criado; é uma espécie de serviço divino, uma piedosa obra cristã, um comunismo moral, uma fraternização verdadeiramente nobre, espiritualizada! Todos os homens ser tornam irmãos, todos tomam mate em comum! Quem o compartilha pela primeira vez julga estar numa loja maçônica. O erudito clássico vê, na pequena cuia, a edição in-doze da *mystica vannus* dos tempos pré-cristãos e o domínio da loura Ceres! (*Rio Grande Sul, março de 1858.*)

Mate, mate e mais mate! Essa a senha no planalto, a senha das terras baixas, na floresta e no campo. Distritos inteiros, aliás, províncias inteiras, onde a gente desperta com o mate, madraceia o dia com o mate e com o mate adormece. As mulheres entram em trabalho de parto e passam o tempo de resguardo sorvendo mate e o último olhar do moribundo cai certamente sobre o mate. É o mate a saudação da chegada, o símbolo da hospitalidade, o sinal da reconciliação. Tudo o que em nossa civilização se compreende como amor, amizade, estima e sacrifício; tudo o que é elevado e profundo e bom impulso da alma humana, do coração, tudo está entretecido e entrelaçado com o ato de preparar o mate, servi-lo e tomá-lo em comum. A veneração do café e o perfumado fetichismo do chá nada são, nem sequer dão uma ideia da profunda significação do mate, na América do Sul, que não se pode descrever com palavras, nem cantar, nem dizer, nem pintar, nem esculpir em mármore, comparativamente, nada é o célebre *There be none of beauties daughters* de Byron. Sim, tivesse Moore conhecido o mate, a sua amável Peri teria reconquistado as portas do paraíso e a felicidade dos imortais com o mais belo que há, com um maravilhoso diamante, com uma gota de mate! (*Paraná, 1858.*)

Nota: Reproduzido de *Viagem pelo Sul do Brasil no ano de 1858,* trad. de Teodoro Cabral, Instituto Nacional do Livro, Rio de Janeiro, 1953.
O trecho do mate gaúcho está no tomo I, p. 191. A parte referente ao Paraná, no tomo II, p. 251-52.

36

FARINHA DE MILHO E DE MANDIOCA EM SÃO PAULO E MINAS GERAIS

Orville Adalbert Derby (1851-1915)

Nunca prestei atenção à distribuição das farinhas, mas, conforme me lembro, nas partes de Minas e S. Paulo onde tenho andado encontram-se geralmente as duas, parecendo-me ser a preferida a do milho. Creio que os antigos paulistas eram comedores de farinha de milho e angu, e até onde eles foram encontram-se o monjolo e roda de fubá. A última vai até Diamantina ou além, mas não me recordo dela ou da farinha de milho fora da região da mineração. Indo para o sul, a mandioca desaparece gradualmente, mas não posso fixar o limite. Todo mineiro e paulista legítimo come carne de porco de preferência. Ricos e pobres preparam a farinha de milho socando no monjolo, depois de macerados (e frequentemente apodrecidos, especialmente em S. Paulo), os grãos, assando depois a massa num forno como o de mandioca. Canjica parece ser prato especialmente paulista, e ainda hoje, em algumas das mesas mais ricas (como a de d. Veridiana Prado) ele aparece quase constantemente. Diz o Piza que o seu uso vem do tempo da carestia do sal.

Nota: Reproduzido de "Carta de Orville A. Derby a J. Capistrano de Abreu" (de 1º de abril de 1900, S. Paulo), *in Correspondência de Capistrano de Abreu,* edição organizada e prefaciada por José Honório Rodrigues, vol. III, Instituto Nacional do Livro, Rio de Janeiro, 1956. Orville A. Derby veio para o Brasil acompanhando Charles Frederic Hartt em 1870, regressando em 1873. Voltou em 1875, permanecendo até novembro de 1915, quando morreu. Foi geólogo e geógrafo eminentíssimo.

37

RITUAL DE BEBEDORES

José Calasans

O culto da *amorosa*, no que há de mais comum e popular, vive sobretudo nas *bodegas e vendas* dispersas por todo o Brasil. Nestes lugares se realizam, diariamente, os cerimoniais típicos dos *mamoeiros*. O pitoresco cerimonial compreende, quase sempre, três fases:

a) oferecimento e pedidos;

b) agradecimentos;

c) louvações.

O oferecimento é feito pelo *pagão, cristo, sofredor*, isto é, a pessoa que faz a despesa. No Rio Grande do Norte, Câmara Cascudo registrou o seguinte ritual – Quem paga e oferece, diz: *Vamos dar-lhe*. O convidado, fazendo-o servir-se em primeiro lugar, retruca: *Venha de lá*. O conviva também costuma responder: *Venha de lá, que eu vou de cá*, bebendo ambos, no mesmo instante. Observou o citado Câmara Cascudo, em todo o Norte do Brasil, um interessante rito da cachaça, que assim nos descreve: Tendo na mão o copo, feita a vênia do estilo, o primeiro bebedor derrama um pouco do líquido no chão, antes do primeiro *gole*, nunca aliás bebido por quem oferece o *trago* e sim pelo homenageado, quando só há um copo para os dois amigos. Perquirindo a origem do costume o ilustre rio-grandense-do-norte foi encontrá-la na *libatio* romana, cerimônia pagã que consistia em derramar no fogo ou no solo o vinho que sobrava das libações.

O oferecimento, muitas vezes, é feito em versos. Versos improvisados ou decorados. Geralmente decorados. Nas nossas investigações deparamos pequeno número de improvisadores. A grande maioria repete, com as inevitáveis deturpações, *loas* de João Martins de Ataíde, José Pereira, Pacífico Cordeiro Manso, Cuíca de Santo Amaro e outros conhecidos autores muito lidos em Sergipe e na Bahia. Os versos são chamados *lodaças, loas, velachos, relaxos, glosas, puias,* expressões já anotadas pelos dicionaristas. O termo *puia* designa especificamente, em Aracaju, a trova pornográfica, mais frequente entre os fumadores de maconha, segundo apurou o dr. Garcia Moreno, ilustre psiquiatra sergipano.

É muito conhecida, no seio dos *avestruzes* de Sergipe, a lodaça de oferta que se segue:

> Comigo você não bula
> Eu brigo até de tacape.
> Tome, prove, beba, ingula,
> Desaroe, destampe e tape.

A resposta do companheiro, igualmente decorada, bem pode ser:

> Eu bebo, tampo e tapo,
> Não deixo o fartum saí.
> Sou cidadão brasileiro,
> Falo em favô do Brasi.

Os *relaxados* acima não passam de fragmentos da vasta literatura de cordel existente a respeito da *borbulhante*. Temos seguras notícias que a constante "tome, prove, beba, ingula" foi glosada por um poeta popular nordestino, em livro assaz procurado. Os trechos encontrados nos *velachos* de bodega vêm, pois, da obra referida.

> Eu bem não queria vir,
> Você mesmo me chamou.
> Inda que o fogo se acabe,
> Na cinza fica o calor.
> Na bebedeira dos homens,
> Eu bebo, derramo e dou.
> Bebo, tampo e tapo,
> Não deixo o fartum sair,
> Sou cidadão brasileiro
> E brigo a favor do Brasil.

Num embate entre os cantadores Antônio Patativa e José Francisco, que figura no livro *O matuto cearense e o caboclo do Pará*, veio à baila o mote:

> Antônio tu há de errá
> Vamos na reta carreira,
> Na regra da bebedeira,
> Tu tens de atrapaiá.
> Já cantei em Maranguape,
> Quem dá o traço é o lapi,
> Negro no relho é quem pula,
> Tome, prove, beba, ingula,
> Desaroe, destampe e tape.

> Zé Francisco eu também digo
> Nasci para ser poeta,
> Minha palavra é bem reta,
> Todo homem é meu amigo.
> Eu entro em todo o perigo,
> Embora que não escape,
> Mas eu bebendo "acarape",
> Comigo você não bula,
> Tome, prove, beba, ingula,
> Desaroe, destampe e tape.

Acontece, frequentemente, surgir a figura clássica do *pidão*, pessoa que não foi convidada a tomar parte na *bicada*, não raro inteiramente desconhecida dos presentes. Desfalcado da *massa*, sentindo porém a tentação irresistível de *emborcar sua golada*, o *pidão* dirige-se ao *cristo*, invocando o próprio Deus:

> Deus *cando* andou no mundo
> Deixou a água e o vinho.
> Meu amigo de *calico* na mão.
> Lembre-se de mim, não beba sozinho.

Noutros casos, o apelo é dirigido aos circunstantes, quando falha a primeira tentativa:

O home não tem dinheiro,
Eu também não tenho a massa;
Senhores que estão presentes,
Quem paga p'ra mim uma cachaça?

Também pode o *chupista* estipular a quantia que deseja, o que não
é comum. Ouvimos, apenas, na *estiva* de Aracaju, o "ganhador" Josias
Pereira da Silva, que se dizia "sujeito de repente", improvisar versos determinando o dinheiro que queria para *virar* o copo.

Josias Pereira da Silva,
Sou "sujeito de repente",
Não digo meu naturá,
Tou aqui, tou acolá.
Na prosa sou brasileiro,
Tou precisando dinheiro,
Sei que o doutô vai me dá.
Devido meu sacrifiço,
Nas artes do meu ofiço,
Quero *destões* p'ra tomá.

O *pagão*, se é generoso, manda *corrê os copos*. Há porém, embora em
diminuto número, os que preferem jogar fora a bebida.

Se eu comprei foi sozinho
Sozinho hei de pagar.
Eu dando o sr. recebe,
Eu prefiro botar fora
E dessa o sr. não bebe.

Dificilmente um *frequentador de venda* recusa uma *tiliscada*. Aceita
sempre.

Quando eu enjeitá cachaça,
Macaco enjeita banana,
Vigáro perde a sumana.

Após os oferecimentos e pedidos, os *irmãos do cordão* passam aos
agradecimentos.

Com u'a mão pego no copo,
Com a outra digo adeus.
Bato palma, digo viva,
Viva quem o copo deu.

As louvações, que se prolongam, constituem a parte mais interessante e sugestiva do ritual. Louva-se tudo e todos. O dono da *venda*, o fabricante da bebida, o ofertante, as pessoas presentes, as várias espécies de cachaça, a bebida pura, a misturada. As "bênçãos propiciatórias" ocupam o primeiro lugar. "Eu te benzo e rebenzo, boca de suçuarana, dente de surucucu e toda espécie de ameba." Coligiu, ainda, Câmara Cascudo:

Em jejum eu te arrecebo,
Como xarope dos bebo,
Tu puxas, eu arrepuxo,
Bates comigo no chão,
Bato contigo no bucho.

No baixo São Francisco, ouviu o professor José Augusto da Rocha Lima:

Giribita, giribitinha,
Tu me puxas, eu te puxo.
Tu bates comigo no chão,
Eu bato contigo no bucho.

No alto São Francisco, Manuel Ambrósio encontrou:

E risca,
E trisca,
Belisca
E cola.

Alguns beberrões são lacônicos, práticos:

Eu como não tenho o que dizê,
Boto na boca e voceis vê descê.

Outros, louvadores prolixos, louvadores de "légua e meia":

Diz adeus Mamãe de Luana
Com seus fios Nogueira.
Se ela viesse lá na feira,
Caiu dez de cada banda.
Mais, apois, Mamãe seja mais branda
P'ra brincar com seus mancebos;
Eu vi Cirilo bebo,
Daniel quase deitado.
Como o chão não é furado,
Em jejum eu te arrecebo.

Guilherme Santos Neves refere-nos uma lodaça de procedência mineira, onde vamos topar a mesma prolixidade dos *muiados* sergipanos.

Cachaça é moça bonita,
Filha de pardo trigueiro.
Quem bebe muita cachaça,
Não pode juntar dinheiro.
Floriano Peixoto,
A tentação do canhoto.
Prudente de Morais,
Que já foi não volta mais.
Vira esta cachacinha,
Que vai correr por esta goelinha.

Outro exemplo é ainda trazido pelo folclorista capixaba.

Sant'Ana, mãe de Maria
E de Massarandá,
Pedra de tirar fogo,
E de quilarear.
Caju, cajá, cajarana,
Cajarana, caju, cajá,
Se tiver catarro na goela
Com certeza...
(*aqui, toma-se o gole da cana*) e
Desce já.

Nota: Reproduzido de *Cachaça, moça branca* (Um estudo de folclore), 2ª ed., cidade do
    Salvador, Bahia, 1951.

38

ESFRIANDO BEBIDAS...

Luís da Câmara Cascudo

Datará de pouco mais de meio século a bebida gelada pelo Brasil.

O Rio de Janeiro conheceu o gelo industrializado em 1835 e a vulgarização na capital do Império esperou uma boa década. Bebia-se nos bares e restaurantes a cerveja gelada e raramente o vinho que não se resfriava mecanicamente e com o gelo perdia o gosto. A propagação não se seguiu rápida mas lentamente para outras paragens, enfrentando a desconfiança à frialdade. Quem popularizou a bebida gelada foi a cerveja, vindo o hábito das cidades e espalhando-se devagar pelo interior do país.

Uma bebida fria, muito fria, sempre fora suspeita para a saúde. Proibida aos velhos e aos meninos, às mulheres grávidas e às moças *de lua*.

Em 1637, o médico judeu Isaac Cardoso publicou em Madri o seu *Utilidades del agua y de la nieve, del beber caliente y frio*, evidenciando-se a recomendação dos líquidos em temperatura normal, ou mornos e quentes, em número esmagante sobre os frios, raramente utilizados. É ainda critério popular em matéria terapêutica.

"Gelar" a bebida é exigência contemporânea. Dizia-se *esfriar*.

A garrafa de vinho era metida numa meia grossa ou pano espesso, úmido, borrifando-se quando secava. Deixava-se ao relento da noite. Cobria-se de serragem ou de areia molhada. Deitava-se num tanque de água, nas grandes bacias de alumínio, folha de flandres, ferro estanhado, alguidares de madeira. Enterrava-se na margem do rio, riacho, córrego. Arrumava-se ao pé das jarras, talhas, potes. Eram as técnicas mais antigas, recebidas do uso português.

Quando obtinham gelo, punham sal marinho, sal de cozinha, revolvendo-o e guardavam sob uma camada de pó de serra, serradura, conservando-o por mais algum tempo.

Havia fórmulas produtoras do frio artificial, possibilitando a fabricação de sorvetes e doces gelados. Os requintados mergulhavam as garrafas. Muitas alcançaram o século XX.

I) Cloreto de amoníaco .... cinco partes
   Ácido nítrico .... duas partes
   Água

II) Sal de Glauber (sulfato de soda) .... oito partes
    Ácido hidroclórico .... cinco partes
    Água

III) Sal de Glauber .... três partes
     Ácido nítrico .... duas partes
     Água

IV) Sal de Glauber .... cinco partes
    Ácido sulfúrico .... duas partes
    Água .... duas partes

Misturavam o ácido em água suficiente e, quando a temperatura do líquido baixava, juntavam o sulfato de soda, sal de Glauber. A primeira fórmula produzia 21° de frio; a segunda, 26°; a terceira, 27° e a última, a mais vulgar, 26°.

Onde caía "chuva de pedra" aproveitavam-na para os gelados, pondo sal de cozinha, solução popularíssima na Europa e que resultava 20° de frio.

Em Porto Alegre o Governador d. Diogo de Sousa em 1812, durante uma forte geada gaúcha, fizera cristalizar ao ar livre sumo de frutas cítricas, informa Athos Damasceno. O mesmo ocorrera ao Conde de Figueira, em 1820, no registro testemunhal de Augusto de Saint-Hilaire.

Nas festas familiares a bebida gelada era excluída por temerosa. Os sorvetes circulavam na sociedade aristocrática da Corte, mundo político e financeiro. Nas classes médias o vinho era ao natural.

Há um documento expressivo desse temor, determinando a restrição. *O doceiro nacional,* editado pela sétima vez pelo Livreiro-Editor H. Garnier, em pleno regime republicano, ensinava a fazer onze ou doze limonadas e *bebidas refrigerantes* sem que o gelo fosse incluído em qualquer uma, apesar de "refrescantes".

A 7ª edição da Garnier de *O doceiro nacional* não tem data, mas a Rua do Ouvidor ainda se denominava "Rua Moreira-César", o que fixa o período entre 1897 e 1916.

Era justamente o Rio de Janeiro folião e báquico que Luís Edmundo evocou.

39

O CAJU
· · · · ·

Mauro Mota

O padre Simões de Vasconcelos considera o acaju "a mais aprazível e graciosa de todas as árvores da América; e porventura de todas as da Europa". Mais ainda: considera-o "parte da felicidade natural desta boa gente". [...] "E toda fartura e regalo porque é seu comer e beber mais prezado".

Tal informação do autor da *Crônica da Companhia de Jesus do Estado do Brasil* coincide (há só a mudança de palavras) com as dos demais cronistas coloniais. A "boa gente" eram evidentemente os nativos; o "beber e comer mais prezado", os seus constantes usos de caju e da castanha na alimentação. Do suco do caju prepararam a bebida de "sabor forte e inebriante", como Southey a descreveu. Preparo equivalente a um ritual nas tribos. Espremiam os cajus à mão ou nas prensas de tipiti. O caldo fervia nas igaçabas e fermentava nas cabaças. Mas aí não se concluía o aproveitamento dos cajus. Depois de seco pelo sol, o bagaço era reduzido a farinha e essa farinha, juntamente com a das amêndoas das castanhas assadas, representava valioso alimento para os indígenas, inclusive no decorrer das migrações.

Eles viviam sob a influência e as dádivas do cajueiro e daí o hábito de protegê-lo como se protegessem um dos mais importantes recursos da própria sobrevivência. A proteção extremava-se nas guerras. Guerra pela posse dos cajuais, entre as tribos do litoral e as que desciam do interior na época da frutificação. Pizo afirma que as maiores lutas entre os selvagens tiveram origem no amor pelos cajus com as safras reguladas em dezembro e janeiro, pelas chuvas de começo do verão, coincidentes com o aparecimento dos cardumes nas costas nordestinas. Os indígenas imaginavam que os peixes também viriam comer as frutas. Esta a causa acessória por que se antecipavam nas colheitas. Cariris atacavam potiguares e tabajaras.

Extraordinária essa intuição dos silvícolas sobre as propriedades nutritivas e mesmo terapêuticas do caju. Entre os eruditos quem primeiro as salientou no Brasil foi o antigo médico pernambucano dr. Cosme de Sá Pereira, em 1886. "Talvez os químicos mais tarde, escrevia ele, encontrem no caju algum alcaloide ao qual darão por certo o nome de anacardina." Não muito mais tarde, os químicos encontrariam, e em teor muito elevado, o ácido ascórbico. O isolamento e a identificação dessa substância permitiam novos rumos à nutrologia com o avanço dos conhecimentos sobre a identidade química e fisiológica das vitaminas. E isso foi o começo de uma época de compensação para certas deficiências orgânicas do homem. O caju mudou de categoria. Da fruta às vezes julgada pobre promoveram-na à mais rica, com a descoberta de suas riquezas suspeitadas. Passou a receber reverências nas dietéticas, a influir nos regimes alimentares.

Bem antes, os cajus já tinham exercido uma ação restauradora durante a fase da ocupação holandesa em Pernambuco. O escorbuto devastava as tropas. Cortavam-se a navalha as gengivas inchadas dos doentes. Ninguém sabe o que orientou nesse ato. Mas consta de documentos que Waerdenburch mandou os soldados fazerem a cura do caju. E curados muitos ficaram, a maioria com a robustez anterior.

Levando em conta que "o seu fruto é um importante sustento dos índios", Maurício de Nassau baixou uma resolução em 1641 proibindo (multa de cem florins para cada árvore) que senhores de engenho, queimadores de cal, oleiros e fabricantes de cerveja derrubassem os cajueiros. Resolução com que também se beneficiou, ao ficar mais provido para enviar à Holanda os doces de caju pernambucanos relacionados por Wätjen.

Os doces de caju e as castanhas tão do gosto de Fernão Cardim, de Gabriel Soares de Sousa, de Tollenare, e cujo preparo os nativos ensinaram aos colonizadores. A castanha entra, no Nordeste, na elaboração de muitos doces e bolos. Um "pé de moleque" sem castanha-de-caju ficaria descaracterizado. De uns anos para cá, intensificou-se nas cidades o consumo das amêndoas (salgadas) como acompanhante de coquetéis. Mas é nas beiras das praias e nas vilas e cidades do interior onde forma verdadeiro complexo alimentar. Aí vive ligada às raízes da terra e da gente, particularmente às preferências infantis. Para os meninos, a farinha de castanha e a castanha confeitada superam as outras formas de servi-las. Constituem guloseimas típicas da região. Guloseimas úteis. Pois os químicos chegaram a resultados positivos nas experiências para identificar na castanha-de-caju a presença de vitaminas B1 e B6, regularizadoras do equilíbrio do sistema nervoso e do apetite.

Pena é que valores nutritivos e econômicos desse porte sejam tão maltratados atualmente. No caso de árvore frutífera, nenhuma foi, até hoje, mais destruída nesta região do que o cajueiro. Calculam-se em menos de 40% as suas sobrevivências. A devastação continua sem intervalo. O replantio é diminuto para ser considerado cota de compensação. Passou-se o tempo de Konrad Guenther que andou durante horas entre bosques de cajuais no litoral nordestino.

Nota: Ensaio especialmente escrito para *Antologia da alimentação no Brasil*.

O autor, Mauro Ramos da Mota e Albuquerque, foi poeta, ensaísta, professor catedrático de Geografia do Brasil no Colégio Estadual do Instituto de Educação de Pernambuco, e publicou a excelente monografia *O cajueiro nordestino*, contribuição ao seu estudo biogeográfico, Recife, 1954, hoje informação clássica no assunto.

40

AÇAÍ, A BEBIDA DO PARÁ

Luís da Câmara Cascudo

Quem vai ao Pará
Parou...
Bebeu açaí,
Ficou.

É um macerado do fruto da palmeira *Futerpe oleracea*, Mart, bebido com açúcar e engrossado pela farinha de mandioca. É a mais popular e tradicional das bebidas do Pará e uma das vulgares e velhas no Amazonas. A palmeira açaí é chamada juçara noutras paragens (Maranhão, por exemplo).

Em setembro de 1848, Alfred Russel Wallace registrou o açaí no Tocantins: "Nos matos apanhamos cocos de açaí, dos quais se faz uma bebida muito apreciada pelo povo, e que é, de fato, muito boa, quando a ela nos acostumamos. Os cocos crescem em grandes cachos na grimpa da graciosa palmeira, e são mais ou menos do tamanho e do sabor da ameixa.

"Assim, à primeira vista, julga-se que esse fruto nada tem de aproveitável; mas logo por baixo de sua epiderme está um duríssimo coco, e a sua polpa, muito delgada e pouco perceptível, é que é aproveitada. Para isso, o coco é posto de molho em água quente, numa temperatura que a mão possa suportar, durante uma hora.

"Em seguida, raspa-se e amassa-se com as mãos, para que a epiderme e juntamente a polpa se desprendam do coco, sendo tudo depois espremido e coado, ficando com a consistência de um creme de bonita cor vermelha, que se come com açúcar e farinha. Com seu uso torna-se muito agradável ao paladar, pois fica muito parecido com o creme de noz e, sem dúvida, deve ficar muito nutritivo.

"No Pará, usa-se muito essa bebida, onde ela quase sempre é vendida nas ruas, durante todo o ano, pois os seus frutos amadurecem em qualquer tempo, de conformidade com a localidade."

No mesmo tempo e local, Henry Walter Bates, companheiro de Wallace, anotava: "O açaí é o mais usado, mas este forma um artigo universal do regime em todas as partes da região. O fruto, que é perfeitamente esférico, é do tamanho de uma cereja, contendo pouca polpa entre a casca e o caroço. Faz-se com ele, juntando água, uma bebida espessa, violeta, que mancha os lábios como amoras". Visivelmente, não gostou.

Robert Avé-Lallemant, junho de 1859, presta depoimento fiel: *"Açaí-i, Açaí-i-si!* Por muito quietas que estejam as ruas do Pará, embora muitas vezes possa parecer reinar silêncio de morte durante o calor sufocante do meio-dia, ouve-se sempre, a cada momento, o pregão penetrante, percorrendo toda a modulação da escala: *Açaí! Açaí-i-si!* Todo estranho julga ver nesse pregão qualquer remédio para o povo, e quando chama a pregoeira de açaí, preta ou fusca, e examina o segredo, encontra numa panela um molho cor de vinho, um caldo de ameixas.

"Esse molho cor de vinho é na margem do rio Pará exatamente o mesmo que o mate no Rio Grande do Sul e nas repúblicas espanholas, o café fraco para as mulheres do Norte e o chá para as damas histéricas. Mais ainda do que isso é, em suma, o principal alimento do povo.

"Por toda parte se deparam essas palmeiras bacíferas, escondidas na sombra doutras árvores; e em todas as estações se encontram essas bagas maduras na Província do Pará. Os meninos trepam facilmente nesses troncos, que com o peso oscilam dum lado para outro, sem se quebrarem, até o topo, e cortam os cachos maduros. As bagas são então destacadas e maceradas por algumas horas ou menos tempo na água. Depois são esmagadas com as mãos, até que toda a polpa se desligue, formando um molho cor de vinho com a água, restando só os caroços verdes.

"Assim se obtém o açaí. Misturam-no com farinha de mandioca torrada e adoçam-no com um pouco de açúcar; um caldo meio ralo, que na primeira prova, achei logo muito saboroso, perfeitamente comparável com o das nossas cerejas pretas.

"Pela manhã, à tarde, à noite, e quando possível também à meia--noite, o povo do Pará serve-se de açaí. A cidade recebe o abastecimento necessário dos rios vizinhos, Guamá e Moju, cujas margens são especialmente ricas dessas euterpes dalgumas ilhas e mesmo da mais longínqua Marajó, pois sem esse açaí a cidade do Pará não saberia como arranjar-se."

A senhora Elizabeth Cary Agassiz, acompanhando o esposo, o sábio Luís Agassiz, prova em Belém, em agosto de 1865, o açaí, vertendo para o inglês o prolóquio consagrador:

> *Who visits Pará is glad to stay.*
> *Who drinks Assai goes never away.*

"Quanto a mim, fico na chácara e passo uma manhã encantadora com as senhoras da casa que me fazem conhecer a famosa bebida extraída dos frutos da palmeira açaí. Esses frutos são do tamanho dos da amoreira de espinho e de cor castanho muito escuro. Depois de fervidos são espremidos e dão um suco abundante de cor púrpura análoga à do suco de amoras. Depois de passado na peneira, esse suco tem a consistência do chocolate. O gosto é enjoativo, mas dá um prato muito delicado quando se lhe ajuntam um pouco de açúcar e 'farinha-d'água', espécie de farinha dividida em grossos fragmentos, fornecida pelos tubérculos da mandioca. Na Província do Pará, as pessoas de todas as classes são apaixonadas por essa bebida, e há mesmo um provérbio que diz:

> Quem vai ao Pará,
> Parou...
> Bebeu açaí,
> Ficou."

Em setembro de 1940 o então tenente Umberto Peregrino bebe o açaí na barraca de "seu" Maciel em Belém, na Pedreira, barraquinha com a bandeirola encarnada tremulante, anúncio de venda do açaí.

"O açaí foi preparado às minhas vistas, de propósito. Há uma técnica rigorosa, de que recolhi os dados. Para bem compreendê-la, porém, torna-se indispensável saber que o fruto consiste num coco miúdo, duríssimo, recoberto por uma polpa muito tênue e esta por uma película servindo de casca. A polpa é que é aproveitada. Quando retirada por processos mecânicos, dizem os entendidos, fica travosa, porque traz consigo vestígios do coco a que está aderente. Então, açaí só presta amassado à mão, e há de ser mão de cabocla, que tem sutilezas misteriosas...

"Vejamos a técnica. Primeiro o açaí fica de molho em água quente ou ao sol. Depois é posto num alguidar de madeira, de fundo arredondado. A amassadeira, munida de touca e avental, começa a manejar a multidão de coquinhos. É um movimento para diante e para trás, de sorte que o açaí vai-se atritando contra o fundo do alguidar e desprende a polpa. As mãos da amassadeira já estão tintas de um vermelho carregadíssimo. Põe água e continua a operação. Por fim, com uma coité, vai retirando tudo do alguidar e depositando numa gurupema. É a fase final. Daí surge o caldo grosso, servido em pequenas cuias. Come-se com açúcar e farinha-d'água. Depois, um copo de água.

"Há outra espécie de açaí, o branco. A única diferença é que, sendo amassado sem ter sido posto de molho, não apresenta a coloração vermelho-escura, que se desprende da casca. A amassadeira limpa com limão as mãos impregnadas de açaí. A tinta forte, que parece eterna, larga todinha."

Do açaí no Amazonas falam Stradelli, Raimundo Morais, Alfredo Augusto da Matta, dezenas de estudiosos, sempre louvando utilidade e sabor. Não é possível um paraense sem a evocação do açaí, como o gaúcho, ignorante do chimarrão, português do vinho, camponês normando da cidra.

Entre as bebidas herdadas dos indígenas o açaí possui a presença mais prestigiosa e contemporânea. Amazonenses e paraenses, notadamente esses últimos, defendem essa caiçuma, dando-lhe a permanência no plano da simpatia consumidora.

Pesquisando "o folclore bairrista", João Ribeiro exumou uma literatura adversa às excelências do açaí, salientando-se Verbrugghe, francês dispéptico. "As virtudes do açaí são, entretanto, muito problemáticas. É uma bebida detestável, só usada da plebe e que apenas se encontra nas mercearias e tendas menos frequentadas da cidade, nos botequins baratos. O excelente livro *Norte do Brasil*, dos drs. Victor Godinho e Ad. Lindenberg, onde contam os autores os passos que deram para encontrar o famoso *assahy*. E que decepção tiveram.

"É uma infusão enjoativa feita de frutos do *assahy*, palmeira da região amazônica. Os caboclos bebem-na, ou antes comem-na com farinha, como é costume entre eles.

"A despeito disto, o *assahy* será sempre repetido nos versos já proverbiais, na boca dos forasteiros e naturalistas que têm perlustrado a Amazônia: Nas *Viagens* de Agassiz traduz-se o provérbio desta arte:

Who visits Pará is glad to stay.
Who drinks Assai goes never away.

"Assim também o traduz nos mesmos termos um cônsul americano, divertido e namorador, apaixonado da Amazônia e crente nas virtudes de rêmora do *assaby* (J. Orton Kerby, do livro *An American consul in Amazonia*, p. 321). Mais espírito que estes mostrou o francês Verbrugghe (*Forêts vierges,* p. 13), que efetivamente dá a tradução verdadeira:

> *Nul en voyant Pará*
> *Passa;*
> *Qui l'assaby goûta*
> *Resta.*

"Propõe, porém, logo a seguinte glosa como correção ao texto tradicional:

> *Qui visite Pará*
> *S'arrête (au cemitière);*
> *Qui l'assaby goûta*
> *Y reste (dans sa bière)."*

Os *patrioteiros*, deve de os haver no Pará, como por toda a parte, ficariam furiosos com essa *boutade*. Creio, porém, que de fato fizeram melhor, saneando e embelezando a grande e próspera cidade que é hoje Belém.

Bibliografia: Alfred Russel Wallace, *Viagens pelo Amazonas e rio Negro,* Brasiliana, vol. 156; Henry Walter Bates, *O naturalista no rio Amazonas,* Brasiliana, vol. 237, I; Robert Avé-Lallemant, *Viagem pelo Norte do Brasil no ano de 1859,* Instituto Nacional do Livro; Luís Agassiz e Elisabeth Cary Agassiz, *Viagem ao Brasil, 1865-1866,* Brasiliana, vol. 95; Ten. Umberto Peregrino, *Imagens do Tocantins e da Amazônia,* Biblioteca Militar, vol. LVII; João Ribeiro, *O folk-lore* (Estudos de literatura popular), Rio de Janeiro, 1919.

41

Pequí, recurso alimentar do sertão

Renato Braga (1905-1968)

Caryocar coriaceum, Wittm, da família das Cariocaráceas (Rizobo-láceas). Árvore de tronco grosso, até 2 m de circunferência, com 12-15 m de altura, revestido de casca escura e gretada, com galhos grossos, compridos e um tanto inclinados, cuja ramificação começa perto da base, formando longa e aprazível copa. Folhas opostas, ternadas, de folíolos ovais, glabros, verde-luzentes, mais ou menos coriáceos. Flores grandes, amarelo-vivo, com estames vermelhos, reunidas em cachos terminais. Fruto drupáceo, globoso, do tamanho de uma laranja, de casca verde-amarelada, mesocarpo butiroso e brancacento, geralmente com 1, às vezes até 4 sementes volu-mosas, protegidas por endocarpo lenhoso, eriçado de espinhos delgados e agudos, com embrião (amêndoa) grande e carnoso. A polpa e a amên-doa são altamente nutritivas. Constituem precioso recurso alimentar para a gente pobre do Cariri e sertões vizinhos de Pernambuco e Piauí. Ao tempo da safra, entre dezembro e abril, centenas de pessoas sobem à chapada da serra do Araripe e, abrigadas à sombra dos pequizeiros carregados de fru-tos, passam a viver dos mesmos e, em pouco tempo, ficam fortes, robustas e coradas, atestando desse modo o valor dietético do pequi.

A colheita acarreta animado comércio entre o chapadão e as planícies circunvizinhas, apreciadoras do fruto como alimento e tempero. Come-se a polpa crua, cozida ou assada. Substitui perfeitamente a banha ou o toucinho e dá aos alimentos sabor e cheiro especiais. As amêndoas são consumidas da mesma maneira.

O óleo extraído da polpa e da amêndoa, especialmente este último, equipara-se ao de fígado de bacalhau, substituindo-o no tratamento das infecções broncopulmonares e tomando parte em diversos preparados farmacêuticos. Os fazendeiros o aplicam nos cortes, contusões, peladuras e inchaços dos animais. Madeira castanho-amarelada, excessivamente fibrosa, de grande resistência, própria para berços de moendas, prensas de casas de farinha, esteios, portais, moirões, estacas, gamelas. Sendo muito revessa, resiste de tal modo aos choques, que a empregam como calço dos martelos dos bate-estacas. Densidade: 1,185.

A área da incidência desta espécie é bastante extensa, vai desde a Bahia, inclusive Goiás, até Piauí, concentrando-se nos chapadões areníticos deste trecho brasileiro.

O nome vem de *py-qui, py,* pele, casca, e *qui,* espinho – casca espinhenta – decorrente dos espinhos de endocarpo.

Nota: Reproduzido de *Plantas do Nordeste, especialmente do Ceará,* 2ª ed., Imprensa Oficial, Fortaleza, Ceará, Brasil, 1960.

O capuchinho frei Claude d'Abbeville, residindo em São Luís do Maranhão, de julho a dezembro de 1612, regista o *pekéy:* "Árvore tão alta e tão grossa que dois ou três homens não a podem abraçar; tem as folhas semelhantes às da macieira e as flores amarelas. O fruto é do tamanho de dois punhos e tem uma casca dura como a da noz, porém duas vezes mais espessa; quando quebrada, encontram-se dentro de três a quatro frutos muito amarelos em forma de rim; são excelentes e muito odoríficos; comportam, porém, apenas meio dedo de polpa em cima dos caroços muito espinhosos, o que faz com que ao comê-los a gente se arrisque a picar-se. Esses caroços secos e queimados dão ainda uma pequena amêndoa semelhante às amêndoas europeias, porém melhores de gosto. Lançando três ou quatro frutos destes na água fervendo, fica esta com o gosto de carne de vaca cozida, desprendendo uma gordura amarela que sobrenada". In *História da missão dos padres capuchinhos na Ilha do Maranhão e terras circunvizinhas,* trad. de Sérgio Milliet, introd. e notas de Rodolfo Garcia, Livraria Martins Editora, São Paulo, 1945.

O Nordeste, de Fortaleza, edição de 13 de fevereiro de 1943, informava a existência de dez mil *flagelados* da seca reinante, refugiados na chapada da serra do Araripe, no Cariri, alimentando-se de pequi.

Arruda Câmara registou, em 1810, o pequi, classificando-o *Acantacaryx pinguis.* "Essa planta produz abundantes frutos do tamanho de uma laranja, de polpa oleosa e feculenta, muito nutritiva. É a delícia para os moradores do Ceará e Piauí. A árvore atinge a altura de cinquenta pés, com grossura proporcional. Sua madeira é de tão boa qualidade para a construção naval quanto a *cicopira* (Sucupira, *Bowdichia virgilioides,* H. B. K., dizemos hoje). Cresce muito bem nos terrenos arenosos chamados em Pernambuco *tabuleiros* e no Piauí *chapadas,* sendo muitíssimo vantajoso o seu cultivo nos tabuleiros que bordam o litoral e que estão presentemente inúteis. Presta grande auxílio ao povo nas épocas de seca e de fome."

Ver na "Cozinha goiana" o *arroz de pequi.* Há o licor de pequi, popularíssimo em Goiás e Mato Grosso.

42

UMBUZEIRO, ÁRVORE SAGRADA DO SERTÃO

Euclides da Cunha (1866-1909) e outros

É árvore sagrada do sertão. Sócia fiel das rápidas horas felizes e longos dias amargos dos vaqueiros. Representa o mais frisante exemplo de adaptação da flora sertaneja. Foi talvez, de talhe mais vigoroso e alto – e veio descaindo, pouco a pouco, numa intercadência de estios flamívomos e invernos torrenciais, modificando-se à feição do meio, desenvoluindo, até se preparar para a resistência e reagindo, por fim, desafiando as secas duradouras, sustentando-se nas quadras miseráveis mercê da energia vital que economiza nas estações benéficas, das reservas guardadas em grande cópia nas raízes. E reparte-as com o homem. Se não existisse o umbuzeiro, aquele trato de sertão, tão estéril que nele escasseiam os carnaubais tão providencialmente dispersos nos que o convizinham até ao Ceará, estaria despovoado. O umbu é para o infeliz matuto que ali vive o mesmo que a *mauritia* para os garaúnos dos *llanos*.

Alimenta-o e mitiga-lhe a sede. Abre-lhe o seio acariciador e amigo, onde os ramos recurvos e entrelaçados parecem de propósito feitos para a armação das redes bamboantes. E, ao chegarem os tempos felizes, dá-lhe os frutos de sabor esquisito para o preparo da *umbuzada*[1] tradicional.

Nota: Reproduzido de *Os sertões* (Campanha de Canudos), 25ª ed., Livraria Francisco Alves, Rio de Janeiro, São Paulo, Belo Horizonte, 1957.

1 Atravessando o sertão da Bahia em 1819, von Martius provou a imbuzada: "A gente do lugar nos deleitou com a imbuzada, espécie de sopa agridoce, preparada com o suco dessa fruta, com leite quente e açúcar mascavo". (*Viagem pelo Brasil,* II, Rio de Janeiro, 1938.)

O gado, mesmo nos dias de abastança, cobiça o sumo acidulado das suas folhas. Realça-lhes, então, o porte, levantada, em recorte firme, a copa arredondada, num plano perfeito sobre o chão, à altura atingida pelos bois mais altos, ao modo de plantas ornamentais entregues à solicitude de práticos jardineiros. Assim decotadas, semelham grandes calotas esféricas. Dominam a flora sertaneja nos tempos felizes, como os cereus melancólicos nos paroxismos estivais.

IMBUZEIRO

Manuel de Arruda Câmara (1745-1811)

Spondia tuberosa,[2] Arrud. Cent. Plant. Pern. É uma árvore que vive abundantemente nos sertões de Pernambuco e da Paraíba. Produz um fruto que é menor que o ovo da galinha, com cinco pontas na parte de baixo, sendo as indicações dos cinco estigmas. Sua cor é amarelada, e sob a epiderme coriácea represa uma polpa sumarenta, de agradável doçura e sabor ácido. Com esse sumo, e leite coalhado e açúcar, fazem um prato muito estimado, chamado *imbuzada.* Essa árvore estira raízes longas e horizontais, pouco penetrantes, sobre as quais se veem, a pequena distância uns dos outros, tubérculos redondos, de oito polegadas (um palmo) de diâmetro, cheios de água, semelhantes a melancias. Esses tubérculos suprem as necessidades da árvore e algumas vezes refrescam o caçador que se aventurou pelas matas. A reprodução dessa árvore é muito fácil por meio de renovos.

Nota: Reproduzido de *Ensaio sobre a utilidade de estabelecer jardins nas principais províncias do Brasil para o cultivo de novas plantas,* Rio de Janeiro, 1810.

Não conheço o original em português, mas a versão inglesa feita por Henry Koster, *Travel in Brazil,* II, Londres, 1817, que traduzi.

2   Arruda Câmara foi o classificador do *umbu,* que dizemos *imbu* no Nordeste, *Sponsias tuberosa* (sem o *s* de Koster); de *y-mb-ú,* árvore que dá de beber, alusão aos tubérculos coletores d'água.

Umbu, ombu, ambu, imbu, formas recomendadas por Teodoro Sampaio; a última é mais conhecida na região nordestina.

Um imbuzeiro pode produzir duas ou três centenas de quilos de imbus.

Não conheço a imbuzada com leite coalhado e, sim, como registou von Martius em 1819, sumo da fruta, leite fervendo e açúcar. Servem morna ou fria. É excelente.

AMBU

Gabriel Soares de Sousa (1540-1592)

Ambu é uma árvore pouco alegre à vista, áspera da madeira, e com espinhos como romeira, e do seu tamanho, a qual tem a folha miúda. Dá esta árvore umas flores brancas, e o fruto, do mesmo nome, do tamanho e feição das ameixas brancas, e tem a mesma cor e sabor, e o caroço maior. Dá-se esta fruta ordinariamente pelo sertão, no mato que se chama a Caatinga, que está pelo menos afastado vinte léguas do mar, que é terra seca, de pouca água onde a natureza criou a estas árvores para remédio da sede que os índios por ali passam. Esta árvore lança das raízes naturais outras raízes tamanhas e da feição das botijas, outras maiores e menores, redondas e compridas como batatas, e acham-se algumas afastadas da árvore cinquenta e sessenta passos, e outras mais ao perto. E para o gentio saber onde estas raízes estão, anda batendo com um pau pelo chão, por cujo som o conhece, onde cava e tira as raízes de três e quatro palmos de alto, e outras se acham à flor da terra, às quais se tira uma casca parda que têm, como a dos inhames, e ficam alvíssimas e brandas como maçãs de coco; cujo sabor é mui doce, e tão sumarento que se desfaz na boca tudo em água frigidíssima e mui desencalmada; com o que a gente que anda pelo sertão mata a sede onde não acha água para beber, e mata a fome comendo esta raiz, que é mui sadia, e não fez nunca mal a ninguém que comesse muito dela. Destas árvores há já algumas nas fazendas dos Portugueses, que nasceram dos caroços dos ambus, onde dão o mesmo fruto e raízes.

Nota: Reproduzido de *Notícia do Brasil,* introd., comentário e notas pelo prof. Pirajá da Silva, 2º tomo, Livraria Martins Editora, São Paulo, 1945.

O registo deve ter sido escrito entre 1569 e 1587.

43

AVOANTE

Pe. Huberto Bruening

É ave columbina, perístera ou brava, granívora, menor que a juriti das capoeiras e maior que nossas rolinhas caldo-de-feijão e cascavel. Pelo porte e pela cor lembra a carijó. Tem o dorso pardo acinzentado, o ventre esbranquiçado, peito vináceo, bico preto, pés vermelhos, algumas pintas pretas sobre as asas e junto às olheiras. As extremidades das penas da cauda são salpicadas de branco. Seu comprimento é de 0,25 a 0,30 centímetros. O *peso* varia entre 110 e 130 gramas. Depois de ressequida, pronta para o enfardamento, pesa apenas a metade. O ovo, completamente branco, pesa 8 gramas. Põe dois em cada postura, talvez mais, conforme a duração do inverno. E é bem possível que filhotes de começo de inverno já sejam pais no fim do mesmo inverno... porquanto são aves muito poedeiras... e o clima é equatorial. A carne é vermelho-escura, muito saborosa. A parte mais apetecida e apreciada é a titela. Aliás o que sobra é tão pouco...

Entremos agora num *pombeiro* ou *pombal*, sítio onde fazem a postura. Pode estender-se por léguas e léguas. No Brasil a única região a oferecer todos os requisitos à procriação tão assombrosamente prolífera desses pombos é o Polígono das Secas, quer por seu clima e sua posição topográfica, quer por sua flora variegada. Nidificam no chão, plano, quente e seco, uma chocadeira ideal, gratuita e natural, em que o sol supre eletricidade ou querosene. Preferem as touceiras de macambiras, bromeliácea aparentada com o ananás e o gravatá (caruá, caraguatá, caruatá), de espinhos recurvados, às vezes em sentido oposto. Basta encostar-se para ficar preso pelos gadanhos aduncos. As folhas longas, estreitas e ensiformes, um tanto arqueadas, oferecem guarida contra o sol, a chuva, as feras e os homens. Servem também de poleiro durante a dormida e o choco.

São abatidas centenas de milhares dessas aves por dia. Num só pombal pode haver uma renda diária de cem a duzentos mil cruzeiros.

Para ninguém se extraviar, cada grupo destaca um *coió*, isto é, um caboclo, munido de corneta, apito ou chocalho. É o ponto de referência ou orientação. Assobia, guincha, aboia, canta, declama, apita, chocalha para guiar os companheiros; de cada um recebe 10% das avoantes apreendidas. Para andar nos carrascais e entrançados de macambira, usam sapatões grotescos, perneiras e gibão de vaqueiro. Quando não é possível tratar logo as que foram abatidas, arrancam-lhes o papo e a cabeça e empilham-nas no bornal. Assim não se deterioram tão cedo nem a carne amarga.

A maneira mais bárbara de pegar avoante é o *facheio*, que consiste numa operação realizada em noite sem lua. Munidos de uma piraca ou lamparina a querosene, de palheta em punho, abatem novas e velhas a torto e a direito, em meio a um alarido infernal de gritos, silvos, chocalhadas e guinchos. É antes extermínio que captura. Mais humano é apanhá-las à mão na bebida, aos milhares, ou ainda nas arapucas, sangas.

Aqui no Rio Grande do Norte, máxime na Zona Oeste, os pombeiros mais afamados nos últimos anos foram: Suassuna, Cordão de Pomba, Pinheirinhos, Umbuzeiro, Sorocaba, Serra Dantas, Serra do Carmo, Baraúna e Bom Sucesso. Neste último penetrei por duas vezes neste ano e colhi as informações *in loco*. De relógio em punho, contava dois a três disparos por segundo. O pombal estendia-se por duas léguas. Dizem que 1959 foi o ano recorde em avoantes. Até fins de junho foram abatidas avoantes com ovos. Nosso maior comprador é a Paraíba.

Vamos ao *estaleiro*, local onde as *tratadeiras* consertam as aves e os compradores fazem bons negócios. Barracas às dezenas... umas cobertas de encerado, outras de palha ou ramos. São movediças como os pombais. Ali encontramos bancas, talheres, mesas, balanças, cereais – uma autêntica feira ambulante no coração da mata. Carros e caminhões vão e voltam. As mercadorias custam os olhos da cara... Água a dez ou vinte cruzeiros a lata. A atmosfera dos estaleiros é pouco convidativa. É um fartum, uma catinga nidorosa, nauseabunda! Em tal ambiente as aves são tratadas, enfardadas e negociadas. O processo é o seguinte: amaciar as penas com água fria, extrair o papo e a cabeça, estripar, salgar, bater ou amassar com garrafa ou cacete, dependurar em cordas aos pares, enfiando asa com asa, e deixar secar ao sol e sereno durante dois dias e uma noite. Os corações e as moelas são enfiadas em cordões e semelham rosários em que não oram, mas que devoram. Atinge a casa dos milhões a renda dessa indústria. Não resta dúvida que a carne da arribação é um tanto *carregada* e provoca erupções cutâneas ou exantemas e eczemas. Seja como for: não só o peixe, senão também o homem morre pela boca.

Raiou o dia da revoada emigratória. O inverno está prestes a findar. Rareiam as chuvas. Já emudeceu o ribombo do trovão, apagou-se o clarão dos coriscos. Estão desfeitos todos os pombais e os filhotes voam com desembaraço. Vão arribar! Aguardam apenas uma neblina para *lavarem as penas* para o grande voo transoceânico. As aves estão brabas, sem pouso certo, irrequietas. Desapareceram os caçadores.

Um belo dia, à hora do crepúsculo, ressoa um estrépito ensurdecedor e generalizado pela vastidão da caatinga, um bater fragoroso de inúmeras asas. São as avoantes, que, acossadas pelo instinto migratório, em incontáveis bandos se congregam num só bando, voluteando em enormes elipses, como para acordar alguma desavisada, sobrevoam pela derradeira vez a vastidão das planuras nordestinas, vão subindo, subindo sempre, até galgarem altura e, impelidas pelo sentido da orientação, tomam a direção do nascente e cruzam o Atlântico. No dia seguinte... não se avista uma só arribação! Arribaram todas! Misteriosamente haviam chegado... misteriosamente se foram...

Nota: Reproduzido de *A avoante*, Prefeitura Municipal de Mossoró, Diretoria de Divulgação, Ensino e Cultura, Coleção Mossoroense, série B, nº 53, Mossoró, Rio Grande do Norte, 1959.

Zenaida auriculata, Goeldi; *Zenaida maculosa*, Rodolph von Ihering; avoante, avoete, ribaçã, arribaçã, pomba-de-bando.

Durante o *tempo de ribaçã*, os sertanejos pobres utilizam-na no passadio normal, sendo eles próprios caçadores. Secas, abarrotam as feiras do sertão, agreste e litoral, aparecendo nas cidades, servidas nos bares como tira-gosto ou lanche, assadas e comidas com farinha de mandioca, forma única do consumo. Titela de ribaçã com feijão-verde é pitéu. Está quase desaparecida nas regiões onde abundava.

44

A PESCA DO XARÉU

Odorico Tavares

A definição está no dicionário: "XARÉU[1] – Peixe abundante mas ordinário do Brasil".

Como se vê, mais uma vez, falha a linguagem dos dicionários. Se o leitor é incauto, nunca mais o nome do xaréu lhe soará bem aos ouvidos. E, se alguma vez lhe servirem à mesa a carne escura do peixe, ele repelirá porque já leu na palavra autorizada dos gramáticos que se trata de um "peixe abundante mas ordinário do Brasil". E recusará para exigir um robalo, uma cavala e, talvez, um salmão do Canadá.

Ignora, porém, que o xaréu encerra um mundo de sabor, de beleza e de poesia, nas cinco letras do seu nome.

A pesca do xaréu é um episódio de trabalho, de canseiras, mas, como todo episódio árduo da vida dos negros baianos, é também de beleza, de poesia, de música e de cantos.

---

1 "Xaréu – Nome vulgar do *Caranx hippos,* também chamado Xaréu-vaqueiro, Xaréu-roncador, Xaréu, Guiará. Xaréu-preto ou Ferreiro, *Caranx lugubris.* Xaréu-branco, Aracimbora, Guaximbora ou Guaracimbora, *Caranx guará.* Xaréu-do-nordeste ou Guarambá, *Caranx latus.* In Alberto Vasconcellos, *Vocabulário de ictiologia e pesca,* Imprensa Commercial, Recife, 1938, edição da Liga Naval Brasileira, delegação de Pernambuco, pref. de Luís da Câmara Cascudo.
Santa Rita Durão, *Caramuru,* VII, LXVIII, 1781, registava-lhe a popularidade:
A multidão vulgar do xaréu vasto,
Que às pobres gentes subministra o pasto.

De outubro a abril, os xaréus vão para o norte em grandes cardumes para a desova, procurando climas mais quentes para cumprimento de sua missão procriadora e é nesta época que os pescadores das praias dos subúrbios de Salvador lançam-se à sua tarefa. Em Chega Negro, em Carimbamba e no Saraiva cumprem os mesmos trabalhos dos seus antepassados, trabalhos que vêm dos tempos da Colônia, do Império, da República até nossos dias. E esta tradição não morre, mesmo porque dela depende a subsistência de centenas de famílias, todos os anos se repete, com os mesmos cerimoniais, com os mesmos rituais, podemos dizer, com que se procedia nos tempos passados.

Não se pense, porém, que tudo seja fácil, uma exibição apenas. É trabalho árduo, trabalho pesado que representa a firme disposição do homem do mar. Comecemos pela rede. Não é uma redezinha qualquer, uma tarrafazinha que se joga, um só homem em cima da jangada para colher alguns peixes. Nada disso. O pescador não pode arcar com a despesa de uma rede de xaréu. A turma de uma puxada compõe-se nada menos de sessenta e três homens: um chefe, um mestre da terra, um mestre do mar, vinte atadores, vinte homens da terra. Todos assalariados, ganhando certo por dia, quer a pesca seja compensadora, quer haja greve dos xaréus suicidas. É a rede feita na colônia pelos próprios pescadores, eles, suas mulheres, seus filhos que se empreitam para tecer a grande malha. Custa hoje uma pequena fortuna, indo a mais de cem mil cruzeiros, pois se vai um mundo de matérias-primas para a sua execução, tonelada e meia de fio grosso e forte, mil metros de cordas, meia tonelada de chumbo que ainda será derretido e trabalhado. Com este material e com cinco meses de trabalho, pago por braça, a rede está pronta. Uma pequena fortuna – pequena neste mundo de inflação – foi desembolsada para se conquistar nas suas malhas o peixe "abundante mas ordinário do Brasil".

Os homens estão prontos para a pescaria do Chega Negro. O chefe já tomou providências, já determinou ordens aos mestres da terra e do mar, que por sua vez transmitiram aos seus homens. Os atadores, que são a turma de prontidão, estão atentos a qualquer estrago que sofra a rede, com a intromissão de algum cação, por exemplo. No horizonte da praia, estão abandonadas as casas de palha, os tão caluniados mocambos, porque, na alvura da areia, aguardam as mulheres e os filhos dos pescadores os resultados do seu trabalho. Participam desta autêntica festa do trabalho, onde, se há suor, não há lágrimas nem sangue, porque há canto, o canto forte e coral dos negros baianos.

A grande jangada que conduzirá a rede vai ser lançada na água e todo o cuidado é pouco. Os homens do mar são responsáveis pela sua colocação, terão que a dispor, com engenho e arte de quatro séculos de ciência e sabedoria, nos setores da pesca. Porque toneladas pesa a grande rede, o dono está na praia inquieto com os danos que possa a mesma sofrer, com o sucesso ou insucesso da pescaria. Negros fortes, músculos retesos, sobressaindo em sua pele lustrosa. A indumentária é apenas um calção. Um chapéu de abas largas para diminuir o castigar do sol quente de mais tarde.

Antes de tudo, porém, antes de a rede ser levada para o mar, em torno do grande círculo, mar adentro as jangadas levam enormes blocos de cimento. Feitos pelos próprios pescadores, ligados a grandes filames de aço e dispostos em torno do local onde a rede ficará. Depois os filames são presos a uma grande e imensa corda que, por sua vez, será ligada à rede. Somente assim esta poderia fixar-se, poderia resistir aos embates do mar forte, não sofrer os estragos das ondas. É um trabalho demorado, um trabalho requerendo paciência, perseverança, extraordinária habilidade. Desde que está tudo pronto, desde que o mestre do mar assegura que a sua turma realizou sua tarefa, pela qual ele é responsável, então é esperar que os cardumes deem o seu passeio procriador, caiam na rede, deliciem a mesa dos pobres e também dos ricos que tenham gosto para sentir as delícias de seu lombo farto. Mas, ninguém se iluda, seja paciente com o pescador. Tudo depende da sorte, os homens estão atentos, tanto os da terra como os do mar, tudo depende do peixe. A pesca pode ser imediatamente depois da rede assentada, mas pode durar horas, pode durar um dia e até dois no máximo. Porque, se depois de dois dias, o xaréu não aparecer, tem que se puxar a rede que sofreria assim os estragos da água. Todos estão atentos e vamos esperar. Compete ao mestre do mar efetuar as sondagens. Ele como que tem o sexto sentido. Logo que percebe que o xaréu está entrando, mergulha profundamente e faz a contagem do peixe. Quantos são? Dez, vinte, cinquenta, cem? Serão mil? Não tenhamos dúvida que em cada mergulho o chefe do mar perceberá. Emerge da primeira vez, toma do seu apito enfeitado com as cores de Iemanjá, sopra fortemente e levanta o seu chapéu no ar. O chefe da terra está atento. Ao leigo poderá parecer um cumprimento. Nada disso, o mestre da terra sabe muito bem que, com esse gesto, o mestre do mar avisa que no seu primeiro mergulho "contou" quinhentos peixes. Mergulha novamente, novamente, e de agora em diante. Cada vez que levantar o chapéu são mais cem peixes. Acabada a contagem, há o apito característico para que se inicie a puxada da rede. Então o mestre da terra apita também para reunir o seu pessoal, começar o serviço. Já foram cortadas as cordas que prendiam a rede aos filames. Tudo está pronto, todos estão a postos. A máxima atenção, a precaução maior domina os homens do mar, prontos para qualquer imprevisto. E a corda ao redor da rede, que forma quase um círculo gigantesco, começa a ser puxada, de seu lado esquerdo. Os vinte homens da terra iniciam a sua tarefa e tarefa pesada. Força, poder, vitalidade do corpo humano aí vão apresentar-se com toda a pujança. Mas é preciso salientar que não há preocupação pelo peso da tarefa, há alegria do trabalho representado na contribuição mais bela desse conjunto de homens fortes e saudáveis. E eles cantam, porque o canto ajuda o homem. Não é um canto soturno, um canto de gente desgraçada, como as cantigas dos barqueiros dos rios russos. É um canto alegre de uma grave alegria, canto dos negros baianos, porque há sempre música e canto, tanto nas suas festas como nas suas tarefas. E, iniciando a puxada da rede, batem os atabaques, quarenta pés, num ritmo rigoroso de bailado, movimentam-se e sob o canto obrigatório para começar:

> Salve o Senhor
> É
> Salva, Salva,
> Salve o Senhor
> É Salvador!

É a voz do solista, do tirador de toada, voz clara e forte que se distingue do rumor das ondas que ouvimos na praia, nesta cantiga de uma música muito bela, ritmada, como se fosse parte física e integrante dos músculos destes vinte homens, como se fosse o sangue que lhes dá a força, como se fosse o elemento de ligação destes vinte organismos fazendo deles todos um só, nos seus belos movimentos. Acaba de se levantar a última nota da toada e o coro majestoso responde:

> Salve o Senhor
> É
> Salva, Salva

E, sempre repetido pelo coro, o solista canta:

Salve o Senhor
É
Salve o Mar
Salve o Mar
Salve o Senhor
É
Salve as Águas
Salve o Senhor
Salve Ogun de Lé!

Os primeiros metros da corda da rede vão caindo na praia. Nas suas jangadas, os homens do mar fiscalizam, evitam qualquer imprevisto. O bailado da puxada prossegue na praia, sob o bater dos atabaques, sob o canto de vinte homens, trazendo para seu trabalho mais do que as cantigas porventura aliviadoras da tarefa, mas sobretudo os cantos de seus deuses e de seu passado:

Quando venho de Aruanda
Eu venho só

Coro:

Só só
Eu venho só.
Quando venho de Aruanda
Eu venho só
Eu deixei pai
Eu lá deixei vó.

Coro:

Só só
Eu venho só.

Quando venho de Aruanda
Eu venho só
Eu lá deixei tia
Eu lá deixei vó.

E na canção vai todo o ritmo de ida e de volta da puxada da rede. Há uma atmosfera de nostalgia criada por esta canção tão bela na sua música, expressando na pobreza de suas palavras a grandeza da solidão. E os pescadores prestam homenagens à rainha das águas, não somente nas suas festas, na grande "festa do presente", também no seu trabalho diário. E a voz do solista levanta-se no meio dos homens da terra:

Viva a Rainha do Mar
Inaê
Princesa de Aiocá
Inaê ô
Viva a Rainha do Mar

E o coro, quebrando como as ondas na praia:

Princesa do Mar...
Sinhá...
Inaê...

E talvez na perspectiva de agradar a Janaína, para que seja farta a pesca, vem a sugestão de um belo presente. Se houver sucesso na pesca que lembrança darão a Iemanjá, que ganhará ela de súditos tão fiéis? É o que pergunta o "tirador", numa das mais belas toadas dos pescadores baianos:

Que é que me dão
Para levar
A Dona Janaína
No fundo do mar?

O coro responde:

Um buquê de flor
Para levar
A Dona Janaína
No fundo do mar

E repete-se a pergunta do solista, para novamente responder o coro:

Um brinco de ouro
Para levar
A Dona Janaína
No fundo do mar

E, se a pesca se inicia pela madrugada, também o canto é uma homenagem de Iemanjá, louvada em vários nomes:

Ô lembá
Lembá de lé
Ô lembá de canaburá
É vem o dia, Iaiá

Ou também a toada alegre, mostrando o sentimento de solidariedade desta grande gente:

Quem me dá de comer
Também come
Quem me dá de beber
Também bebe

E mais esta velha cantiga dos tempos dos escravos, talvez a vontade da libertação expressa na primeira estrofe, com força e coragem, já um pouco menos na segunda:

Vou me embora
Vila
Porque já disse que vou
Vila

Coro:

É é vila
É é vila

Se não for nessa semana
Vila
Vou na outra que passou...

E assim vai vindo a rede, horas inteiras, sob o sol castigando os dorsos nus. Vez ou outra, alguém quebra o ritmo do "ballet", então vem a manobra protetora, o pescador deixa por um segundo a corda, dá uma graciosa volta em torno de si mesmo e retoma seu lugar dentro do movimento comum. Sucedem-se as canções e agora vem a saudável insolência, a insolência das noites alegres das farras ao luar, a "branquinha" campeando:

Eu nasci de sete meses
Fui criado sem mamar
Mamei leite de cem vacas
Na porteira do curral

Açúcar de dez engenhos
Foi pouco para me criar
Santo Antônio estava deitado
Na porteira do curral

Alevante Santo Antônio
Deixe meu gado passar
Santo Antônio quer beber leite
Por que não vai vaquejar?

Já a rede está perto. Já os homens do mar deixam as suas jangadas, pisam o chão firme, caem na água, tendo a cabeça e os ombros de fora, auxiliam agora os da terra. O "cope", que é uma espécie de rede interna, está repleto de xaréus grandes e pequenos. O mundo de fios, chumbos e cordas é cuidadosamente trazido e, por fim, na areia, revelado o resultado da pesca. Podem ser milhares de peixes, centenas de belos xaréus, conforme revelou antecipadamente o mestre do mar. Mas também pode-se puxar uma rede que se sabe de antemão nada trazer. Um dia, dois perdidos. O dono da rede terá seu prejuízo, prejuízo total. Os que assistiram à puxada, que maravilhados assistiram ao belo espetáculo, não estarão a par de suas aperturas. Mas, se a pesca foi farta, tudo vai bem. A rede é cuidadosamente refeita pelos atadores, que procuram os menores estragos, abrem-na sobre a areia, enquanto já está pronta para ser lançada no dia seguinte.

Estão cansados os pescadores: o chefe, os mestres, homens do mar, homens da terra, os atadores. Tranquilos, porém, comentam o sucesso ou o insucesso da pesca, recebem a refeição trazida pelas suas mulheres, pelos seus filhos, seminus, molhados, integrados numa profissão que futuramente será a deles. Porque primitiva é a sua vida, a vida de quatrocentos anos dos pescadores dos mares de Pituba, de Armação, de Itapoã. Vida dos mocambos, da refeição simples, vida primária, sem escolas, sem conhecer o conforto material, tendo apenas a riqueza de uma paisagem que Deus lhes dá de graça. Um Deus que nem sempre é adorado nas igrejas mas também é invocado nos seus cantos:

É Miranda, é Miranda
Senhor Ogun
Ele é rei de Miranda

É Miranda, é Miranda
É Miranda, é Miranda
Senhor Oxossi
Senhor Oxossi
Ele é rei de Miranda

E, mais uma vez, o mistério das colinas da Bahia desce às praias. E revela-se na própria vida do seu povo, no seu próprio trabalho, nas suas próprias canseiras, revestidas de tanta música pura, de tão nativa e forte poesia.

Nota: Reproduzido de *Bahia, imagens da terra e do povo*, Livraria José Olympio Editora, Rio de Janeiro, 1951.

45

A PESCA DO VOADOR

Luís da Câmara Cascudo

A tentação maior, *sweepstake* legítimo, é a pesca do voador[1] ao norte, Cajarana, Três Irmãos, Santa Maria, Caiçara, Jacaré, Galo Grande, Galinhos, de abril a junho, desde os *escuros de maio* ao São João. A *safra*, em Caiçara ou Galinhos, reúne mais de cem botes, fora as jangadas. Vêm de todas as praias e da Paraíba. O voador desce em piracema longe da costa, mar aberto onde o tauaçu não toma pé. É pescaria de perau, jangada solta, descaindo com o vento ao lento empuxo da água faiscante. O cardume nada tão longe que no comum a jangada larga à meia-noite para alcançar o voador onze a doze horas depois. Uma jangada recolhe 4.000 a 5.000 peixes por dia. O bote vai de 15.000 a 25.000. Um milheiro vale Cr$ 800,00 atualmente (1954). Alcancei valendo vinte mil-réis e diziam-no pela hora da morte.

A pesca é unicamente de jereré, rede triangular, com 40 e poucos centímetros, parecendo uma raquete de tênis.

Quando a jangada chega, espalha-se a isca, atirando na água tripa de peixe ou óleo de cação ou tartaruga. Espalha-se a nódoa e o voador aparece, roncando, saltando, enchendo o mar. *Taca-se o jereré até cansar*

---

1 "Voador – Nome de vários peixes, de nadadeiras peitorais muito desenvolvidas e usadas à guisa de asas. Voador do alto (*Cypsilurus heterurus*). Tainhota, Exoceto. Voador Holandês (*Cypsilurus cyanopterus*). Voador-cascudo, Coió ou Cajaleó (*Cephalacanthus volitans*). Pirabebe, Feijão-de-leite, Testilhão, Trigla, Cabrinha." In Alberto Vasconcellos, *Vocabulário de ictiologia e pesca,* Edição da Liga Naval Brasileira, Delegação de Pernambuco, Recife, 1938.

a munheca. O trabalho é mergulhar o jereré e trazer o voador para a jangada até enchê-la, abarrotando-a de montes palpitantes que se estorcem e rabeiam, tentando ganhar o mar.

Enquanto o voador morre as ovas expelidas alastram-se, tapando a rede dos jererés pelas malhas, subindo pelos cabrestos do banco de vela, fechando o samburá, agarrando-se às tamancas dos calços do remo e do banco de governo, cobrindo com sua viscosidade luminosa a jangada inteira, dificultando o passo, ameaçando afundá-la.

Vez por outra o dourado empina a cabeçorra fora da onda e os voadores desaparecem. Quando a jangada não cabe mais, mete-se o mastro no banco, ajustando-o na carlinga, abre-se a vela, buscando terra.

E o preparo do *voador* na praia? Amontoado aos 10.000 ou 30.000, é entregue aos cuidados das mulheres e das crianças, horas e horas. Vão elas *escalando* (abrindo longitudinalmente), *desguelrando* (arrancando as guelras) e salgando. Lavam na água salgada e tornam a salgar, estendendo nos varais de um metro e meio de altura, estaleiros para secar, cada um com a capacidade de 14 a 15.000. Leva *sereno*, outro dia de sol e é então recolhido a granel, aos armazéns. Com cinco a seis dias de armazém *engaraúja-se* o voador, fazendo o garajau, atado de varas de madeira e palha, medida clássica que contém um milheiro. Só se pode vender de meio milheiro para cima. O garajau, grade de varas com passadeiras de cipós ou palha de carnaúba, recebe o voador em camadas sucessivas e resiste bem ao transporte longínquo.

Os pescadores falam do garajau custando dez mil-réis, 120$ em 1940 e hoje (1954) Cr$ 800,00. Comida de rico, explicam.

O voador é o peixe do pobre, assado ou cozido com leite de coco, acompanhado de farofa seca ou simples farinha de mandioca. Viaja para o alto sertão. É o mais popular, democrático e proletário dos pescados há mais de quatrocentos anos.

Durante a safra do voador, as praias de pescaria animam-se com todos os folguedos, bailes, feiras, tocadores de sanfona, cantadores de emboladas e desafios, namoros, casamentos, raptos, brigas, riachos de cachaça, dinheiro fácil, cosmorama, lanterna mágica, cinema de pilhas, mamulengo, batizados, vinte motivos outros, desde a satisfação de compromissos marcados para aquela data até os sucessos imprevistos, dando centros de interesse novo e vivo.

Nota: Reproduzido de *Jangada*: *uma pesquisa etnográfica*, 2ª ed., Editora Letras e Arte, Rio de Janeiro, 1964. [Edição atual – 2. ed. São Paulo: Global, 2003. (N. E.)]

46

PRECIOSO AÇÚCAR GAÚCHO

Athos Damasceno

Da cana-de-açúcar não se pode dizer muito. Cultivada com carinho mas *em reduzidas proporções na parte setentrional da Província*, consoante o depoimento de Dreys, brotou exuberante porém limitada, sem meios de alastrar-se e impor-se, como seria de desejar. Em Santo Antônio da Patrulha e adjacências teve nome, mas nome de família pequena. E seus títulos mais altos foram a Rapadura, a Canguara – aquela envolta em palha de milho e despachada em grandes porções para as vilas e cidades de então, onde era muito querida; esta encaminhada em garrafões bojudos para quase toda a Província, em cujos recantos, com os nomes de Água--da-vida e especialmente Lágrimas-de-Santo-Antônio era, depois de vertida, enxugada com gosto. Digno de citação e diploma, havia também o melado, acondicionado em potes de barro, o qual, de mistura com farinha de mandioca era para os ricos agradável sobremesa e para os pobres, muitas vezes o pão de cada dia. O açúcar propriamente gerado por ali não tinha o mesmo prestígio; escuro e áspero, dava a impressão dos torrões de ajuntada, do mascavo brabo, de má catadura e sabor suspeito...

Gente haverá decerto, mais sabida do que nós, capaz de provar com números o contrário do que se está avançando. Enquanto, porém, isso não acontecer, registe-se que, ao passo que o Norte flutuava numa doce enseada de calda, nós aqui singrávamos um mar vermelho de sangue – sangue de boi, da ovelha e do carneiro. E não raro, até sangue do homem, tanto nos custou, em diferentes épocas, levantar uma barreira de peitos contra a cobiça dos espanhóis e suas pretensões territoriais...

Não querendo falar mal do nosso açúcar, digamos ao menos que ele sempre foi... pouco.

Quem duvidar, e para não ir muito longe, que atente para o mate amargo, o chimarrão do gaúcho – hábito que se lhe inveterou mais por necessidade do que por gosto. Faltando-lhe o torrão saboroso, o *mate doce na roda* do dia era luxo e, como luxo, só destinado às mulheres. A desculpa de que *doçura não é pra homem* trai logo a indigência do recurso e, se o ditado de algum modo se inspira na gentileza, não disfarça contudo a escassez do produto e muito menos... o varonil desprendimento do herói... A verdade é que não havia açúcar mesmo.

De um almanaque antigo, d. Heloísa Assunção Nascimento tem a bondade de extrair e enviar-nos cópia de preciosa informação. Antônio José Ferreira, escrevendo sobre a conceituada família Ferreira, de Bojuru, diz a certa altura de sua notícia "... e para prova do quanto essa família era venerada pelos demais moradores da localidade, vamos citar uma narração histórica que vem da Antiguidade. Na época em que eram escassos o açúcar e o café, nesse e em outros lugares, quem possuía desses artigos os depositava em boiões, que eram içados por uma corda apropriada na cumeeira da casa, e dali só eram arreados para obsequiar-se os membros dessa família – Ferreira – ao arrematante da Fazenda Real de Bojuru, ao padre da Freguesia e aos hóspedes que trouxessem nos arreios seu cochinilho que neste bom tempo custava, cada um deles, uma onça de oiro. E como as onças de oiro, que até hoje são ainda bem raras, só as pessoas de elevada posição é que podiam possuir dos ditos coxinilhos, que eram tecidos de lã, mas tão bem preparados que seu fiado mais se parecia com fios de retrós do que a própria lã".

Como se vê, o açúcar era aqui tão escasso antigamente que com ele apenas se obsequiavam as pessoas de destacada posição social. Em Bojuru, *como em outros lugares*, além das venerandas famílias locais, só aos figurões se exibiam os boiões suspensos: ao arrematante da Fazenda Real, ao vigário da Freguesia e aos hóspedes portadores de coxonilho, isto é, os pilchudos...

Nota: Reproduzido de *Doces de Pelotas*, prefácio de Athos Damasceno, coordenação de Amélia Vallandro, Editora Globo, Porto Alegre, 1959.

47

GATO POR LEBRE

Luís da Câmara Cascudo

Come-se gato no Brasil? Respondo pela afirmativa, e foi prática que o português implantou na *Terra Santa Cruz pouco sabida,* como versejou Luís de Camões.

O indígena não conheceu o *Felis cattus* antes de 1500. O africano ocidental e oriental come o cão mas rejeita o gato, aliás pouco simpático aos ameríndios e aos pretos, que reservaram sua predileção para o cachorro.

Na Europa o gato, sempre que é possível, passa por lebre. *Chat pour lièvre*, escondendo-se cabeça e patas denunciáveis. É manjar pela Europa latina, indicando possível exemplo, partido de Roma onde teria aparecido, como luxo, durante o Império. Deve ser engano porque Aristófanes, 423 anos antes de Cristo, citava o gato ladrão de viandas no Vespas; pela boca de Filocléon. O Império Romano nasce à volta de meio século anterior à era cristã. Bem pouco crível Roma ignorar um animal familiar em Atenas, quatrocentos anos antes.

Corre em Espanha e Portugal o rifão: *Em caminho francês, vendem o gato pela rês.* O "Caminho francês" era a estrada que vinha, através dos Pireneus, para o santuário de Santiago de Compostela, na Galiza, a "Meca do Ocidente", mais concorrida e tradicional desde a Idade Média. Os albergues ao longo do "carreiro de São Tiago" atendiam aos romeiros como era possível. Gato por lebre, vez por outra.

Nós no Brasil dizemos *carreiro de São Tiago* à Via Láctea, alusão evocadora à Compostela, *campo de estrelas.*

A tradição brasileira afirma o gato comido unicamente por estudante ou português. Mas já alcançou outras nações de gente. Em dezembro de

1963 fui convidado para comer um gato no bairro das Rocas, em Natal. O anfitrião não é português nem estudante. É artesão e pernambucano.

Comem o gato sempre por estúrdia, divertimento, curiosidade. Não é quitute regular e comum nos cardápios populares. Não há o *chat grillé* mas invariavelmente guisado, refogado, bem adubado, dando sabor de galinha para quem nunca saboreou lebre. Gato assado ou cozido é repugnante. Assado ao forno era, entretanto, a forma clássica em Coimbra.

O mais recomendado é o preto, cinzento, mourisco. Desaconselhados os vermelhos nas sucessivas gradações cromáticas.

Enterram a cabeça e as patas antes de preparar a carne sob pena de não tomar os temperos.

No Rio de Janeiro não sei do consumo do gato, que deve ser lógico. Empregam o couro para os tamborins mais sonoros e resistentes.

> Você me pediu cem mil-réis
> Pra comprar um soirée
> E um tamborim.
> O organdi anda barato pra cachorro
> E um gato lá no morro
> Não é tão caro assim.
>
> Não custa nada
> Preencher formalidade,
> Tamborim pra batucada,
> Soirée pra sociedade.
> Sou bem sensato,
> Seu pedido eu atendi;
> Já tenho o pelo do gato,
> Falta o metro de organdi.

cantava Noel Rosa em 1936, na então Capital Federal.

O gato preto, que João de Barros já registrava como de *notável agouro* (*Décadas*, I, liv. 8, cap. 3), é o mais procurado pela excelência tenra e suculenta, pedindo alho, cebola moída, açafrão, batatinha cortada, rodela de ovo duro, azeite e vinagre, num refogado de capricho, deixando um cristão no *teque do geriza*, como dizem os caipiras em São Paulo.

A questão maior é não falar em gato porque pode atrapalhar a digestão.

Em Coimbra existiu, ou ainda existe, a classe estudantil dos *gaticidas*, divisão conspícua na boemia universitária. O dr. Antão de Vasconcelos, que por lá estudou, 1858-1865, doutorando-se em Direito, historia essas atividades no seu *Memórias do Mata-Carochas:* "Os Gaticidas ocupavam-se em caçar gatos, à noite, os quais eram devorados no dia imediato.

"Um gato gordo, bem cevado, assado no forno, é superior a todos os inventos e combinações da culinária.

"A caçada aos gatos tornou-se uma verdadeira arte, de complicadíssimo processo.

"Os gatos eram sabidos, vigilantes e conheciam os inimigos.

"Um futrica passava; o gato avizinhava-se da porta, mas não se escondia; se era tarde e a porta estava fechada, havia em todas, para defesa dos gatos, um buraco junto ao chão, de forma triangular por onde ele se esgueirava ou a ele se encostava, à vista do futrica, sem fugir.

"Apontava um estudante, longe, a 50 ou 100 metros, o gato, logo que lobrigava a capa e batina, enfiava-se pelo buraco e não mais saía.

"Assim, era vestido à futrica que se caçava o gato.

"O chefe era o Manuel Joaquim Castilho Garcia, bom tocador de viola, possuidor de um cachorrinho *bull-dog*, chamado Muff, ao qual não escapava gato, que era agarrado pela seguinte forma: bispado o bichano, devidamente espiado da esquina, um dos caçadores aparecia e ficava firme, de pé. O gato, pressentindo o risco e sempre desconfiado, nele pregava os olhos; largava-se então o Muff que vinha encostadinho, rente à parede e tomava o buraco do gato; dava-se o ataque; o gato voava para a furna, mas, oh! infeliz! o Muff filava-o e com três sacudidelas, era de uma vez um gato.

"No seguinte dia, o gato, devidamente preparado, assado inteiro, recheado, enfeitado, no meio de um formidável quadrado de carrascão da bairrada – então a 15 réis o quartilho, fazia as delícias do banquete, no qual tomava parte o Muff acabando, na maior parte das vezes, em formidável carraspana.

"A pele era atirada à porta do dono, para não perder tudo, visto que dela se faziam magníficos barretes para o inverno.

"Se se matava um gato, dando-se intervalos longos, de 5, 6 dias, para a nova caçada.

"As gatas eram poupadas.

"No centro da cidade a caçada era quase impossível; os gatos eram muito sagazes.

"A experiência demonstrou que o gato preto é o mais saboroso de todos. Aos Gaticidas – se ainda hoje existem – recomendamos o gato preto. Excelente acima de todos; é tônico, cura sezões e opera evoluções prodigiosas". Seria essa uma das fontes mais legítimas para o gato ser promovido a acepipe no Brasil.

48

DESPESAS DA COZINHA IMPERIAL

13, Rua do Imperador, 13

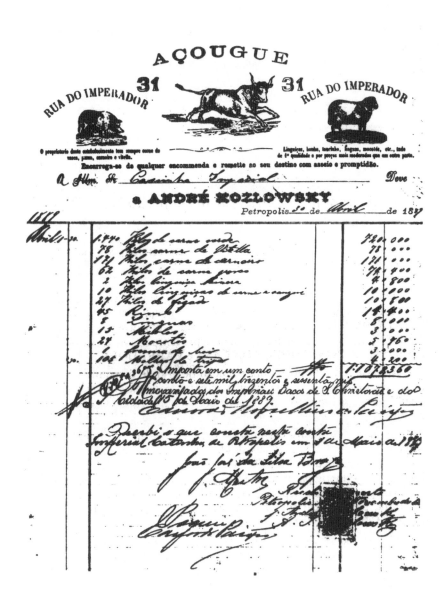

Nota: Devo o conhecimento desses documentos ao historiador Guilherme Auler, Petrópolis, Rio de Janeiro, a quem muito agradeço, com saudosa homenagem (1914-1965).

49

A "VIDA" DO CRIADO PARTICULAR DO IMPERADOR (1857)

Guilherme Auler (1914-1965)

A 6 de abril de 1857, José Maria dos Anjos Esposel dirige um requerimento do Imperador Dom Pedro II. Na época, tem ele o cargo de CRIADO PARTICULAR da Casa Imperial, com ordenado mensal de 42$000, função em grau hierárquico e proventos mais elevada que os REPOSTEIROS PORTEIROS DA CASA e VARREDORES.

Acha-se, entretanto, numa situação de grande desequilíbrio financeiro, com os gastos da sua família, composta de casal e sete filhos. E assim, expõe ao monarca os pormenores da sua receita e despesa doméstica.

Os dados são muito curiosos e vamos citá-los na sua íntegra. O ordenado mensal totaliza 182$666, desdobrando-se nas parcelas:

Criado Particular, 42$000; Gratificação da Imperatriz, 25$000; Mesada do Imperador, para educar seus filhos, 8$000; Mesada da Imperatriz, para educar seus filhos, 40$000; Mesada da Princesa dona Januária, para educar seus filhos, 6$000; Ajudante de Porteiro do Gabinete e Conselho de Estado, 61$666.

Quanto ao seu orçamento doméstico José Maria dos Anjos Esposel inicia com as despesas de alimentação classificadas em almoço, jantar e ceia.

Diariamente, sua família consome, na primeira refeição: café, $080; mate, $040; açúcar, $270; manteiga, $200; pão, $800. Total: 1$390.

No denominado jantar há o gasto de: carne-seca, $960; carne de vaca, $720; feijão, $320; arroz, $280; toucinho, $180; farinha, $240; temperos, $200; lenha, $320; carvão para engomar, $200. Total: 3$420.

253

Finalmente, o último repasto compõe-se de: mate, $040; açúcar, $270; manteiga, $200; pão, $640. Total: 1$150.

Adicionando as três parcelas do almoço, jantar e ceia, temos a despesa diária de 5$960, com a alimentação do casal e seus sete filhos, ou seja, 178$800 mensais.

Estas informações de consumo e gasto de nove pessoas, no século passado, para os especialistas em nutrição e os estudiosos de problemas sociais servem de base a muitas premissas.

Por exemplo, revela o que se consome na alimentação de uma família modesta, em três refeições. Ao mesmo tempo, indica-nos o valor e preços dos gêneros, embora sem o esclarecimento das quantidades.

Julgamos, entretanto, que a melhor contribuição desse manuscrito, para a ciência, resume-se na prova documental de um cardápio utilizado, na camada social, de um modesto funcionário. Vemos, pois, as deficiências, que acompanham a nossa evolução, na mesma rotina e com iguais hábitos.

Convém ainda colocar em proporção a quantidade de pessoas com o preço do gênero consumido. Isto é, sabemos então que nove indivíduos na sua primeira refeição gastam de pão $800, diariamente. E o mesmo analisamos para o açúcar, a manteiga e o café.

Continua José Maria dos Anjos Esposel o seu requerimento a Dom Pedro II, enumerando outros gastos mensais da sua família: aluguel de uma preta para o serviço da casa, 24$000; colégio de uma filha, 20$000; explicador de um filho, aluno da Academia Militar, 5$000; explicador para um filho, aluno da Academia de Marinha, 8$000. Total: 57$000.

Alinham-se, deste modo, as duas colunas da receita e despesa: ordenados, mesadas e gratificação 182$666; alimentação e estudo dos filhos 235$800.

Salienta, ainda, o requerente que não alude a vestuário, livros para os estudos, médico, botica etc. etc. parcelas bem consideráveis. E nós destacamos que não aparece outra de muita importância, em nossos dias, o aluguel de casa, pois o CRIADO PARTICULAR reside, gratuitamente, numa das muitas pequenas habitações existentes na Quinta da Boa Vista.

Vejamos agora o que conseguimos apurar a respeito de José Maria dos Anjos Esposel, nos códices da Mordomia da Casa Imperial.

Logo após a maioridade de Dom Pedro II, em julho de 1840, abrem-se novos livros, nomeando o Imperador os seus primeiros servidores. Entre estes, encontramos José Maria dos Anjos, na lista dos VARREDORES, com ordenado mensal de 25$000.

Mais tarde, já com o nome acrescentado para Esposel, tem várias promoções e chega até o mais alto cargo de CRIADO PARTICULAR. Falece, a 21 de julho de 1876, segundo anotação num dos livros de pagamento de ordenado.

Entretanto, sobre um dos seus filhos, Joaquim Maria dos Anjos Esposel, há maiores informações. O decreto de 3 de agosto de 1852 e a Portaria de 16 do mesmo mês e ano estabelecem a mesada de 8$000, para sua educação.

Anos decorridos, em 1861, para cursar a Academia de Direito de São Paulo, o decreto de 28 de fevereiro concede-lhe a pensão anual de 700$000; mercê modificada no mês seguinte, para mesada de 50$000.

Durante o período de estudos, na capital bandeirante, que se prolonga até dezembro de 1865, quando ocorre a formatura, o mesmo Joaquim Maria dos Anjos Esposel encontra-se muito citado nos Livros de Despesa da Mordomia. Além da sua mesada de 50$000 recebe:

Em 1º de fevereiro de 1862, para matrícula e compra de livros, 450$000; em 8 de outubro de 1862, para matrícula, 100$000; em 20 de fevereiro de 1863, para matrícula, livros e despesas de viagem, 400$000; em 7 de outubro de 1863, para matrícula e despesas de viagem, 100$000; em 2 de março de 1864, para matrícula, livros e despesas de viagem, 307$000; em 10 de outubro de 1864, para matrícula e despesas de viagem, 110$000; em 27 de fevereiro de 1865, para matrícula e despesas de viagem, 365$000; e finalmente, em 27 de setembro de 1865, para despesas da formatura, 350$000.

Provavelmente, ainda, o estudante Esposel reside, gratuitamente, no Convento dos Frades Carmelitas, em São Paulo, pois num ofício de 26 de fevereiro de 1863, o Mordomo da Casa Imperial solicita esse favor do Provincial da Ordem.

Nota: Reproduzido de "Revelações de um requerimento ao Imperador". In *Tribuna de Petrópolis*, 21 de junho de 1964.

50

A "RODA" DE ANTÔNIO TORRES, NO "BAR NACIONAL"

Gastão Cruls (1888-1959)

Mas, afinal, chegou a vez de citar o nome daqueles que se reuniam à volta de Torres, e eram eles: Adoasto de Godoy, os irmãos Efigênio, José e Joaquim de Sales, Gilberto Amado, Costa Rego, Paulo Filho, irmãos Pelágio e Saul Borges Carneiro, Alberto Ramos, irmãos Carlos e Almírio de Campos, Cipriano Lage (o "Mefistófeles talhado em caniço", de uma crônica de Torres), Abner Mourão, Cândido de Campos, Gastão de Carvalho, Dermeval Lessa, João (Joca) Tavares, Jarbas de Carvalho, José Antônio Flores da Cunha, irmãos Miguel e Nuno Ozório de Almeida, Aureliano Brandão, Oscar Bormann, Arlindo Ferraz, Manuel Coelho Rodrigues, Miguel Melo, Luís Felício dos Santos Torres... Também havia frequentadores fortuitos do grupo, como o prof. José Eduardo da Fonseca, residente em Belo Horizonte, o deputado Elpídio Canabrava, e a interessantíssima figura de Aurélio Pereira da Silva. Em período mais avançado, de 1925 a 1926, ano em que Torres partiu pela segunda vez para a Europa e, por assim dizer, o grupo deixou de existir, Monteiro Lobato, que se transferira para o Rio, não poucas vezes era também visto entre os comensais. Declinados esses nomes e embora entre eles predominem os jornalistas e homens de letras, vê-se como era vária a roda que constituía o Grupo dos Pilotos.

Roda de bar, os "pilotos" haviam de ter fama de beberrões, embora muitos bebessem comedidamente e houvesse até os que eram de todo abstêmios, como Joaquim de Sales. Do chope ao *whisky*, do *gim-tônica* ao Martini, do Bronx ao Porto, consumia-se de tudo naquela mesa, conforme o gosto de cada um, a hora do dia, ou fosse o tempo mais fresco ou mais quente. Aliás, ninguém se constrangia em exceder-se nas despesas, que seriam pagas individualmente ou, quando muito, divididas ao fim entre os presentes. Uma ou outra vez, mas sempre por proposta de outrem, pois que Torres não gostava de jogo, lançava-se mão do copo de dados, para saber a quem caberia saldar a nota. Nota sempre bem modesta, nos bons tempos de chope a 400 rs., coquetel a 1$500 e bom *whisky* escocês a 2$500. Por todos esses motivos, ninguém se sentia mal de chegar ao grupo por pouco tempo, pedir ou não alguma coisa, e cuidar da vida. Receita do Godoy, que a aconselhava como estomáquica e capaz de cortar os efeitos do que se tivesse ingerido até ali, quando à uma hora da manhã o bar ia ser fechado e começavam a ser corridas com estrondo as cortinas de ferro que lhe garantiam as portas, os últimos restantes tomavam, em cálice pequenino, uma rodada de *Akvavit*, a fortíssima aguardente da Checoslováquia.

Raro era que se comesse na mesa dos "pilotos". Apenas as batatas fritas, as azeitonas ou o amendoim que, de praxe, acompanham os aperitivos, ou ainda algum sanduíche, mas sobretudo o sanduíche "à Americana", especialidade da casa: um ovo frito e uma folha de alface entre duas fatias de pão de forma. A roda da tarde, entre sete e oito horas, ia-se fazendo cada vez menor. Quase todos, mas principalmente os casados, tornavam à casa. Torres, que sempre jantava na cidade, quando jantava, por vezes conseguia que um ou mais dos presentes o acompanhassem nessa refeição, feita em qualquer restaurante nas imediações. Dizíamos que Torres nem sempre jantava. É que, almoçando habitualmente muito tarde, preferia cear depois que o Nacional[1] se fechava, e ia para o Tavares, à Rua Chile, ou para o Lamas, no Largo do Machado. Este, que permanecia aberto a noite toda, era um seguro reduto dos boêmios residentes na zona sul e que, pela madrugada, lá iam pedir ao "Bodoque" que lhes servisse ovos com presunto, ou o seu famoso "viradinho", mexido de ovos com carne picada.

Torres, que nunca foi muito da cerveja, tinha preferências longas por essa ou aquela bebida, como o *whisky* e o Madeira R. Lembro-me que houve tempo em que os seus gostos iam para o marasquino. E é o momento de dizer que, embora bebendo bastante, excepcionalmente se embriagava. Eu, pelo menos, que tantas vezes estive ao seu lado até altas horas da noite, nunca o vi nesse estado ou, se a ele chegava, por palavras ou gestos não se lhe trairia a cabeça esturvinhada. É que sabia beber

---

1   O Bar Nacional ficava na Rua Bittencourt Silva, na parte térrea do desaparecido Hotel Avenida.

e, bebendo, talvez não se esquecesse do que dizia Wilde, em relação ao absinto: "Depois do primeiro copo, vemos as coisas como gostaríamos que elas fossem; depois do segundo, diferentes do que elas são; e, finalmente, depois do terceiro, como elas são na realidade, e isto é o pior de tudo".

Ora, se Torres rara e dificilmente se embebedava, nunca, como tanto se propalou a seu respeito, iria buscar nos fumos do álcool a coragem e a violência com que escrevia alguns dos seus artigos. Muito ao contrário, sempre que devia preparar trabalho de maior responsabilidade, como no tempo em que colaborava no *Correio da Manhã*, propositadamente descia de casa mais tarde, já com o artigo pronto ou quase pronto, e só se sentava despreocupadamente no bar, para beber e conversar com os amigos, depois que as suas laudas originais, escritas sempre numa letra bem legível, tivessem sido levadas à redação e, se possível, depois de compostas, fossem ainda revistas por ele, antes de entrarem em máquina.

Torres não era muito de visitas e reuniões. Iria, contudo, à casa de um ou outro amigo mais afeiçoado. Não se recusaria também a aceitar, desde que não saísse muito dos seus hábitos e fosse conviver com gente do seu agrado, qualquer convite para o almoço ou jantar. Assim, se por vezes estivemos juntos à mesa de Alberto Ramos, de outras fomos participar de suculentos ajantarados na casa do editor Castilho. E diga-se que nessas ocasiões o escritor comia bem. Comia bem sem nunca ter sido um glutão, nem tampouco o biqueiro que o supuseram alguns, engulhento de tudo e pronto a cruzar o talher logo às primeiras garfadas. O que ele fazia questão era da boa mesa e sobretudo de coisas que mais lhe agradassem ao paladar. E disto dão prova as muitas vezes em que se preocupou com assuntos culinários nas suas crônicas, como aquela dedicada ao livro *Nouveaux Régimes*, de Paul Reboux, e que assim começa: "Homem que, não sendo santo como S. Francisco de Assis, nem doente do estômago como Timóteo (a quem São Paulo aconselhou *modico vino utere propter stomachum*), não se interessa pelo que come, é tipo perigoso. Não queiram negócio com ele. Indivíduo indiferente aos prazeres da mesa, homem que diz: *'Eu como qualquer coisa'* – é inferior aos irracionais. Estes não comem *qualquer coisa*. Escolhem. O cão não bebe vinho porque não gosta. Cabrito não come presunto porque lhe faz mal" (*Boletim de Ariel*, nº 4, janeiro, 1932). Ou esta passagem em que cita o cardápio genuinamente nacional de um jantar na casa de "José Eleutério" e que, sem dúvida, trairia muito dos seus gostos: "a boa e quentíssima sopa de legumes, cuja fumaça ao subir da terrina esparzia em torno o mais apetecível dos perfumes deste mundo; o belo frango com arroz mole,[2] ligeiramente tinto de urucu e cheirando deliciosamente a folhas de loureiro; feijão com orelha de porco, bem cozido e divinamente temperado; finalmente a carne estofada, com ovos duros e toucinho dentro, a qual tinha passado muitas horas de vinha-d'alho. Tudo regado a caninha e um molho de pimenta" (*A Notícia*, 18 de novembro de 1917). Mas há melhor. Nos *Prós & contras* está uma "Crônica culinária" em que ele se estende, minuciosamente, sobre a maneira de preparar um bom lombo de porco, à mineira.

Aliás, fazem-lhe falta na Europa esses quitutes brasileiros e em uma de suas cartas pede-me que lhe mande o *Cozinheiro nacional*, da Livraria Quaresma. Mais tarde, já de posse deste livro, anuncia-me ter podido enriquecer o seu *menu* com outros acepipes, além do "arroz, feijão e bifes de panela à nossa moda", para cujo preparo dera lições ao dono de um restaurante em Hamburgo. Falando em feijão, ocorre-me ter deixado de mencionar que o "Grupo dos Pilotos", uma ou outra vez, se reunia à volta de uma boa feijoada, como as sabia fazer a Confeitaria Colombo, quando ainda dispunha de um vasto salão de banquetes, no seu primeiro andar. Eram motivos para tais festas alguma data feliz ou acontecimento grato aos da roda. Lembro-me que a uma delas deu ensejo um aniversário de *A Notícia,* e outra que se realizou para comemorar a eleição de Carlos de Campos à presidência de São Paulo, até onde quase todos também foram mais tarde, por ocasião da sua posse, para o que lhes foi posto à disposição um carro especial, ligado ao noturno de luxo.

---

2   No jantar em casa de "José Eleutério" (pseudônimo de Antônio Torres), o "arroz mole, ligeiramente tinto de urucu" (*Bixa orellana*, L) não mereceu aprovação de uma senhora mineira de Ouro Preto (Torres era de Diamantina), dizendo-me ser mais tradicional o uso do açafrão, *Crocus sativus*, L; fórmula portuguesa e também popular no Norte do Brasil.

Nota: Reproduzido de *Antônio Torres e seus amigos*, Notas biobibliográficas seguidas de correspondência, Companhia Editora Nacional, São Paulo, 1950.

51

Sociedades cariocas para conversar e comer

Rodrigo Octávio de Langgaard Menezes (1866-1944)

O CLUBE RABELAIS (1892-1893)

A ideia da fundação do Clube Rabelais partiu de Araripe Júnior. Não terá estatutos, nem sede, nem diretores; consistiria apenas na organização de um jantar mensal que reunisse homens de letras e artistas, para uma hora de agradável convívio, na expansão de seu gênio comunicativo, em torno de uma mesa de modestas iguarias.

Era em agosto de 1892... Raul Pompeia inaugurou o Clube Rabelais no restaurand Stadt München, no largo do Rocio, esquina da Travessa da Barreira, hoje Rua Silva Jardim. O *menu* desse primeiro jantar foi ótimo e o serviço farto; no que, porém, Pompeia se mostrou realmente pródigo e inexcedível foi na *verve* brilhante, na graça espontânea e viva com que encheu essas memoráveis horas. No fim do banquete, procedeu-se, como convencionado, à eleição do futuro comissário, sendo eleito o Pedro Rabelo.

Valentim Magalhães, então homem de vida organizada, diretor de uma próspera Companhia de Seguros, A Educadora, e com secretários à disposição, teve a obsequiosidade de enviar a cada um dos companheiros o relatório que aqui reproduzo:

Clube Rabelais

1º Banquete. Teve lugar a 12 de agosto do ano passado (1892), data da sua instalação, no Stadt München. Foi seu comissário Raul Pompeia. Estiveram presentes Lúcio de Mendonça, Urbano Duarte, Pedro Rabelo, Artur Azevedo, Rodrigo Octávio, Raul Pompeia e Valentim Magalhães (7 sócios).

2º Banquete. Teve lugar no Hotel do Globo, a 16 de setembro de 1892. Foi comissário Pedro Rabelo. Estiveram presentes Artur Azevedo, Urbano Duarte, Pedro Rabelo, Raul Pompeia, Henrique de Magalhães, Rodrigo Octávio e Valentim Magalhães (7 sócios).

3º Banquete. Foi igualmente no Globo, a 14 de outubro de 92. Foi comissário Rodrigo Octávio. Compareceram Lúcio de Mendonça, Urbano Duarte, Raul Pompeia, Pedro Rabelo, Rodrigo Octávio, Artur Azevedo, Capistrano de Abreu, Araripe Júnior, Xavier da Silveira e João Ribeiro (10 sócios) e, como convidado, Raimundo Correia.

4º Banquete. Efetuou-se a 11 de novembro de 92, no Hotel da Companhia de Panificação. Foi comissário Valentim Magalhães. Compareceram Lúcio de Mendonça, Raul Pompeia, Capistrano de Abreu, João Ribeiro, Xavier da Silveira, Rodrigo Octávio, Pedro Rabelo, Araripe Júnior, Artur Azevedo, Urbano Duarte, Valentim e Henrique de Magalhães (12 sócios).

5º Banquete. Foi a 9 de dezembro de 92, em casa de Artur Azevedo, sendo ele próprio o comissário. Presentes estiveram Lúcio de Mendonça, Urbano Duarte, Capistrano de Abreu, Valentim Magalhães, João Ribeiro, Artur Azevedo, Araripe Júnior, Xavier da Silveira, Raul Pompeia, Pedro Rabelo, Coelho Neto e Alfredo Gonçalves (12 sócios). Faltaram os sócios Henrique de Magalhães, Delgado de Carvalho e Rodrigo Octávio, com os quais se perfaz o número completo de 15 sócios. Os jantares têm sido sempre na segunda sexta-feira de cada mês, sem brindes e sem discursos.

Nota enviada com as saudações de ano-novo por Valentim Magalhães. Rio, 7 de janeiro, 1893.

Em 1893 houve ainda seis jantares.

Henrique e Valentim Magalhães, os dois irmãos poetas, alterando os hábitos anteriores, convidaram os sócios do Clube para um famoso piquenique em uma chácara, em Jacarepaguá, em que então viviam. O convite para a festa veio numa epístola rimada, em que se especificava o que cada um devia levar.

O exemplar que me tocou rezava assim: "Rodrigo Octávio de Langgaard Menezes. 29 de abril.

Preclaro amigo.
O que tu vais ouvir, bem poucas vezes
Terás ocasião de ouvir, Rodrigo;
Maio, 3, convescote em Jacarepaguá.
Que os 15 jacarés não faltem à festança.
Trem das 8,50. Em Cascadura está
Um bondeco esperando os heróis da pitança.
Calhorda, rei da galhofa,
Leva o peru... com farofa.
Ribeiro, que surpresa nos reserva?
En attendant... explica-te... em conserva.
Olha, tu, Xavier da Silveirinha,
Leva-nos uma *dita...* de galinha.
Susta, ó Raul! a guerra aos *lusitões*
E traga-nos pastéis e camarões.
Não os deixes, Tristão, morrer à míngua;
Leva-nos, pois, rosbife e boa língua.
Ai de ti, se tu não fosses
Ao convescote, Capistra!
Na direita leva doces,
Leva queijo na sinistra!
Que nos deixem *molhados* como pintos,
Oh! Lúcio, os teus famosos vinhos tintos;
Que do Olimpo os umbrais nos abram francos,
Oh! Artur, os teus belos vinhos brancos.
O Henrique e o Valentim pagam o bonde
E os *advérbios* mais de lugar onde.
Agora, para acabar
Com chic este pic-nic,
Que não é festa de brutos,
Certamente há de levar,
Ao pic-nic chic,
O P. Rabelo os charutos.
(E só nos falta presunto!)
Enfim... sem mais assunto,
Assinam-se os de vós (*manducadores*
De bons pitéus e não de peixe frito)
Amos. e Obrgos. Servidores
Valentim Magalhães. Henrique dito".

E da vida do Clube Rabelais só um documento resta em meu arquivo, o convite do Delgado de Carvalho, para o ágape de junho, que foi o derradeiro.

A PANELINHA (1900-1901)

Estes interessantes encontros de escritores e artistas não cessaram, porém; surgiu a Panelinha,[1] com a mesma estrutura do Rabelais, almoços mensais no primeiro domingo, comissários eleitos, para cada almoço, contribuições fixas; foi, porém, abolido o luxo dos cardápios para aliviar o orçamento.

O nome da nova organização provinha de uma pequena caçarola de prata; presente do pintor Amoedo, e que era o símbolo da instituição; findo cada almoço, era ela solenemente entregue ao novo comissário, logo após a eleição. O sistema provou bem. A Panelinha viveu regularmente muitos meses. Não houve, porém, quem lhe registasse a vida, e a ausência dos cardápios suprimiu um favorável elemento de reconstrução. Fui membro da Panelinha, mas não possuo mais que três documentos de sua existência; avisos de banquetes em que foram comissários Machado de Assis, Urbano Duarte e Valentim Magalhães.

As reuniões, a que se referem esses papéis, se realizaram em 5 de outubro de 1900, 6 de janeiro de 1901, ambos no Globo, e em 7 de julho de 1901, no Palacete das Laranjeiras, 192. Outros almoços congregaram, porém, os membros da Panelinha muitas outras vezes. No próprio convite de Valentim, para o almoço de 7 de julho, se diz que se realizará "no mesmo lugar do último (Laranjeiras, 192)". Refere-se talvez ao almoço de que foi comissário Inglês de Souza.

Do que me recordo é que foi ela vivendo até que, um dia, Jaceguai foi eleito comissário. O velho marinheiro, já neurastênico e impertinente, num daqueles gestos de displicência, a que se julgou autorizado no fim de uma longa vida gloriosa, e de que deu exemplo em seu discurso inaugural, na Academia Brasileira, declarando solenemente que não conhecia a obra de seu antecessor e que dela nada havia lido, não esteve para a maçada, deu sumiço à panelinha e acabou-se a história...

---

1 À "Panelinha" pertenciam Machado de Assis, Lúcio de Mendonça, João Ribeiro, José Veríssimo, Valentim Magalhães, Olavo Bilac, Guimarães Passos, Filinto de Almeida, Sousa Bandeira, Inglês de Souza, Rodrigo Octávio, Rodolfo Bernardelli, Rodolfo Amoedo, Artur Azevedo, Silva Ramos, Heitor Peixoto.

OS JANTARES DA *REVISTA BRASILEIRA* (1896)

Entre essas duas séries famosas de comidas cordiais e alegres vieram, em 1896, os jantares da *Revista Brasileira*. Houve primeiro um mais solene, realizado em 12 de maio daquele ano. O cardápio, impresso em bom papel, era enriquecido das seguintes epígrafes... eruditas:

"Celebrando a Páscoa, disse o encantador profeta da Galileia: Tolerai--vos uns aos outros: é o melhor caminho para chegardes a amar-vos..." E. Renau – *Obras não escritas.*

"Não sei se não será nas viandas de um jantar que se achará o micróbio da união. Talvez não seja, em todo caso, é bom experimentar." M. de Assis – *Vida e feitos de Brás Cubas – Cap. dos Jantares.*

Das outras reuniões os cardápios foram mais singelos; reproduziam a capa da *Revista* no seu mesmo papel verde, sendo o sumário do número substituído pela lista das iguarias.

Um desses documentos reza assim:

II Jantar. 9 de junho de 1896. *Revista Brasileira*, Sumário.

I: Sopa Jardineira; Ferreira de Araújo.
II: Peixe à brasileira; Araripe Júnior.
III: Franguinho de cabidela; Machado de Assis.
IV: Churrasco do Rio Grande com farofa; Joaquim Nabuco.
V: Peru recheado com presunto; Artur Azevedo.
VI: Salada de couve-flor; Afonso Celso.
VII: Bibliografia – Pudim de laranja; Pedro Tavares. Frutas; José Veríssimo, Sorvetes; Rodrigo Octávio.
VIII: Notas e observações – Clarete, Bordeaux e Porto; Silva Ramos, Taunay, Tarquínio de Sousa.

Rio de Janeiro. Sociedade – *Revista Brasileira*. 31, Trav. do Ouvidor, 31. 1896.

Realizaram-se esses jantares no Hotel dos Estrangeiros, em uma das pequenas salas de então, dando para o largo. Eram modestos e calmos; José Veríssimo, circunspecto e morigerado, dava a nota da gravidade, que aliás o insubmisso gênio folgazão de Artur Azevedo quebrava a cada momento. Machado, Nabuco e Taunay, que não haviam aderido ao barulhento Rabelais, não faltavam nunca a esses jantares.

Nota: Reproduzido de *Minhas memórias dos outros*. Última Série, Livraria José Olympio Editora, Rio de Janeiro, 1936.

52

NA ARISTOCRACIA RURAL PERNAMBUCANA

Júlio Belo (1873-1951)

Sebastião Lins Wanderley Chaves, ao contrário dos Wanderleys quase sempre ruivos, altos e fleumáticos, era moreno, baixote, nervoso. Quando eu o conheci, ele era já um homem de meia-idade, prematuramente encanecido, quase calvo, bigode grisalho acompanhando a linha dos lábios, faces lisas, sempre bem escanhoado, trajando direito mas sem preocupações de moda. Ao contrário: conservando na forma do colarinho um modelo baixo e antigo por ser cômodo, laço de gravata sempre incompletamente feito e malposto, um grande e puro brilhante no dedo, outro no laço da gravata, corrente de relógio com medalha também cravejada de brilhantes e assim os botões do punho e da abertura da camisa.

No seu rico engenho "Rosário", a meia légua de Serinhaém, às 4 horas da madrugada, já estava desperto, dando ordens com a sua voz rija de clarim. Ativíssimo, trabalhador por gênio e natureza.

Possuindo considerável fortuna para a época, nunca deixou de explorar intensamente suas terras, colhendo safras vultosas, trabalhando com ordem e economia, pagando caro ao trabalhador (às vezes, conforme as necessidades, dobrava o preço corrente dos salários), mas obtendo do trabalho o máximo esforço com a vigilância apurada dos cabos e presidindo muita vez, ele mesmo, os seus serviços. Fazia-se no engenho do Rosário uma seleção de resistência entre os trabalhadores; demorava ali apenas quem tinha mesmo força e coragem para o trabalho. Era até um motivo de vanglória para o trabalhador naquele tempo ter resistido ao eito do Rosário: "Eu trabalhei no Rosário".

De há muitos anos, desde ainda menino, eu ouvia o povo nos sambas e nas conversas cantar em todos os tons as glórias do Rosário: as safras enormes, a ordem rigorosa nos eitos formados em linha onde ninguém falava, com a água para beber à mão e o fogo para fumar ao pé, o engenho moendo sem um escape de vapor pelas válvulas, sem um apito, tudo silencioso e automático, e aquela ufania de dizer: "Eu trabalhei no Rosário", como um índice de resistência.

Sebastião em pessoa cuidava do arranjo interno de sua casa, profusamente servida de rico mobiliário de jacarandá entalhado, com muita louça de porcelana antiga, cristais finos e abundantes faqueiros de prata do Porto. Saía pouco; raras vezes ia ao Recife. Possuía os mais belos e os melhores animais de montaria na sua época. Constituíam os bons cavalos de sela a sua paixão mais viva. Tinha-os às parelhas – um de sua sela, outro de seu pajem rigorosamente iguais na cor, no feitio, na carnadura, e diversos – baios, ruços, alazões, castanhos ou pretos. Estribos, fivelas das cabeçadas e freios, bridas e cortadeiras, esporas de prata maciça. Profusão de botas de montaria: cada par de botas com seu par de esporas.

Sua rica mesa farta estava sempre posta, sua hospedagem não tinha restrições. Era verdadeiramente grandioso neste capítulo como um antigo fidalgo.

Em sua lauta mesa de jantar, nos dias mais festivos, sentado à cabeceira, rodeado de amigos, punha na outra cabeceira seu pajem a comer consigo e com eles, de pé, para estar sempre ao alcance de suas ordens que se repetiam a miúdo, às vezes por motivos fúteis.

Vaidoso de ser rico, não admitia que o supusessem apenas na aparência e no fausto com que mantinha o trem de sua vida. De uma vez resolveu liquidar com uma companhia americana e com avultado prejuízo próprio vultoso seguro de vida já vencido e cujo resgate a companhia negaceava. Seus inimigos e invejosos propalaram então que ele aceitava aquele negócio ruinoso por se achar em má situação financeira.

E ele, antes de receber a importância ajustada da companhia, reuniu em sua casa com outros amigos numa festa ruidosa os dezoito sobrinhos, filhos de seus irmãos e herdeiros, dando a cada um deles dez contos de réis. Todos os seus íntimos recebiam de sua generosidade, por motivos frívolos, valiosos presentes.

Quando saía de passeio ou de visita a algum amigo mais caro (raros passeios e raras visitas), sempre em grande comitiva, seu pajem predileto – Manuel Francisco – e seu alegre bobo João Valoá, atrás, ia pelo caminho dando largamente provas de sua grandeza de ânimo e desprendimento de dinheiro.

Se encontrava um samba ou um baile de pobres à beira da estrada, machucava muita vez uma cédula de cinquenta ou cem mil-réis e atirava na sala para que se prolongasse e avivasse o regozijo das desprotegidas da fortuna. Ficaram na tradição os jantares opulentos do Rosário. Passavam-se horas seguidas à mesa. Depois, no terraço, do lado do nascente, ao pé do qual passa hoje a rodagem, para o recife, continuava a festa: trocavam-se cavalos e bois de trabalho, botas, esporas, relógios, alfinetes de gravata, chapéus, tudo se trocava. Era desairoso e mesquinho negar-se a fazê-lo. Circulavam os licores obrigatórios; ninguém tinha direito de recusá-los. O Valoá tocava e cantava. Iam entre os convivas aparecendo outros trovadores. Os ânimos beatificavam-se nos vapores da bebida e no quilo do bom jantar. Uma imensa alegria de viver, quando a vida era tão boa entre tão excelentes companheiros, dominava os corações. As preocupações ordinárias do espírito eram relegadas e esquecidas... Numa exaltação maior, num surto de entusiasmo repentino, depois de um discurso e de um brinde ou de uma modinha mais graciosa do Valoá, o dono da casa gritava: "Traze champanhe!...".

Hoje Rosário e muitos outros engenhos de Serinhaém, quase todo o município, são propriedades de uma opulenta firma comercial da praça. A casa-grande foi derribada. Sobre seus alicerces outra mais rica se levantará. Mas... não será mais ela. Hoje já tudo desaparecido e apagado (março de 1937).

Nota: Reproduzido de *Memórias de um senhor de engenho*, 2ª ed., Livraria José Olympio Editora, Rio de Janeiro, 1948.

53

O velho mercado, no Rio de Janeiro

João do Rio (Paulo Barreto, 1881-1921)

Acabou de mudar-se ontem a Praça do Mercado. Naquele abafado e sombrio dia de ontem era um correr de carregadores, carroças e carrinhos de mão pelos *squares* rentes ao Pharoux levando as mercadorias da velha Praça abandonada para a nova instalação catita do Largo do Moura e, ao passo que aí uma vida ainda desnorteada estridulava e enchia de ruído o silêncio do sinistro largo, na alegre e bonacheirona Praça ia uma desolação de abandono, com as casas fechadas e o arrastar de utensílios para o meio das ruas sujas. A mudança! Nada mais inquietante do que a mudança – porque leva a gente amarrada essa esperança, essa tortura vaga que é a saudade. Aquela mudança era, entretanto, maior do que todas, era uma operação de cirurgia urbana, era para modificar inteiramente o Rio de outrora, a mobilização do próprio estômago da cidade para outro local. Que nos resta mais do velho Rio antigo, tão curioso e tão característico? Uma cidade moderna é como todas as cidades modernas. O progresso, a higiene, o confortável nivelam almas, gostos, costumes, a civilização é a igualdade num certo poste, que de comum acordo se julga admirável e, assim como as damas ocidentais usam os mesmos chapéus, os mesmos tecidos, o mesmo andar, assim como dois homens bem-vestidos hão de fatalmente ter o mesmo feitio da gola do casaco e do chapéu, todas as cidades modernas têm avenidas largas, *squares*, mercados e palácios de ferro, vidro e cerâmica. As cidades que não são civilizadas são exóticas, mas quão mais agradáveis. Não há avenidas, há outras coisas e quem vinha ao Rio gozava o interesse de uma cidade diferente das outras e tão curiosa no seu novo feitio, como é Toledo na sua maneira, como é o Porto, como o são algumas cidades da Itália, onde ainda não entrou progresso, que estende logo um cais, destrói vinte ruas e solta sobre as ruínas um automóvel.

O Rio, cidade nova – a única talvez no mundo – cheia de tradições, foi-se delas despojando com indiferença. De súbito, da noite para o dia, compreendeu que era preciso ser tal qual Buenos Aires, que é o esforço despedaçante de ser Paris, e ruíram casas e estalaram igrejas, e desapareceram ruas e até ao mar se puseram barreiras. Desses escombros surgiu a urbe conforme a civilização, como ao carioca bem carioca, surgiu da cabeça aos pés, o reflexo cinematográfico do homem das outras cidades. Foi como nas mágicas, quando há mutação para a apoteose. Vamos tomar café? Oh! filho, não é civilizado! Vamos antes ao chá! E tal qual o homem, a cidade desdobrou avenidas, adaptou nomes estrangeiros, comeu à francesa, viveu à francesa.

Só a Praça do Mercado ainda resistia. A Praça! Essa velha bonacheirona, que era o Ventre do Rio, levara a escolher o seu local muitos séculos. Em mil seiscentos e sessenta e tantos, a Rua da Quitanda era da Quitanda Velha, porque lá se instalara a Praça. Pouco depois a Rua da Alfândega era da Quitanda do Marisco, porque lá a Praça tentara o Mercado. E nos tempos do Brasil colônia, a Praça, já se aproximando do seu lugar, ficava por trás da Câmara e incomodava nos seus palácios os vice-reis, porque desprendia muito mau cheiro.

Só em 1836 é que ela se abeirou do cais Pharoux e lá fixou as primeiras estacas das primitivas cabanas. Não há um século ainda. Alguns homens que a viram assim começar ainda vivem. Mas esses setenta anos bastaram para fazê-la um símbolo, na sua força, na sua originalidade, no espírito de coesão, e na vida própria dos seus habitantes. O local fora durante muito tempo motivo de discussão de propriedade, mas a gente de lá sempre viveu como numa praça sua, no forte do estômago, organizando festas, batendo-se contra a polícia, incendiando-se, continuando.

Quem não sentiu a influência da Praça, quem não palpou aquela pletora de vida? Na Praça havia a abundância, a riqueza, a miséria e a vagabundagem. Ao lado de rapazolas que mourejavam desde pela madrugada entre montanhas de vegetais e ruínas sangrentas de carne, rastejando por entre as fortunas feitas às braçadas no desencaixotar das cebolas e dos alhos, viviam e morriam com fome garotos esquálidos, vagabundos estranhos, toda a vasa do crime, do horror da prostituição, bem idêntica à vasa cheia de detritos da velha doca e da rampa. Noite e dia aquela gente tinha um calão próprio e vivia separada da cidade, labutava e era uma sensação esquisita sentir-lhe os vários aspectos.

Oh! os aspectos da Praça! Seria preciso pertencer a todas as classes sociais para apreendê-los e enfeixá-los. Às primeiras horas da noite, quando ainda há no céu alguma luz deixada pelo sol, as casas de pasto com a crua iluminação do gás, os botequins baratos, as casas de louças, as barracas de frutas e de aves, as bancas de peixe, os açougues, a praça dos legumes cheia de montanhas vegetais – passavam por uma crise de nervos. Eram os donos das faluas, eram carregadores, catraieiros, garotos, gente de hotéis, homens de bancas de peixe, suando, gesticulando, gritando. Na rampa desciam por pranchas tipos hercúleos carregando caixões, os caixões passavam para outras cabeças e havia, ininterrupta, uma corrente viva de trabalho exaustivo, enquanto pelas bodegas comiam outros em mangas de camisa, mais calmos e já prósperos, ou de camisa de meia, suando e saudáveis, entre o farisaísmo dos ciganos à cata de coisas grátis e o bando de malandros parasitas, desde o garoto do recado ao mendigo falso.

Depois tudo era sombra, escuridão, obscuridade complacente e uma atmosfera feita de relentos de cozinha, do cheiro das aves, da maresia da vasa, dos animais, das couves em montanhas, toda uma orquestração impalpável de cheiros afrodisíacos, espalhando uma vaga, indizível luxúria. Homens que nunca sentiram o mal de viver, nem o mal moral da dúvida, nem a dor física, dormiam quase nus nos paralelepípedos, sobre as soleiras das portas, e não havia canto escuso em que não se encontrasse uma criatura a roncar – ou gente de labuta, ou gente parasita. Na sombra, indecisamente sombras delineavam-se e na atmosfera pesada de tantos cheiros um rumor sutil, feito de mil rumores de suspiros, de roncos, de pios, de grunhidos, excitava ainda mais.

À meia-noite, porém, começavam a chegar os vendedores, as carroças de verduras das hortas distantes e as faluas pesadas do outro lado da baía. Os proprietários, os compradores caminhavam sempre com um pauzinho na mão, à guisa de bengala; os outros, carroceiros, deixavam a carroça e recostavam a dormir mais um pouco. E o trabalho começava da descarga da quitanda, ligava-se das faluas para a rampa outra corrente humana, na alegria dos homens – Eh, José, eu já carreguei três! – A apostar como eu levo mais! – Duvido! E em cada uma, enquanto o chefe dirigia a colocação por ordem, os cestos de tomates com os cestos de tomates, os molhos de salsas com os molhos de salsas, sempre havia o "espirituoso" encarregado de dizer graça, ou o pequeno vagabundo que às vezes trabalha mais que os outros para matar o tempo.

Ia a madrugada em fora, e à luz das estrelas ou sob a chuva a cena se repetia. A um certo momento, os vendedores de peixe e de ostras aquartelavam com as latas enferrujadas e os cestos, acendendo cotos de vela a iluminar em derredor. Defronte sempre abria uma casa de pasto. Era a hora em que bordejavam bêbados, à espera do bote, as blusas vermelhas dos fuzileiros navais, era a hora em que apareciam os seresteiros para tomar vinho branco e comer ostras, era a hora em que, à saída dos bailes carnavalescos, paravam tipoias transbordantes de mulheres alegres e de rapazes divertidos para o fim da orgia.

– Vamos comer ostras no Mercado?

Quem não teve esta pergunta lamentável uma vez na sua vida?

Quando, porém, os retardatários davam por si, já no céu se fizera a transfusão da luz e era a Aurora que abria sobre o mar e sobre as coisas como uma grande casa, a renovação da vida. E tudo parecia acordar, fervilhar, brilhar; aves, animais, escamas de peixes, latas, pratos, homens, pássaros, numa grita infrene, que tinha da Arca de Noé e de uma aluvião de leilões. Apagando os mendigos, apagando os garotos, apagando o sono misterioso, entrava a grande massa dos compradores, saíam as levas dos vendedores ambulantes, todos na grande agitação que dá a compra da vida, enquanto homens saudáveis brandiam machados em cepos sangrentos, montes de verduras desapareciam em cabazes, peixes rolavam, cães ladravam, aves cacarejavam e, doirando tudo, alindando tudo, o sol cobria a ruína sórdida das barracas, envolvia as faluas e a sujeira da doca, arrastava pelo mar a rede de lhama de oiro de sua luz.

E era assim até ao meio-dia em que sempre havia tempo para uma palestra e um descanso em todos os múltiplos ramos dessa babel do estômago.

Quantas vidas se passaram ali, sem outro desejo, naquela apoteose da abundância que fechava o apetite e devia dar saúde? Quantas lutas, quantas intriguinhas, quantas discussões, quantos combates, porque a gente da praça sempre foi valente? Quantos limitaram as festas aos coretos da Lapa, com ornamentações, leilões de prendas e outros brincos primitivos? Quantos tiveram aqueles quatro portões como os portões de uma cidadela que não se sentia?...

Com essas tristes reflexões deixei o novo Mercado pela velha e amada Praça. Havia, como eu, muito cavalheiro discreto a armazenar na retina pela última vez a topografia do Mercado. E o Mercado era desolador. O quadrilátero onde paravam as carroças de verdura estava deserto. A parte central, onde havia bancas de peixe, frutas, casas de cebolas e de louças também deserta e junto ao chafariz seco um soldado de ar triste. Pelas ruas estreitas, uma ou outra casa ainda aberta a carregar os utensílios para o novo edifício, onde ninguém dorme e às dez horas fecha. No mais, portas batidas, portões de grade mostrando a ruína vasta das paredes e o anseio interminável de mudança. Paramos enfim na rampa. Alguns homens conversavam em mangas de camisa. Para eles era impossível deixar de aproveitar a rampa. Mas a doca estava quase vazia. Só, amarrada a um dos grossos e gastos argolões de ferro, uma falua balouçava. Era a última. Dali a minutos ela partiria, deixando abandonada a velha bonacheirona antiga, cuja história já tinha de legenda. Era a derradeira. A atmosfera estava carregada. E, além da falua tão cansada e triste, arabescando o horizonte de treva, um bando de corvos em círculos concêntricos alastrava um pedaço do céu.

Nota: Reproduzido de *Cinematógrafo,* Crônicas cariocas, Editores Livraria Chardron, de Lello & Irmão, Porto, 1909.

54

O mercado público de Fortaleza (1948)

A. da Silva Melo (1886-1973)

Muito instrutivas, para qualquer forasteiro, as visitas aos mercados locais, onde se torna fácil dar-nos conta de hábitos alimentares, assim como de outras peculiaridades da vida regional.

No mercado de Fortaleza, vi brinjelas maiores que *grapefruits* de tamanho médio e também outras mirradas, pequeninas, provavelmente por questões de terreno, adubo, irrigação. Um quiabo, denominado do Pará, apresenta-se como uma grande linguiça verde, aproximadamente de um metro de comprimento e uns três centímetros de diâmetro. Vegetais à venda: batata-doce, aipim, inhame, batata-inglesa, cenoura, tomate, abobrinha, maxixe, cebolinha, pimentão, tudo semelhante aos produtos do mercado carioca, enquanto o chuchu, o repolho e a beterraba são pequenos, pouco desenvolvidos, quase mirrados. Frutas: bananas, laranjas, e limas de diversas qualidades, abacaxis, sapotas e pinhas ou atas, goiaba, araçá, carambola, maracujá, macaúba, jenipapo, jaca, mangas, entre as quais a chamada coité: grande, redonda, de cor verde, saborosíssima, quase sem fibra. Os abacates eram pequenos e os melões enormes, vendidos ao preço de 10 a 20 cruzeiros cada um, o mesmo preço das jacas. Estávamos na época do caju, que abundava por toda a parte, tanto nos mercados, quanto enfeitando árvores e pomares. O amendoim era vendido sob o nome de mendubi, o aipim de macaxeira e a abóbora de jerimum. O murici encontrava-se em barris abertos, quase à moda de azeitonas e era ácido, adstringente, precisando ser socado ou ralado e misturado com açúcar para o preparo de cremes e refrescos, sendo comido igualmente com farinha. O mungunzá é a nossa canjica feita com grão de milho cozido em calda rala de açúcar, com ou sem leite de vaca ou de coco. É servido aos fregueses, ali mesmo, quente, existindo de cor branca e amarela. Havia cuscuz com coco; rapadura batida com gengibre ou castanha de caju; doce de buriti vendido a granel e muito saboroso, tipo de marmelada; cajus secos, macios, com aspecto e quase o mesmo sabor de ameixa preta, seca. Além disso, paçoca de gergelim preparada com sementes dessa planta e farinha; queijo de coalho e outros de diversas qualidades. A manteiga, de gosto muito saboroso, era vendida em garrafas, sendo uma parte do conteúdo de cor amarela e outra de cor branca, devido à mistura de creme de leite. Este era apresentado também batido, em latas vindas do sertão. Em abundância: alfenins, cocadas, doces variados, de balcão e tabuleiro.

Alguns preços: galinha 16, frangos 10 a 15, peru 60 cruzeiros. Inhame e batata-inglesa, 2 a 3 cruzeiros por quilo; macarrão 10; toucinho salgado 7. A Coca-Cola quase não conseguiu mercado em Fortaleza, apesar dos esforços empregados, provavelmente devido à excelente instalação dos caldos de cana e boas casas de refrescos. Bebe-se muita cajuada, feita do fruto fresco, assim como cajuína, já industrializada pela precipitação do tanino, depois açucarada e colorida por substâncias de diversas cores.

Já referimos que o pega-pinto encontra larga freguesia, tendo sabor suave, agradável. Pelo anúncio pregado na parede do estabelecimento verifiquei que é indicado no tratamento da gonorreia, talvez recurso prejudicial à sua difusão, principalmente agora, depois da descoberta da penicilina.

A carapinhada é um refresco de abacate ou de outras frutas com leite, em forma de flocos refrigerados, de onde deve provir a denominação.

Aluá é uma bebida preparada com milho, arroz ou cascas de abacaxi, que contém açúcar e fermenta em potes de barro hermeticamente fechados.

Do cajá-manga, chamado no Nordeste de cajarana, obtém-se uma bebida de sabor agradabilíssimo e de grande valor nutritivo, preparada com leite e suco da fruta ralada ou espremida, podendo ser usada como refresco, mesmo às refeições. Surpreendi-me de vê-la bem tolerada mesmo por estômagos hiperclorídricos!

No livro de Hanson, *Journey of Manaos*, é feita uma referência ao guaraná, naturalmente o engarrafado, bebido no Norte do Brasil. Encontrando-se ele doente e não podendo fazer uso de bebidas alcoólicas, viu-se obrigado a servir-se dessa bebida, que chama de "horrível", dizendo que os brasileiros lhe atribuem virtudes curativas para todos os males, desde as dores de dentes à perda de virilidade, *horrible soda pop for which Brazilians claim curative virtues for everything from toothache to lost manhood.*

Nota: Reproduzido de *Nordeste brasileiro*. Estudos e impressões de viagem. Livraria José Olympio Editora, Rio de Janeiro, 1953.

55

COMER NA GAVETA

Eduardo Frieiro

Não dizia o autor do *Romanceiro Brasílio*,[1] mas pode-se mencionar aqui que o povo de Mariana era chamado *gaveteiro*. Dava-se este nome, por desfrute, ao indivíduo que se dizia *comer na gaveta*,[2] vale dizer, que escondia o prato quando à hora da refeição aparecia de improviso algum estranho. A insinuação tem caráter universal e não se come escondido, como no caso, por sovinice, senão para ocultar uma refeição pobre. A gente marianense era em geral de poucos recursos, mas presumia de boa qualificação social. Comia angu, alimento do escravo, mas queria arrotar presunto. Era um mecanismo de defesa para os que evitavam tornar pública a pobreza da própria alimentação, que desqualifica socialmente.

A imagem nos veio de Portugal, informa-me o douto etnólogo Jaime Lopes Dias, carta de Lisboa, 12-VI-74, onde é corrente e vulgar. Também

---

1 Publicado no Rio de Janeiro em 1844, de autoria do português Vicente Pereira de Carvalho Guimarães. A primeira parte registrava dois dias de viagem na Província de Minas Gerais, dois anos antes.

2 Em *A cidade colonial* (Rio de Janeiro, 1961, p. 147-48), referindo-se aos que *comiam na gaveta,* diz Nelson Omegna: "Nem todos, porém, podiam exibir iguarias da sua mesa como documento de sua importância. Antes tinham que esconder a modéstia do passadio para resguardar o próprio *status*. Daí o hábito de comer escondido. A lenda, generalizada hoje pelo país, de pessoas que comem na gaveta espelha menos a avareza dos que não queriam despender com comensais, que o pendor dos que temiam tornar pública a pobreza das suas refeições, tão excessiva importância teria, nos modestos burgos, o papel dos alimentos para marcar e graduar a categoria social".

em França, *manger au tiroir*. A refeição variada e farta é um elemento valorizador. A redução ou penúria alimentar constitui opróbrio. O prof. Afrânio Peixoto (1876-1947) contava-nos de uma moreninha, aluna de escola municipal no Rio de Janeiro, que jamais se reunia às colegas na hora do lanche, quando todas abriam o farnel, levado de casa. Tinham-na por orgulhosa e presumida. É que a latinha da menina estava vazia! Retirava-se para um recanto, fingindo comer a invisível merenda, cuja ausência constatada a humilharia. A diretora soube da heroica simulação e encarregou-se da refeição normal, consumida à vista das companheiras na comunidade jubilosa do recreio.

Nota: Reproduzido de *Feijão, angu e couve* (Ensaio sobre a comida dos mineiros), Belo Horizonte, 1966.

56

O ANFITRIÃO DISPÉPTICO

Coelho Neto (1864-1934)

Rui Vaz[1] seguia a pé para as Laranjeiras e, tonificado pelo bom ar da manhã, saudável e aperitivo, empurrava o pesadíssimo portão do palacete do Visconde de Montenegro.[2]

Nesse casarão, que tinha a gravidade claustral de um mosteiro antigo, dormindo um sono pacato à sombra quieta do arvoredo, vivia o Visconde durante os meses chamados de inverno. Casto e sóbrio desde que, na Alemanha, ganhara certo mal que o trazia constantemente pelos consultórios e sempre a bradar contra as mulheres, observava rigorosa dieta não indo além da canja e do frango e de um regrado copo de Bourgogne. Era um asceta elegante.

Para que o não vencesse a sedução demoníaca, atordoava-se à mesa, que era lauta e franca. Não queria ouvir rumor de saias; as próprias negras, que passavam como fugitivas sombras pelos imensos corredores reboantes, colhiam cuidadosamente os vestidos para que nem roçassem nas tábuas enceradas. O fidalgo detestava a mulher, tinha horror ao feminino, à sua mesa só homens apareciam e tantos que dois expeditos copeiros, alípedes e solícitos, eram constantemente reclamados dum extremo a outro

---

1 Rui Vaz é o romancista Aluísio Azevedo (1857-1913). O episódio é verídico.

2 O Visconde de Montenegro é o Visconde de Barra Mansa, João Gomes de Carvalho (1839-1899), grande proprietário rural na província fluminense, viajado, amigo de livros, solteirão. Passava os invernos no Rio de Janeiro, adorando saciar os literatos famélicos.

e acudiam com as imensas travessas e com as terrinas incomensuráveis. Não raro um conviva desconhecido fartava-se e saía sem ter trocado uma palavra, sem mesmo saber a qual daqueles homens, que chalravam e devoravam, devia a fineza de tão delicado almoço e o Visconde, achando aquilo patriarcal, ficava satisfeito, ria, chupando, com ares saciados, a asa loura do frango.

O Visconde era lido em Cantu e discutia, com ardor, a história, tendo grande simpatia pelos tiranos. Luís XI era o seu homem. À mesa a sua opinião era como um oráculo: Luís XI era o homem da mesa e, como entre os comensais, havia um dotado de excelente voz de barítono, não raro o nome do rei carola era retumbantemente apregoado em uma ária escrita expressamente por um músico misterioso para o possante cantor. Só Rui Vaz condenava o companheiro fiel de mestre Jacques Coictier. O Visconde rugia, espumava; o casarão retumbava e os criados, tremendo, juntavam-se à porta, curiosos daquela desusada cena.

E o Visconde adorava o romancista, justamente porque nele encontrava um adversário. Sucedia-lhe com as opiniões o que a Polícrates sucedia com a fortuna – nunca era contrariado, como o tirano nunca teve um desejo que não fosse satisfeito, e o fidalgo revoltava-se, tinha cóleras surdas, não podia sacudir a poeira que havia pousado sobre a sua erudição, tinha de roer em silêncio o seu frango.

– Homero foi uma besta! – exclamava o Visconde; e a mesa em coro: "Uma veneranda besta!".

– Shakespeare foi um plagiário! – E o uníssono dos quarenta talheres: "Foi sim, senhor!".

Era horrível, Rui Vaz indignava-se:

– Besta! Homero?... Besta é quem o chama.

E travava-se a rezinga, mas o Visconde sentia-se aliviado, aquilo fazia-lhe bem. Rui Vaz era um homem bem diferente do barítono. Ah! O barítono...! Certa vez, depois do jantar, sentindo-se o Visconde indisposto, chamou-o e disse-lhe:

– Ó coisa, dá umas voltas aí pelo parque, correndo, para ver se faço a minha digestão que está hoje morosa.

Contava o fidalgo com um protesto enérgico, mas desiludiu-se vendo o cantor atirar-se, pelo parque, às pernadas, com um gamo, bufando, perseguido pelos cães; e o Visconde, triste quando o viu roxo e gotejando como um chuveiro, chamou-o:

– Obrigado, meu amigo. Sempre me fez bem essa corrida. Hás de fazer agora o mesmo todos os dias depois das refeições. Os médicos recomendaram-me exercícios.

E o barítono, esfalfado, ofereceu-se para fazer mais algumas voltas se S. Exa. quisesse.

Nota: Reproduzido de *A conquista,* 2ª ed., Porto, 1913. O livro é de 1897, revivendo o Rio de Janeiro de 1887-1888.

57

OS SANTOS DA ALIMENTAÇÃO BRASILEIRA

Luís da Câmara Cascudo

*L*ar é a pedra onde se faz o lume caseiro. Abrangeu posteriormente a casa, a família, todos os que vivem ao calor do fogo doméstico. Os romanos criaram os deuses larários, figurando os antepassados, os Manes, protetores do grupo familiar no espaço e no tempo. Eram os Penates, os Mortos divinizados. *Avant de concevoir et d'adorer Indra ou Zeus, l'homme adora les morts,* lembra Fustel de Coulanges. Esse culto, inicial, diário, indispensável em cada residência romana, veio até novembro de 392 depois de Cristo, quando o imperador Teodósio o extinguiu.

Dez séculos antes, Numa Pompilius dera aos fogões uma égide, Fornax, e uma festa oficial, Fornacália, em fevereiro, movimentando toda a Roma. Mortos os Penates, a deusa Fornax desapareceu com eles da cozinha de onde o cristianismo afugentara os sorridentes fantasmas milenares.

Mil quinhentos e setenta e três anos depois do decreto de Teodósio, o culto larário e da Fornax sobrevive no Brasil em muitas reminiscências populares; o respeito às chamas do lar e certas atenções à parafernália dos fogões. Fornax e os Manes dirão como o poeta Horácio, velho devoto: *Non omnis moriar.*

Gregos e romanos possuíam os divinos doadores das espécies alimentares; os cereais, o vinho, o mel, o gado, queijo, ervas, frutos, legumes, os peixes e a caça, mariscos, crustáceos, todos os implementos da cibária e da condimenta. Não julgaram útil a materialização de entes sobrenaturais velando pela continuidade do abastecimento regular e normal, como os japoneses têm Ebisu, *God of Daily Food*, um pescador trazendo na mão o peixe *tai*, o prestigioso pargo; para os chineses a deusa Tsaô-Kung-King, correspondendo a *bonne chère*, a fartura alimentar cotidiana.

Mas os povos cristãos titularam seus padroeiros na manutenção do sustento. No Brasil o natural protetor do alimento domiciliar é Santo Onofre, eremita do séc. IV, com sessenta anos de penitência no deserto da Tebaida. É um monge barbudo, segurando uma caixa na altura do peito. Colocam-no invariavelmente de costas no oratório ou no guarda-comida, na posição de quem entra. Pelo Nordeste antigo rara seria a casa sem um Santo Onofre pequenino, esculpido em madeira, garantindo a subsistência doméstica. Punham-no sobre farinha espalhada, símbolo dos víveres. Passou, infelizmente, também a proteger jogadores, oculto na manga da camisa ou na perna da calça. Mergulhavam-no em copo de cachaça. Não apurei função idêntica em Portugal de onde nos veio a veneração. Há imagens em que o Santo Onofre está despido, coberto pudicamente pela cabeleira e barbas imensas. O mais comum é o frade, com a caixa no peito, guardando a sequência da provisão.

É Santo Onofre a devoção velha, secular, inicial na espécie, e que vai abandonando o posto tradicional.

Na Bahia substituem-no os santos Cosme e Damião que, de patronos médicos na Europa, assumiram a responsabilidade pela comida de todo dia comum. Ficam no Rio de Janeiro rodeados de acepipes, já prontos, às vezes dentro de um pires ou de uma xícara, misturados no feijão cozido, carne, toucinho e farinha. Na cidade do Salvador oferecem o *caruru dos meninos* em 27 de setembro, dia oblacional. As crianças são servidas e depois os adultos, com canto e dança de roda. O processo aculturativo fez os santos Cosme e Damião convergirem para os Ibeiji, Beiji, os gêmeos sudaneses, reverenciados nos candomblés e que, na África Ocidental, têm missão diversa da propiciação nutritiva.

Na Europa o culto fervoroso aos santos Cosme e Damião refere-se unicamente às intervenções terapêuticas. Não há, evidentemente, oferta de alimentos nem os dois irmãos exercem as funções vividas no Brasil. Os santos são, para seus fiéis baianos, os Dois-Dois, Ibeijis, presença da cultura religiosa do Sudão.

Havia uma santa a quem dedicavam as cozinheiras especial carinho, ajoelhando-se junto ao fogão e rezando nos dias de trabalho importante no plano culinário. Era Santa Zita, cozinheira durante sessenta anos na casa do *signor* Pagano di Fatinelli em Lucca, falecida em 1278. Ajoelhava--se perto do fogo para orar, como suas devotas imitavam, outrora, no Brasil Velho. Fazia a comida *render* e não queimar, num descuido da responsável. Não se via imagem nem aparecia oferta de "provas" como fazem na Bahia com *os meninos*, Cosme e Damião. Não havia "promessas" nem festejos no seu dia, 27 de abril. Confundiam-na, as mais das vezes, com Santa Rita de Cássia, que não tinha atributos funcionais para a suplência.

Dizem ser falta de respeito figura de santo na cozinha. Há, entretanto, exceções. Nunca vi efígies femininas, mas algumas masculinas. Os mais encontráveis são São Jorge, Santo Antônio, São Sebastião, São Benedito, São Expedito. Os fiéis dos candomblés identificam São Jorge com Oxóssi, Santo Antônio com Ogum, São Sebastião com Obalauiê, Omulu moço, São Benedito diz João do Rio chamar-se Lingongo, entre os pretos cabindas do Rio de Janeiro em 1903. Não sei a convergência macumbeira de Santo Expedito, sugerindo rapidez, eficácia, prontidão. Não ficam na parede mas na tábua da porta, portal ou dintel, as figuras.

Da Paraíba para o norte os santos católicos não sofreram aculturação nagô. Valem como eles próprios.

Minha mãe (1871-1961) afirmava a popularidade de São Sebastião contra a fome, peste e guerra, decorrendo sua habitual inclusão nos oratórios e, às vezes, pequenos cromos com sua figura na porta da cozinha. Contra a fome...

Como é o santo favorito no norte de Portugal e os nortistas portugueses deram vultosa população ao Brasil, é natural a divulgação e simpatia pelo megalomártir.

Ao lado, e possivelmente anterior, à exposição de Cosme e Damião, existe na Bahia o São Benedito, querido por pretos e brancos, mais por estes que por aqueles. São Benedito, único orago de cor escura, nada significa no panteão jejê-nagô baiano e carioca. Nenhum orixá o encarna. A popularidade é mais viva entre mestiços e brancos. Quinze Pontífices usaram esse nome, desde o séc. VI ao XX. Benedito, mouro siciliano, faleceu em 1589, mas fora canonizado nas duas primeiras décadas do séc. XIX pelo Papa Pio VII. Explica-se que a sua vulgarização devocional independeu do consagratório canônico. "O São Benedito na cozinha garante fartura", informa Hildegardes Vianna, exímia na documentária baiana. São Benedito foi cozinheiro, multiplicador de vitualhas no seu convento em Palermo.

Santo Onofre vale quando *em vulto*, preferencialmente na entrada do oratório ou na primeira prateleira do guarda-comida.

A oferenda, de alimentos como ocorre na Bahia aos santos Cosme e Damião, é uma projeção de rito africano e não vinda da Europa, onde a fiscalização do Santo Ofício proibia e castigava qualquer reminiscência gentílica. Constara do cerimonial da festa das Carístias em Roma, 19 de fevereiro, quando os deuses larários recebiam uma parte de quanto fosse servido na mesa regular da família. Ovídio, em *Os Fastos,* recorda:

Libai cada vianda aos prontos Lares,
E em seus pratinhos lhe enviai da mesa,
Em sinal d'honra, o seu quinhão devido.

A Santa Inquisição realizou *Visitações* "às Partes do Brasil", na Bahia, 1591-93 e 1618-19, e Pernambuco e Paraíba, 1593-95, sem que conste das denúncias e confissões registadas alguma alusão ao que fazem presentemente aos *Dois-Dois* baianos. Quando aí fazem *comida de azeite*, subentendendo-se óleo de dendê (*Elaeis guineensis*) que tivemos do Congo português, atiram uma porção no "matinho verde" em homenagem *aos meninos*, Cosme e Damião. Somente acontece esse uso onde exista a influência negra dos iorubanos da África Ocidental. As Carístias não tinham deixado memória no espírito do povo. Depor alimentos no túmulo é que foi hábito persistente até finais do séc. XVIII e possivelmente mais além. Era uma sobrevivência das Parentais de Roma, também cumpridas em fevereiro, quando levavam alimentos aos Mortos, sob pena destes se tornarem agressivos lêmures malfazejos.

Pelo exposto e verificável, os santos protetores da alimentação atravessam no Brasil o crepúsculo dos deuses...

No Nordeste a *Velha do Chapéu Grande* é a personalização da Fome como no Rio Grande do Sul o *Rafael* valerá semelhantemente (Augusto Meyer, *Guia do folclore gaúcho,* Rio de Janeiro, 1951), citando Ramiro

Barcelos no *Antônio Chimango:*
Isso então... era um alarme!
Feijão, milho assado, mel,
Canjica, rolão, pastel...
Tudo, tudo ele topava;
Parece que sempre andava
Às voltas co Rafael.

Na Bahia, pelo menos na cidade do Salvador, *Bernardo* é sinônimo de penúria alimentar. Informa-me Hildegardes Vianna: "Bernardo é uma expressão que vai caindo em desuso aqui, mas que teve a sua voga. Quando eu era menina, via a gente pobre se queixar da presença de Bernardo em casa. Quando Bernardo ficava 'em cima do fogão' era porque não havia o que comer. Conheci um velho carteiro chamado Bernardo que, quando ouvia algum vizinho gritar – 'Bernardo está aí?' – respondia ao pé da letra: 'Em cima do fogão, não!'".

58

CARDÁPIO DO INDÍGENA NORDESTINO

Jorge Marcgrave (1610-1644)

O alimento geral dos indígenas é o *Vi,* que se chama, em português, *Farinha de mandioca* da qual há várias espécies.

Fazem uso de várias carnes de animais silvestres, aves, peixes, testáceos e crustáceos; de frutos das árvores e terrestres, de vários legumes. Comem também insetos.

Comem a carne cozida, assada ou tostada. Cozinham-na em panelas de barro, redondas, chamadas *Camu* (sabem fazê-las de boa argila), infundindo água. Comem-na cozida com *inquitaya*, caldo de *carimaciu* misturando-a com *mingau*; ou às vezes misturam com ela o *viatâ* para que se torne *minipirô*, que comem em vez de pão. Acendem o fogo por meio de dois tocos de madeira, um mole, outro duro. Fazem uma ponta no duro e o friccionam no mole, movendo-o circularmente, como se fosse uma verruma, e aproximando dele fios de algodão ou folhas secas até que se produza a chama. Para o toco mole servem-se das árvores *Tataiba* ou *Ambaiba* ou *Caraguata guacu* e quejandas.

Com o processo seguinte (chamam-no *Biaribi*) preparam a carne assada, que excede em sabor a qualquer uma, preparada de outro modo. Praticam um buraco, na terra, e no fundo põem folhas grandes de árvores; superpõem a carne para ser assada; cobrem-na de folhas e, enfim, de terra. Sobre esta ateiam uma fogueira, que vão alimentando até que a carne fique assada.

Da maneira seguinte preparam a carne tostada, que serve para uso atual e futuro. A quatro esteios de madeira, fincados em terra, assentam uma grade de travessas de madeira, chamada *Mocae*. Em cima colocam a carne, cortada em postas largas não grossas, salpicadas de sal (ou, em sua falta, de pimenta indígena); sotopõem brasas e assim a torram de um modo suficiente. A carne assim tostada dura dez, quatorze ou mais dias. Aqui não se pode salgar a carne como na Europa. Nunca assam carne, no espeto, como costumamos. As carnes tostadas, como explicamos, são chamadas *Postas* pelos portugueses.

Comem peixe assado ou cozido com *inquitaya*. Quando assam caranguejos ou lagostins, não lhes adicionam sal, como os nossos costumam fazer, mas os comem, depois de assados, com simples sal ou *inquitaya* (em português sal-pimenta), porque assim lhes parecem mais agradáveis. Quanto aos peixes menores, *piaba*, *piquitinga* etc., os envolvem em folhas de árvores ou ervas e cobrem com cinza quente; rapidamente ficam preparados para se comer, embora não se possa dizer que estejam assados ou cozidos.

Quando comem, vão deitando à boca a farinha com os dois ou três últimos dedos da mão direita, sem que façam uso de colher; do mesmo modo não colocam na boca os legumes, mas os jogam com tal destreza que nada escapa.

Comem muitas vezes, de dia e até de noite, não observando horário algum para comer; tomam o alimento em profundo silêncio; raramente bebem durante a refeição, mas só o fazem depois de terminada.

Dormem em redes; são muito preguiçosos e não raro perdem o dia inteiro deitados; com muita dificuldade se levantam, quando o alimento é abundante e a necessidade não os impele a sair. Perto de suas redes pênseis, acendem fogueira de dia e de noite; de dia a fogueira serve para cozinhar os alimentos; de noite, para aquecimento, porquanto nestas regiões o frio é maior de noite, chegando a ser por vezes intensíssimo, porque sempre é igual à duração do dia e da noite.

A bebida ordinária dos indígenas é a água da fonte ou do rio; esta se encontra aqui muito boa e clara; não faz mal, posto que usada em alta escala; o que se verifica sobretudo se é da fonte.

As vinhas aqui, embora produzam frutos três ou quatro vezes por ano, contudo, como não são bem abundantes para o fabrico do vinho ou não seja vantajoso ou fácil fabricá-lo, em lugar do mesmo os indígenas fazem bebidas de frutos e raízes. Entre estas sobressai o *Caoi*, que é fabricado do fruto maduro da árvore Acaijba. Esmagam o fruto num almofariz de madeira ou então com as mãos; deixam o suco um pouco em repouso; em seguida o filtram.

Este vinho, se assim é permitido dizer, fica branco como o leite; depois de alguns dias, vai-se tornando pálido. É de sabor adstringente, forte, de sorte que embriaga, se for tomado em demasia. Pode ser conservado, mas degenera em vinagre ótimo e de bom sabor, de sorte que pode ser tomado por vinagre de vinho pelos ignorantes.

Outro vinho é o *Aipij*, que preparam de duas maneiras: mastigando ou socando a raiz e, depois, fazendo a ebulição.

Do primeiro modo, as velhas mastigam as raízes picadas de *Aipimacaxeira*, depois a cospem na panela e a denominam suco de caraçu. Em seguida deitam-lhe água e aquecem em fogo lento, movendo continuamente a panela; espremendo depois separam o licor que denominam *Caviracaru*. Esta bebida é tomada morna. Quanto ao outro modo, a mesma raiz nova, bem limpa, é dividida, socada e fervida, tornando-se uma bebida branca como o leite desnatado; é tomada morna. Seu sabor é agradável, um pouco ácido; dão-lhe o nome de *Cacimacaxera*. Ambas estas bebidas são designadas pelo nome genérico de *Aipij*.

Um terceiro gênero de bebida chama-se *Pacobi* e é feita de frutos de árvore *Pacobete* e *Pacobuçu*.

O quarto gênero de bebida chama-se *Abatiî, Vinho de Milho*, em português. É fabricado com o milho grande, vulgarmente chamado "turco" e "maiz".

O quinto chama-se *Nanaî*. É fabricado com o preciosíssimo fruto denominado *Nana*. Convém observar que esta bebida é mais forte e mais facilmente embriaga. O sexto gênero se chama *Ietici, Vinho de Batatas*, em português. É feito das tão conhecidas batatas, variadamente misturadas.

Ocupa o sétimo lugar a bebida que se faz de fruto maduro do *Ianipaba*.

A oitava é chamada pelos indígenas *Beeutingui*.

A nona chamada *Tipiacî*, bem como a precedente, são ambas feitas de farinha de mandioca, isto é, de *Beiû* e da *Tepioia*.

Além disso, esses bárbaros gostam muito de nossas bebidas alcoólicas a que dão o nome de *Caci-tata* e, quando se lhes dá delas, embriagam-se enormemente. Ingurgitam, em alta escala, a bebida, feita pelos negros, chamada *Garapa*. Homens e mulheres passam dias e noites inteiros cantando, dançando e entregando-se a uma contínua bebedeira. É de admirar que, no meio da bebedeira, raramente brigam, exceto às vezes por motivos de ciúme.

Os tapuias, quando preparam esta bebedeira, quer *Acauî* quer *Aiipiî* (isto é, os que moram nas aldeias e são denominados *Cariri*, do gênero dos tapuias), fazem-no todos juntamente. É marcado um dia, dado a cada um o aviso; reúnem-se todos de manhã, começando de um ângulo da aldeia, e consomem todo o vinho, em cada casa até que nada reste.

Entregando-se à bebedeira, cantarolam e dançam quase sem interrupção; quando algum se sente repleto demasiadamente de bebida, provoca o vômito e bebe novamente; desta maneira quem pode vomitar mais e beber de novo é tido pelo melhor e mais poderoso dos beberrões.

Nota: Reproduzido de *História natural do Brasil,* trad. de mons. José Procópio de Magalhães, São Paulo, 1942.
No 1º tomo da *História da alimentação no Brasil* [Edição atual – 4. ed. São Paulo: Global, 2011. 954 p. (N. E.)], onde Marcgrave foi informador precioso, são identificados os vocábulos indígenas constantes do texto transcrito.
Jorge Marcgrave esteve no Brasil de abril de 1638 a maio de 1644, quando viajou para Angola onde no mesmo ano faleceu. Residiu e conheceu notadamente a região do Nordeste, Pernambuco, Paraíba, Rio Grande do Norte, participantes do domínio holandês. De um modo geral era essa a alimentação do indígena brasileiro, bebidas, fabrico e conservação.

59

DIETÉTICA CARIOCA DE 1817

C. F. F. von Martius (1794-1868)

A alimentação das classes inferiores do povo dá pouco ensejo às doenças. A mandioca (*Cassava*), o fubá e o feijão-preto, em geral cozidos com toucinho e carne seca ao sol e salgada, formam a principal parte do embora pesado e grosseiro alimento, mas saudável para quem faz muito exercício ou toma vinho português ou cachaça. Os peixes não são aqui tão apreciados como nas costas europeias. Nos países quentes, onde os alimentos mais depressa se corrompem, parece que o uso do peixe aumenta ou está sempre em relação com a preguiça, com a pobreza, assim como o estado doentio do povo; ao menos, em toda a nossa viagem, existia maior miséria, onde os habitantes se alimentavam exclusivamente de peixe. Na classe média da burguesia do Rio, que ainda não adotou inteiramente os costumes de Portugal, não é relativamente muito animal a nutrição, pois satisfazem-se com as deliciosas frutas e o queijo importado de Minas que, com as bananas, nunca faltam em mesa alguma. Mesmo o pão de trigo come-o o brasileiro moderadamente e prefere-lhe a sua farinha. A farinha de trigo, importada da América do Norte e da Europa, conserva-se aqui uns cinco a seis meses. Também as espécies mais finas de legumes europeus, que todas podem ser cultivadas com facilidade, não constituem, entretanto, parte importante da nutrição do povo; são preferidas, porém, as laranjas, goiabas, melancias e batatas.

Além da simplicidade da cozinha brasileira, também é digna de encômio a sobriedade nas refeições, o que favorece a saúde do povo de país tão quente. O brasileiro, acompanhando os seus poucos pratos, quase não bebe, toma muita água, e goza, além disso, de todas as coisas com a maior regularidade, seguindo assim a severa ordem que se nota aqui entre os trópicos, em todos os fenômenos da natureza. À noite, ele não toma quase nada, prudentemente; quando muito, bebe uma xícara de chá ou de café, à falta do primeiro, e priva-se, sobretudo à noite, das frutas frescas. Somente tal dieta e a conformidade com as condições do clima o protegem, contra muitas enfermidades, que atacam o estrangeiro incauto ou não informado. É, pois, de todo o modo aconselhável aos forasteiros observar dieta igual à dos brasileiros, não se ativar fora de casa nas horas mais quentes do dia, quando todas as ruas estão vazias de gente, para evitar a mortal insolação, nem à noite se deve expor ao sereno, fugindo às perigosas consequências dos resfriados e, ainda menos, entregar-se ao amor físico. Também, ao satisfazer com água a sede insaciável, é preciso cuidado. Aconselharam-nos a tomar água com vinho ou com cachaça; somente servem com vantagem esses meios, quando se faz pouco exercício e à sombra, pois logo o violento afluxo de sangue à cabeça, durante as viagens quando nos expusemos muito ao sol, nos proibiu, sobretudo nos primeiros anos, o uso de qualquer bebida espirituosa; refrescavamo-nos, portanto, de preferência, com a água fresca dos regatos, sem lhe acrescentar cousa alguma; quando nos expúnhamos de novo ao calor, nunca sofremos consequência alguma desagradável. Estas observações dietéticas, cremos, devem ser bastante recomendadas à atenção dos viajantes.

Nota: Reproduzido de *Viagem pelo Brasil*, trad. de d. Lúcia Furquim Lahmeyer, I tomo, Rio de Janeiro, 1938.

João Baptista von Spix e Carlos Frederico Filipe von Martius chegaram ao Rio de Janeiro a 15 de julho de 1817 e regressaram à Europa, partindo de Belém do Pará, a 14 de junho de 1820.

Martius, doutor em Medicina, estava encarregado da documentação botânica da expedição científica, mas a *Reise in Brasilien* (München, 1823) é fonte inesgotável de informação em todos os ângulos do conhecimento. Percorrem as Províncias do Rio de Janeiro, São Paulo, Minas Gerais, Bahia; sertão de Pernambuco, Piauí, Maranhão, Pará e Amazonas.

60

CANTANDO PARA CAÇAR FORMIGAS

Frei Ivo D'evreux (1577-1629)

Caçam os selvagens somente as formigas grossas como um dedo polegar, para o que se abala uma aldeia inteira de homens, mulheres, rapazes e raparigas. A primeira vez que vi esta caçada, não sabia o que era, e nem onde ia tão apressada gente, deixando suas casas para correr após as formigas voadoras, as quais agarram, metem-nas numa cabaça, tiram-lhes as asas para fritá-las e comê-las.

Nota: Reproduzido de *Viagem ao Norte do Brasil*, trad. de César Augusto Marques, Rio de Janeiro, 1929. O original foi editado em Paris, em 1615. A primeira versão brasileira é de 1874.

Bibliografia: De fácil encontro nos viajantes e naturalistas do séc. XIX o registo: Eschwege, Bates, Ch. Fred. Hartt, Stradelli, Wallace, Avé-Lallemant etc.

Saint-Hilaire, S*egunda viagem ao interior do Brasil*, "Espírito Santo", São Paulo, 1936, p. 27-8: "Toda a população do Espírito Santo não se aflige, contudo, com a abundância das grandes formigas. Logo que, munidas de asas, venham a mostrar-se, os negros e as crianças apanham-nas e comem-nas; os moradores de Campos, que vivem num estado de rivalidade e contendem com os da Vila da Vitória, chamam-nos de Papa Tanajuras, comedores de formigas. Não acontece unicamente na Província do Espírito Santo nutrirem-se de grandes formigas aladas: asseguraram-me que as vendem no mercado de São Paulo, sem o abdômen e fritas; eu mesmo comi um prato delas, preparadas por uma mulher paulista, e não lhes achei gosto desagradável".

Dicionário do Folclore Brasileiro, Formiga, Saúva, Tanajura, Instituto Nacional do Livro, Brasília, 1972. [Edição atual – 12. ed. São Paulo: Global, 2012. (N. E.)]

Civilização e cultura, 2º, Rio de Janeiro, 1973, p. 165. [Edição atual – São Paulo: Global, 2004. (N. E.)]

Eduardo Frieiro, *Feijão, angu e couve*, cap. II, Belo Horizonte, 1966.

Caçam-nas também por outra maneira, e são as raparigas e as mulheres que, sentando-se na boca da caverna, convidam-nas a sair por meio de uma pequena cantoria assim traduzida pelo meu intérprete: "Vinde, minha amiga, vinde ver a mulher formosa, ela nos dará avelãs". Repetiam isto à medida que iam saindo, e que iam sendo agarradas, tirando-se-lhes as asas e os pés. Quando eram duas as mulheres, cantava uma e depois a outra, e as formigas que então saíam eram da cantora.

61

Disputas Gastronômicas

Luís da Câmara Cascudo

Em 1955, o sr. Giovanni di Claudio estabeleceu em Chieri, Itália, o campeonato do *spaghetti*, comendo meio quilo num minuto e quarenta segundos.

No mesmo dia 9 de setembro de 1955 realizou-se na cidade de Évora, Portugal, notável batalha nos domínios da voracidade lusitana.

Trinta e cinco convidados, reunidos no "Moinho Encarnado", constituindo a sociedade *Unidos de Farrobo*, nome da localidade, enfrentaram cardápios que invalidam as bodas de Camacho e empatam, claramente, com as proezas do saudoso Pantagruel. Os "Unidos de Farrobo" comeram meia tonelada de pão, carnes e peixes. Beberam seiscentos litros de vinho, duzentas e vinte e duas garrafas de água mineral, setenta e quatro de cerveja e dez litros de aguardente. Juntem ainda dez arrobas de batatas, setenta e cinco quilos de carne de carneiro, setenta e cinco quilos de pão, vinte frangos gigantes, dezenas de almôndegas, trinta quilos de tomates, e ainda há um espantoso *etc...*

A festa durou dois dias e um dos sobreviventes prestou depoimento da memorável façanha: "Bebi 25 litros de vinho, 10 gasosas, um litro de aguardente para *molhar* três grandes pães, 40 croquetes, perna e meia de carneiro assado, cinco quilos de batatas, metade de uma galinha e um frango assados". Sabe-se o nome do herói: Joaquim Fernandes Segurado, com 1,75 de altura, e apenas ou simplesmente 54 quilos de peso. É camareiro profissional.

Alguns jornais comentam, meio zangados, o apetite italiano e português, salientando os feios pecados da gula e a falta de solidariedade com a fome do resto da humanidade. De mim, creio que é inveja do jornalista por não ter participado do festim de Évora ou da disputa de Chieri.

Para começo de conversa, comer muito pressupõe a existência do que comer e o apetite para exercer o ato comilão. Para que exista, deduz-se a fartura do mercado e a facilidade da obtenção desses produtos variados da técnica manducatória. Para que esses trinta e cinco portugueses passem dois dias comendo no "Moinho Encarnado", sob o céu da erudita Évora, exigem as lógicas ciências a coexistência de muitos fatores indispensáveis para a espetacular comilança alentejana.

Sem tranquilidade ninguém faz frente a esses montões alimentícios. Sem segurança não há confiança na consecução da "festada", como dizem em Guimarães. Uma festada de fundamentos devorantes fundamenta-se da certeza amistosa dos comensais, possibilitando o clima afetuoso do ágape. Sem abundância de víveres não se realizariam as quarenta e oito horas de ininterrupta mastigação. Sem dinheiro os alimentos estariam no mercado e não nos estômagos foliões. E se apareceu dinheiro é que seria saldo de outras necessidades, satisfeitas pelos escudos funcionais. Os escudos do festim positivam um *superavit* financeiro no grupo dos trinta e cinco "Unidos do Farrobo". E esses portugueses possuíam esplêndido apetite consumidor e não menor regularidade no mecanismo digestivo.

Não haverá, evidentemente, maior propaganda turística para Itália e Portugal que esses dois banquetes de Chieri e Évora, entre gente do povo. Divulgam eles em linguagem irrespondível existência de bons estômagos, de fartos alimentos, cordialidade no plano da convivência e a circulação monetária com força aquisitiva capaz de efetuar o rega-bofe abarrotante.

Nem todos os países gozam dos benefícios dessa propaganda. Os telegramas com essas notícias são raros como equilíbrios orçamentários.

Ninguém come bem, come muito, sem ambiente tranquilo, clima cordial, amizade participante. E dinheiro suficiente para satisfazer essas *utilidades*. Pensemos ainda na convergência de elementos psicológicos, hábitos de convivência, saúde, bom humor, alegria pela reunião de amigos.

Quando desapareceram no Rio de Janeiro as *rodas* onde comiam, bebiam e conversavam os "literatos", desapareceram também as fontes de anedota, do epigrama, do trocadilho no plano da hilaridade comunicante, leve, álacre, sacudindo mágoas e correndo os demônios fuscos do mau humor trombudo. O bar *automático*, consumação de pé, sozinho, apressado, o calamitoso *self-service*, ajudaram, em alta percentagem, a matar por asfixia os velhos júbilos do humorismo carioca. O mesmo, tal e qual, ocorreu em Paris. As bebidas e lanches, sumidos das mesinhas nas calçadas e passeios, levaram para a morte aquele clima mantenedor da pilhéria parisiense. Hoje o parisiense é criatura mal-humorada como um motorista carioca. Ou como um *chauffeur* de Paris, esplendor na espécie.

Mas outrora essas disputas gastronômicas interessavam altos nomes ilustres. Não significavam elementos pejorativos, inferioridades lamentáveis, vícios reprovados nos arminhos da boa educação social. Eram virtudes de conquista pessoal, afamadas como dançar bem, ter pontaria infalível, atravessar a Guanabara a nado. Ou falar francês sem silabada notável.

Salvador de Mendonça (1841-1913), escritor, jornalista, diplomata, sabia evocar sua época sem transfigurá-la pelo confronto contemporâneo. Claridade de bom gosto, equilibrado e nítido, em páginas lidas com prazer, iluminando muita confidência saborosa e velha. A *Revista do Livro* (nº 20, Rio de Janeiro, dezembro de 1960), arquivou "Cousas do meu tempo", digníssimas de leitura.

Ressuscitam Justiniano José da Rocha (1812-1862), durante trinta anos na primeira fila, diária e normal, do jornalismo no Brasil da Regência e do Império. Era inesgotável, debatedor, discutindo todos os motivos cotidianos, polemista sem ponto-final, tradutor de Victor Hugo, Dumas Pai, Eugênio Sue, ditando para dois secretários assuntos diversos e com igual veemência.

Outra figura que volta ligeiramente a passar e ser vista é Francisco Otaviano de Almeida Rosa (1825-1889), advogado, político, diplomata, e para Machado de Assis *o mais elegante jornalista do seu tempo... um dos atenienses desse mundo*. Em 1867 seria Senador do Império pelo Rio de Janeiro.

O episódio vive no Rio de Janeiro de 1858.

Justiniano era glória do Partido Conservador e Otaviano uma égide do Partido Liberal. Faziam, gentilmente, *la guerre en dentelles*, com uma e outra pedrada de interlúdio.

Ao lado dessas famas e proveitos intelectuais, os dois grandes jornalistas tinham renome de soberbos valorizadores de uma boa mesa. Os admiradores garantiam o fácil domínio de um sobre o outro, narrando proezas estupefacientes dos dois heróis, em campos distantes da concorrência adversa.

O Conselheiro Nabuco (José Tomás Nabuco de Araújo, 1813-1878), Ministro de Estado, senador pela Bahia, tribuno aclamado, deliberou promover o encontro dos dois campeões em sua própria residência, frente a uma ceia da Confeitaria Guimarães, da Rua do Ouvidor, e tendo por árbitro o Marquês de Abrantes (Miguel Calmon du Pin e Almeida, 1796-1865),

Ministro, senador pelo Ceará, conselheiro, o orador a quem chamavam o *Canário*, delicado, melódico, resistente, também legítimo *gourmet* aristocrático.

Para Almeida Rosa e Justiniano havia a responsabilidade de defender a bandeira partidária no combate decisivo que o senador Nabuco determinara no palacete da Rua do Catete, elevando a ceia à matéria disputadora em plano irrecorrível e fatal.

Salvador de Mendonça, a testemunha devidamente compromissada, presta o precioso depoimento, de conhecimento direto, ao qual me reporto e dou fé.

"A primeira vez que o vi foi em casa do senador Nabuco, à Rua do Catete, no sobrado que hoje tem o número 203. Sizenando Nabuco era meu companheiro de estudos no Colégio Marinho, e trazia-me sempre convites de sua família, para os saraus que davam. Escusava-me com a escassez de tempo, mas uma noite em que me avisou de que Justiniano e Otaviano iam bater-se em duelo em sua casa, despertou-se-me a curiosidade e acompanhei-o.

"Servida a ceia – uma ceia lauta como as sabia preparar a Confeitaria Guimarães, da Rua do Ouvidor, quase a sair na Rua Direita –, depois de se retirarem as senhoras e os cavalheiros que preferiam sua companhia e a dança e a música dos salões da frente, o conselheiro Nabuco pôs à cabeceira e na presidência da mesa o Marquês de Abrantes, como juiz único no duelo ajustado. Tinha à direita Justiniano e Otaviano à esquerda. Depois de declarar que as condições do duelo eram comerem os contendores segundo as maneiras civilizadas, depressa ou devagar, mas ficando como vencedor quem mais comesse, bateu palmas, e iniciou-se o combate.

"Os dois gastrônomos, conhecidos nesse tempo como os dois melhores garfos do Rio de Janeiro, começaram por algumas generosas fatias de presunto com pão e salada, regadas com algum vinho branco; em seguida demoliram cada um a sua maionese de peixe, passaram ambos a devorar cada qual a sua perdiz trufada, depois uma boa libra de rosbife, cada um atacando em seguida dois perus de forno e respectivos recheios de farófia, azeitona e ovos duros, com tal bravura que os circunstantes já olhavam com terror para os combatentes e um dos copeiros já estimava o peso do alimento ingerido por cada um deles em mais de sete libras.

"Passaram aos doces e quando atacaram conjuntamente um grande prato de desmamadas, Justiniano colhia-as com tal presteza que Otaviano disparou a rir até o ponto de não poder continuar o duelo e, voltando-se para Justiniano, disse-lhe: 'Rocha, você já viu a última gravura de *Gargantua*, quando o padeiro lhe mete uma empada na boca com a pá? Você já não come desmamadas, enforna-as!'. E tomando uma taça de *champagne* e bebendo à saúde do contendor, declarou-se vencido.

"O Marquês de Abrantes proclamou vencedor a Justiniano, declarando 'haver ficado ali bem comprovado a sua maior capacidade'.

"Dois dias depois disse-me um dos filhos de Justiniano da Rocha que, ao voltarem de carro para casa, finda a função, o pai, que ainda tirara da mesa um jacu, para o almoço do dia seguinte, pelas alturas do Chafariz do Lagarto, deitara-lhe fora os ossos, por tê-lo liquidado em caminho."

As *desmamadas*, que Justiniano *enfornava* aos punhados em vez de tomá-las pela unidade, são doces de leite, açúcar, farinha de arroz, leite de coco, ou amêndoas raladas, manteiga, gemas de ovos, um pouco de água de flor de laranja para *dar o gosto*. Serviam, deixando o forno, em forminhas untadas em manteiga francesa, com leve polvilho de açúcar fino.

Salvador de Mendonça visitou Justiniano da Rocha nos primeiros dias de junho de 1862, ano em que faleceria o grande jornalista. E descreve:

"Em frente da porta que dava para o jardim, no primeiro plano e a contemplar a sua criação, estava sentado e em larga poltrona o mestre, com o rosto emagrecido, o ventre volumoso, a espiar para fora, esquecido de que havia sido, ao lado de Bernardo de Vasconcelos, a âncora mais forte do Império, para só lembrar-se, naquela hora, ao olhar para suas galinhas pretas, das boas canjas douradas que não chegaria a comer".

Medeiros Netto (Antônio Garcia de M. N., 1887-1948), que presidiu o Senado Federal, alto e claro espírito de cultura e graça, evocou um outro famosíssimo duelo de gastrônomos baianos, professores de Direito, orgulhos da inteligência e veteranos do bem comer na cidade do Salvador. Virgílio de Lemos e Amâncio de Sousa desafiaram-se no "Esmero", a ladeira da Praça, o melhor restaurante da época. O vencido pagaria o ágape. Consumiram todos os pratos do imenso cardápio e, como restasse apetite, voltaram a perlustrar a lista, recomeçando pela sopa. Ao final, diante de dois *filets* malpassados, Amâncio, futuro desembargador, cruzou o talher, em plena derrota. ("Mestres do meu tempo", *Revista da Faculdade de Direito da Bahia*, vol. XV, 1940.) E, como estava convencido da vitória, não levava dinheiro. Ficou devendo e pagou depois. Perdera as duas famas ao mesmo tempo. De bom pagador e de bom comedor...

Todos esses elementos materiais desses debates resistem na contemporaneidade. Desapareceu o clima psicológico, justificador da função.

62

PASSADIO SERTANEJO – A COMIDA TRADICIONAL DO SERTÃO

Thadeu Villar de Lemos

Sob o título "Thadeu Villar de Lemos", tenho comigo uma crônica do jurista e meu dileto amigo dr. Floriano da Matta Barcellos, na qual leio o seguinte trecho:

"Filho do Rio Grande do Norte, fatalmente nasceu à beira da praia e mamou leite com camarão, à moda da terra... Deve ter comido muito peixe seco, muita paçoca de milho, muito pirão de jerimu, e daí uma saúde de ferro".

Meu velho amigo: Gostei muito da sua crônica, toda ela vasada em estilo original, cheia de tolerância e bondade para comigo. Mas peço permissão para fazer um reparo quanto ao que escreveu no trecho acima transcrito. Nasci bem longe da beira da praia, nas entranhas de uma serra pitoresca que dista do mar 400 quilômetros, aproximadamente. Ali não se fala em camarão e o peixe seco, que vem de muito longe, é o *voador*, transportado em garajaus. Paçoca de milho, não; paçoca de carne de sol, com farinha de mandioca, sim. Quanto à alimentação do sertanejo do Nordeste, no meu tempo, aproveito a oportunidade para esclarecer detalhes pouco conhecidos nas terras sulinas. Quando morei na cidade natal, até a bem remota era de 1907, o sertanejo era realmente um forte, era aquilo que Euclides da Cunha descreve com tanta precisão.

Deixa a rede às 4 horas da manhã. Sua primeira refeição consiste em uma caneca de café adoçado com rapadura, um cuscuz, tapioca e batata. Às 5 horas já está no roçado com a sua enxada de duas libras, revolvendo a terra onde são semeados o milho, o feijão, a batata e um pouco de algodão. Às 9 horas, encosta a enxada para o almoço à sombra de um juazeiro próximo. Esse almoço é um pedaço de carne de sol, assada na brasa, com farinha e rapadura, seguidos de uma cuia de garapa com mel de furo.

E o que é *mel de furo*?

Os engenhos *banguê* do litoral fazem um açúcar denominado "bruto" e que é conseguido com alta fervura de caldo de cana em grandes tachos de ferro, incrustados numa base de alvenaria que lhes deixa o fundo livre para receber o fogo à lenha. À proporção que a fervura aumenta, o mestre do engenho, usando uma espumadeira de cabo comprido, procura tirar as impurezas que flutuam. Junto dos tachos, existe sempre uma lata com água onde é testado o "ponto" em que deve ser diminuído o fogo e retirado o produto para uma forma de zinco cônica que, em média, mede um metro de altura. Essas formas são conduzidas, atadas a dois paus, para a *casa de purgar*, onde são colocadas em sentido vertical sobre um estrado de madeira, perfurado, e que tem por baixo um grande depósito cimentado, semelhante a uma cisterna. Com o resfriamento do produto, aquela massa adquire consistência, depois de ter escoado o mel excedente por uma fenda existente no fundo da forma. É esse mel escoado e que fica no depósito da "casa de purgar" que o nortista denomina "mel de furo", usado como fortificante pelos trabalhadores rurais do sertão. Antigamente, também a população do litoral costumava colocar pregos enferrujados dentro de garrafas desse subproduto da cana, para dar aos filhos como fortificante e purificador do sangue, prática que os laboratórios químicos industriais tornaram obsoleta.

Depois dessa explicação sobre o "mel de furo", voltemos ao regime alimentar do sertanejo comum, do homem do campo.

Durante as horas de trabalho no roçado, um homem pode beber dois litros de garapa de "mel de furo". Ao pôr do sol volta à casa e, antes da última refeição do dia, lava a ferramenta de trabalho que é amolada cuidadosamente e colocada presa aos paus que sustêm a cobertura de palha da casinha onde mora. Terminado este trabalho, senta-se com a família em tamboretes postos junto à mesa tosca e come feijão com farinha e manteiga do sertão, refeição que é completada com um prato de coalhada ou de jerimu com leite, adoçado com rapadura.

Nas cidades, esse regime sofria modificações. Um dos pratos preferidos é o feijão-mulatinho com carne de charque (carne-seca), jerimu, maxixe, quiabo, toucinho fresco e um pedaço de queijo de coalho, levados ao fogo de uma só vez, em um caldeirão de ferro fundido. Na mesa, adiciona-se um pouco de farinha de mandioca que, no Norte, é mandioca mesmo, e não macaxeira (aipim), como é no Sul. Em regra geral, a sobremesa é um bom pedaço de rapadura. No dia em que o almoço consiste num avantajado cozido (carne fresca cozinhada em água e sal) com pirão de farinha, a sobremesa seria doce de tutano de chambão (tíbia), tirado na hora, ainda quentinho. Com um pedaço de pau, bate-se na parte superior do chambão e deixa-se que o tutano caia em uma tigela de louça. Em seguida, adiciona-se rapadura ralada, bate-se bem com uma colher de pau, e está pronto o doce que é também fortificante poderoso.

Já que falamos em *açúcar bruto*, em *mel de furo*, vamos dizer sobre o queijo fresco, de manteiga.

Um grande tacho de cobre ou panelão de barro é colocado sobre trempes de pedras postas no centro da grande cozinha da casa-grande. Já estão ali sacos de coalhada escorrida, muitas garrafas de manteiga do sertão, muita gente para trabalhar e chegar fogo no panelão. A coalhada é retirada dos sacos de morim onde foi posta para escorrer o soro, é fervida para adquirir consistência e depois ser separada em pequenas partículas, ainda quente. Terminada esta primeira operação, aquela massa volta ao fogo, adicionando-se a ela sal, leite puro e manteiga do sertão. Uma colher de pau de forma oval, com cabo de um metro de comprimento, é usada por quem não deve parar de mexer tudo aquilo que se contém no tacho. Não tarda a massa se transformar num bolo sólido e brilhante, quando é retirada do fogo. Em pratos, são postas quantidades suficientes para o consumo da casa, e o restante é posto em formas retangulares de madeira, com capacidade para dois, três e cinco quilos. Estas são destinadas ao comércio, depois de bem *curadas*. Aí está o queijo de manteiga do sertão do Nordeste, saboroso como não existe outro igual.

O leitor saberá o que chamamos "manteiga do sertão", no Nordeste? Vamos explicar.

Diariamente temos coalhada em todas as refeições caseiras. Esse alimento é um produto do leite puro que cria grossa camada de nata na superfície da vasilha de barro em que se solidifica, protegendo o produto principal. Antes de ser servida a coalhada, tira-se essa nata para tornar o alimento menos gorduroso. A nata retirada é depositada em outra vasilha de barro, adicionando-se-lhe um pouco de sal, o suficiente para conservá-la inalterada. No fim de semana, a dona da casa leva essa nata ao fogo, também em panela de barro, e extrai a parte gordurosa da mesma. Essa gordura, depois de passar por uma peneira bem fina (peneira feita com palha de carnaubeira), é colocada em garrafas bem limpas e enxutas. Aí está a *manteiga do sertão*. Não passa por qualquer processo de pasteurização e é magnífica, especialmente para condimentação do feijão-verde.

Esta antologia é um precioso mosaico – colorido na forma, rico no conteúdo – a ilustrar o tema *alimentação* no Brasil: tema importante, analisado e discutido entre nós quase sempre de uma ótica estritamente técnica, dietética, econômica. Ótica da nutrição, portanto, e não da alimentação como componente histórico, etnográfico, literário e social da nossa cultura.

É da alimentação que cuida mestre Luís da Câmara Cascudo neste volume que, de certo modo, constitui complemento indispensável de sua substanciosa *História da alimentação no Brasil*.[1] Cuida com carinho e devoção, na matéria de sua lavra como naquela selecionada de autores como Pereira Barreto, Artur Ramos, Vinicius de Moraes, Santa Rita Durão, Marcgrave, Debret, Saint-Hilaire, Euclides da Cunha, Gastão Cruls, Martius – para citar apenas alguns entre dezenas – da construção daquele mosaico de páginas velhas e novas "de veracidade irrecusável, atualizando as antigas e reavivando as recentes no diagrama do paladar brasileiro", páginas de depoimentos variados no espaço e no tempo, cheios de colorido e graça.

Obra única em nossa bibliografia, indispensável a quantos, estudantes e estudiosos, direta ou indiretamente, se ocupam da nossa história social.

Le diner, Jean-Baptiste Debret

---

1 Edição atual – 4. ed. São Paulo: Global, 2011. (N. E.)

Nota: Reproduzido de *Esboços*, Niterói, 1968.

Thadeu Villar de Lemos nasceu na cidade serrana do Martins, RN, residindo em Natal (1917), onde nos conhecemos trabalhando no *A Imprensa* (1914-1927), jornal que meu pai financiava. Fiscal de Consumo, percorreu quase todo o Brasil, colaborando ativamente na imprensa. Repórter e redator do *Diário de Notícias,* do Rio de Janeiro, propriedade do seu primo Orlando R. Dantas, publicou cerca de vinte ensaios, biografias, reminiscências. O Papa Paulo VI fê-lo Comendador da Ordem de São Silvestre. Observador arguto, comunicando-se com agilidade e clareza, é um excelente documentador da contemporaneidade brasileira. Reside em Niterói.

Ver Luís da Câmara Cascudo, *Meu amigo Thaville*, Pongetti Editor, Rio de Janeiro, 1974.

Bibliografia de Luís da Câmara Cascudo

LIVROS

DÉCADA DE 1920

Alma patrícia. (Crítica literária)
Natal: Atelier Typ. M. Victorino, 1921. 189p.
Edição atual – 2. ed. Mossoró: ESAM, 1991. Coleção Mossoroense,
série C, v. 743. 189p.

Histórias que o tempo leva... (Da História do Rio Grande do Norte)
São Paulo: Monteiro Lobato & Co., 1924. 236p.
Edição atual – Mossoró: ESAM, 1991. Coleção Mossoroense, série C, v. 757. 236p.

Joio. (Páginas de literatura e crítica)
Natal: Off. Graf. d'A Imprensa, 1924. 176p.
Edição atual – 2. ed. Mossoró: ESAM, 1991. Coleção Mossoroense,
série C, v. 749. 176p.

López do Paraguay.
Natal: Typ. d'A República, 1927. 114p.
Edição atual – 2. ed. Mossoró: ESAM, 1995. Coleção Mossoroense,
série C, v. 855. 114p.

DÉCADA DE 1930

O homem americano e seus temas. (Tentativa de síntese)
Natal: Imprensa Oficial, 1933. 71p.
Edição atual – 2. ed. Mossoró: ESAM, 1992. 71p.

O Conde d'Eu.
São Paulo: Companhia Editora Nacional, 1933. Brasiliana, 11. 166p.

Viajando o sertão.
Natal: Imprensa Oficial, 1934. 52p.
Edição atual – 4. ed. São Paulo: Global, 2009. 102p.

Em memória de Stradelli (1852-1926).
Manaus: Livraria Clássica, 1936. 115p.
Edição atual – 3. ed. revista. Manaus: Editora Valer e Governo do Estado do
Amazonas, 2001. 132p.

O Doutor Barata – político, democrata e jornalista.
Bahia: Imprensa Oficial do Estado, 1938. 68p.

O Marquês de Olinda e seu tempo (1793-1870).
São Paulo: Editora Nacional, 1938. Brasiliana, 107. 348p.

Governo do Rio Grande do Norte. (Cronologia dos capitães-mores, presidentes
provinciais, governadores republicanos e interventores federais, de 1897 a 1939)
Natal: Livraria Cosmopolita, 1939. 234p.
Edição atual – Mossoró: ESAM, 1989. Coleção Mossoroense, série C,
v. DXXVI.

Vaqueiros e cantadores. (Folclore poético do sertão de Pernambuco, Paraíba, Rio
Grande do Norte e Ceará)
Porto Alegre: Globo, 1939. Biblioteca de investigação e cultura. 274p.
Edição atual – 3. ed. São Paulo: Global, 2005. 357p.

Década de 1940

Informação de História e Etnografia.
Recife: Of. de Renda, Priori & Cia., 1940. 211p.
Edição atual – Mossoró: ESAM, 1991. Coleção Mossoroense, série C,
v. I-II. 211p.

Antologia do folclore brasileiro.
São Paulo: Livraria Martins, 1944. 2v. 502p.
Edição atual – 9. ed. São Paulo: Global, 2004. v. 1. 323p.
Edição atual – 6. ed. São Paulo: Global, 2004. v. 2. 333p.

Os melhores contos populares de Portugal. Seleção e estudo.
Rio de Janeiro: Dois Mundos Editora, 1944. Coleção Clássicos e
Contemporâneos, 16. 277p.

Lendas Brasileiras. (21 Histórias criadas pela imaginação de nosso povo)
Rio de Janeiro: Leo Jerônimo Schidrowitz, 1945. Confraria dos Bibliófilos
Brasileiros Cattleya Alba. 89p.
Edição atual – 9. ed. São Paulo: Global, 2005. 168p.

Contos tradicionais do Brasil. (Confronto e notas)
Rio de Janeiro: Americ-Edit,1946. Col. Joaquim Nabuco, 8. 405p.
Edição atual – 13. ed. São Paulo: Global, 2004. 318p.

Geografia dos mitos brasileiros.
Rio de Janeiro: Livraria José Olympio Editora, 1947. Coleção Documentos Brasileiros, v. 52. 467p.
Edição atual – 3. ed. São Paulo: Global, 2002. 396p.

História da Cidade do Natal.
Natal: Edição da Prefeitura Municipal, 1947. 411p.
Edição atual – 4. ed. Natal, RN: EDUFRN, 2010. 692p. Coleção História Potiguar.

O homem de espanto.
Natal: Galhardo, 1947. 204p.

Os holandeses no Rio Grande do Norte.
Natal: Editora do Departamento de Educação, 1949. 72p.

DÉCADA DE 1950

Anúbis e outros ensaios: mitologia e folclore.
Rio de Janeiro: Edições O Cruzeiro, 1951. 281p.
Edição atual – 2. ed. Rio de Janeiro: FUNARTE/INF: Achiamé; Natal: UFRN, 1983. 224p.

Meleagro: depoimento e pesquisa sobre a magia branca no Brasil.
Rio de Janeiro: Livraria Agir Editora 1951. 196p.
Edição atual – 2. ed. Rio de Janeiro: Livraria Agir Editora, 1978. 208p.

História da Imperatriz Porcina. (Crônica de uma novela do século XVI, popular em Portugal e Brasil)
Lisboa: Edições de Álvaro Pinto, Revista Ocidente, 1952. 83p.

Literatura Oral no Brasil.
Rio de Janeiro: José Olympio Editora, 1952. Coleção Documentos Brasileiros, v. 6 da História da Literatura Brasileira. 465p.
Edição Atual – 4. ed. São Paulo: Global, 2006. 480p.

Em Sergipe d'El Rey.
Aracaju: Edição do Movimento Cultural de Sergipe, 1953. 106p.

Cinco livros do povo: introdução ao estudo da novelística no Brasil.
Rio de Janeiro: José Olympio Editora, 1953. Coleção Documentos Brasileiros, v. 72. 449p.
Edição atual – 3. ed. (Fac-similada). João Pessoa: Editora Universitária UFPB, 1994. 449p.

Antologia de Pedro Velho de Albuquerque Maranhão.
Natal: Departamento de Imprensa, 1954. 250p.

Dicionário do Folclore Brasileiro.
Rio de Janeiro: Instituto Nacional do Livro, 1954. 660p.
Edição atual – 12. ed. São Paulo: Global, 2012. 756p.

História de um homem: João Severiano da Câmara.
Natal: Departamento de Imprensa, 1954. 138p.

Contos de encantamento.
Salvador: Editora Progresso, 1954. 124p.

Contos exemplares.
Salvador: Editora Progresso, 1954. 91p.

História do Rio Grande do Norte.
Rio de Janeiro: Ministério da Educação e Cultura, Serviço de Documentação, 1955. 524p.
Edição atual – Natal: Fundação José Augusto/Rio de Janeiro: Achiamé, 1984. 529p.

Notas e documentos para a História de Mossoró.
Natal: Departamento de Imprensa, 1955. Coleção Mossoroense, série C, 2.254p.
Edição atual – 5. ed. Mossoró: Fundação Vingt-un Rosado, 2010. 300p. Coleção Mossoroense, série C, v. 1.571.

Notícia histórica do município de Santana do Matos.
Natal: Departamento de Imprensa, 1955. 139p.

Trinta "estórias" brasileiras.
Porto: Editora Portucalense, 1955. 170p.

Geografia do Brasil holandês.
Rio de Janeiro: José Olympio Editora, 1956. Coleção Doc. Bras., v. 79. 303p.

Tradições populares da pecuária nordestina.
Rio de Janeiro: Serviço de Documentação Agrícola, 1956. Brasil. Doc. Vida Rural, 9. 78p.

Vida de Pedro Velho.
Natal: Departamento de Imprensa, 1956. 140p.
Edição atual – Natal: EDUFRN – Editora da UFRN, 2008. 170p. Coleção Câmara Cascudo: memória. e biografias.

Jangada: uma pesquisa etnográfica.
Rio de Janeiro: Ministério da Educação e Cultura, Serviço de Documentação, 1957. Coleção Vida Brasileira. 181p.
Edição atual – 3. ed. São Paulo: Global, 2002. 170p.

Jangadeiros.
Rio de Janeiro: Serviço de Documentação Agrícola, 1957. Brasil. Doc. Vida Rural, 11. 60p.

Superstições e costumes. (Pesquisas e notas de etnografia brasileira)
Rio de Janeiro: Antunes, 1958. 260p.

Canto de muro: romance de costumes.
Rio de Janeiro: José Olympio Editora, 1959. 266p.
Edição atual – 4. ed. São Paulo: Global, 2006. 230p.

Rede de dormir: uma pesquisa etnográfica.
Rio de Janeiro: Ministério da Educação e Cultura, Serviço de Documentação, 1959. Coleção Vida Brasileira, 16. 242p.
Edição atual – 2. ed. São Paulo: Global, 2003. 231p.

Década de 1960

Ateneu norte-rio-grandense: pesquisa e notas para sua história.
Natal: Imprensa Oficial do Rio Grande do Norte, 1961. Coleção Juvenal Lamartine. 65p.

Vida breve de Auta de Souza, 1876-1901.
Recife: Imprensa Oficial, 1961. 156p.
Edição atual – Natal: EDUFRN – Editora da UFRN, 2008. 196p. Coleção Câmara Cascudo: memória e biografias.

Grande fabulário de Portugal e do Brasil. [Autores: Câmara Cascudo e Vieira de Almeida]
Lisboa: Fólio Edições Artísticas, 1961. 2v.

Dante Alighieri e a tradição popular no Brasil.
Porto Alegre: Pontifícia Universidade Católica do Rio Grande do Sul, 1963. 326p.

Edição atual – 2. Ed. Natal: Fundação José Augusto, 1979. 326 p.

Motivos da literatura oral da França no Brasil.
Recife: [s.ed.], 1964. 66p.

Dois ensaios de História: A intencionalidade do descobrimento do Brasil. O mais antigo marco de posse.
Natal: Imprensa Universitária do Rio Grande do Norte, 1965. 83p.

História da República no Rio Grande do Norte. Da propaganda à primeira eleição direta para governador.
Rio de Janeiro: Edições do Val, 1965. 306p.

Nosso amigo Castriciano, 1874-1947: reminiscências e notas.
Recife: Imprensa Universitária, 1965. 258p.
Edição atual – Natal: EDUFRN – Editora da UFRN, 2008. Coleção Câmara Cascudo: memória e biografias.

Made in Africa. (Pesquisas e notas)
Rio de Janeiro: Editora Civilização Brasileira, 1965. Perspectivas do Homem, 3. 193p.
Edição atual – 2. ed. São Paulo: Global, 2002. 185p.

Flor de romances trágicos.
Rio de Janeiro: Livraria Editora Cátedra, 1966. 188p.
Edição atual – Natal: Fundação José Augusto/Rio de Janeiro: Cátedra, 1982. 189p.

Voz de Nessus.
João Pessoa: Departamento Cultural da UFPB, 1966. 108p.

Folclore do Brasil. (Pesquisas e notas)
Rio de Janeiro: Fundo de Cultura, 1967. 258p.
Edição atual – 3. ed. São Paulo. Global, 2012. 232p.

Jerônimo Rosado (1861-1930): uma ação brasileira na província.
Rio de Janeiro: Editora Pongetti, 1967. 220p.

Mouros, franceses e judeus (Três presenças no Brasil).
Rio de Janeiro: Editora Letras e Artes, 1967. 154p.
Edição atual – 3. ed. São Paulo: Global, 2001. 111p.

História da alimentação no Brasil.
São Paulo: Companhia Editora Nacional, v. 1, 1967. 396p.; v. 2, 1968. 539p.
Edição atual – 4. ed. São Paulo: Global, 2011. 954p.

Coisas que o povo diz.
Rio de Janeiro: Edições Bloch, 1968. 206p.
Edição atual – 2. ed. São Paulo: Global, 2009. 155p.

Nomes da Terra: história, geografia e toponímia do Rio Grande do Norte.
Natal: Fundação José Augusto, 1968. 321p.
Edição atual – Natal: Sebo Vermelho Edições, 2002. 321p.

O tempo e eu: confidências e proposições.
Natal: Imprensa Universitária, 1968. 338p.
Edição atual – Natal: EDUFRN – Editora da UFRN, 2008. Coleção Câmara
Cascudo: memória.

Prelúdio da cachaça. (Etnografia, História e Sociologia da aguardente do Brasil)
Rio de Janeiro: Instituto do Açúcar e do Álcool, 1968. 98p.
Edição atual – 2. ed. São Paulo: Global, 2006. 86p.

Pequeno manual do doente aprendiz: notas e maginações.
Natal: Imprensa Universitária, 1969. 109p.
Edição atual – 3. ed. Natal: EDUFRN, 2010. 108p. Coleção Câmara Cascudo:
memória.

A vaquejada nordestina e sua origem.
Recife: Instituto Joaquim Nabuco de Pesquisas Sociais – IJNPS/MEC, 969. 60p.

Década de 1970

Gente viva.
Recife: Universidade Federal de Pernambuco, 1970. 189p.
Edição atual – 2. ed. Natal: EDUFRN, 2010. 222p. Coleção Câmara Cascudo:
memória.

Locuções tradicionais no Brasil.
Recife: Editora Universitária, 1970. 237p.
Edição atual – 4. ed. São Paulo: Global, 2004. 332p.

Ensaios de Etnografia Brasileira: pesquisa na cultura popular do Brasil.
Rio de Janeiro: Instituto Nacional do Livro (INL), 1971. 194p.

Na ronda do tempo. (Diário de 1969)
Natal: Universitária, 1971. 168p.
Edição atual – 3. ed. Natal: EDUFRN, 2010. 198p. Coleção Câmara Cascudo:
memória.

Sociologia do açúcar: pesquisa e dedução.
Rio de Janeiro: MIC, Serviço de Documentação do Instituto do Açúcar e do
Álcool, 1971. Coleção Canavieira, 5. 478p.

Tradição, ciência do povo: pesquisas na cultura popular do Brasil.
São Paulo: Editora Perspectiva, 1971. 195p.
Edição atual – 2. ed. São Paulo: Global, 2013. 168p.

Ontem: maginações e notas de um professor de província.
Natal: Editora Universitária, 1972. 257p.
Edição atual – 3. ed. Natal: EDUFRN, 2010. 254p. Coleção Câmara Cascudo:
memória.

Uma história da Assembleia Legislativa do Rio Grande do Norte: conclusões, pesquisas e documentários.
Natal: Fundação José Augusto, 1972. 487p.

Civilização e cultura: pesquisas e notas de etnografia geral.
Rio de Janeiro: José Olympio, 1973. 2v. 741p.
Edição atual – 3. ed. São Paulo: Global, 2004. 726p.

Movimento da Independência no Rio Grande do Norte.
Natal: Fundação José Augusto, 1973. 165p.

Prelúdio e fuga do real.
Natal: Fundação José Augusto, 1974. 384p.
Edição atual – 2. ed. São Paulo: Global, 2014. 328p.

Religião no povo.
João Pessoa: Imprensa Universitária, 1974. 194p.
Edição atual – 2. ed. São Paulo: Global, 2011. 187p.

O livro das velhas figuras.
Natal: Edições do IHGRN, Fundação José Augusto, 1974. v. 1. 156p.

Folclore.
Recife: Secretaria de Educação e Cultura, 1975. 62p.

O livro das velhas figuras.
Natal: Edições do IHGRN, Fundação José Augusto, 1976. v. 2. 170p.

História dos nossos gestos: uma pesquisa na mímica no Brasil.
São Paulo: Edições Melhoramentos, 1976. 252p.
Edição atual – 2. ed. São Paulo: Global, 2004. 277p.

O livro das velhas figuras.
Natal: Edições do IHGRN, Fundação José Augusto, 1977. v. 3. 152p.

O Príncipe Maximiliano de Wied-Neuwied no Brasil (1815-1817).
Rio de Janeiro: Editora Kosmos, 1977. 179p.

Antologia da alimentação no Brasil.
Rio de Janeiro: Livros Técnicos e Científicos, 1977. 254p.
Edição atual – 2. ed. São Paulo: Global, 2008. 304p.

Três ensaios franceses.
Natal: Fundação José Augusto, 1977. 84p.

Contes traditionnels du Brésil. Alléguéde, Bernard [Tradução].
Paris: G. P. Maisonneuve et Larose, 1978. 255p.

Década de 1980

O livro das velhas figuras.
Natal: Edições do IHGRN, Fundação José Augusto, 1980. v. 4. 164p.

Mossoró: região e cidade.
Natal: Editora Universitária, 1980. Coleção Mossoroense, 103. 164p.
Edição atual – 2. ed. Mossoró: ESAM, 1998. Coleção Mossoroense, série C,
v. 999. 164p.

O livro das velhas figuras.
Natal: Edições do IHGRN, Fundação José Augusto, 1981. v. 5. 136p.

Superstição no Brasil. (Superstições e costumes, Anúbis e outros ensaios, Religião
no povo)
Belo Horizonte: Itatiaia; São Paulo: EDUSP, 1985. Coleção Reconquista do
Brasil. 443p.
Edição atual – 5. ed. São Paulo: Global, 2002. 496p.

O livro das velhas figuras.
Natal: Edições do IHGRN, Coojornal, 1989. v. 6. 140p.

Década de 1990

Notícia sobre dez municípios potiguares.
Mossoró: ESAM, 1998. Coleção Mossoroense, série C, v. 1.001. 55p.

Os compadres corcundas e outros contos brasileiros.
Rio de Janeiro: Ediouro, 1997. 123p. Leituras Fora de Série.

Década de 2000

O livro das velhas figuras.
Natal: Edições do IHGRN, Sebo Vermelho, 2002. v. 7. 260p.

O livro das velhas figuras.
Natal: Edições do IHGRN, EDUFRN – Editora da UFRN, 2002. v. 8. 138p.

O livro das velhas figuras.
Natal: Edições do IHGRN, EDUFRN – Editora da UFRN, 2005. v. 9. 208p.

Lendas brasileiras para jovens.
2. ed. São Paulo: Global, 2008. 126p.

Contos tradicionais do Brasil para jovens.
2. ed. São Paulo: Global, 2006. 125p.

No caminho do avião... Notas de reportagem aérea (1922-1933)
Natal: EDUFRN – Editora da UFRN, 2007. 84p.

O livro das velhas figuras.
Natal: Edições do IHGRN, Sebo Vermelho, 2008. v. 10. 193p.

A Casa de Cunhaú. (História e Genealogia)
Brasília: Edições do Senado Federal, v. 45, 2008. 182p.

Vaqueiros e cantadores para jovens.
São Paulo: Global, 2010. 142p.

EDIÇÕES TRADUZIDAS, ORGANIZADAS, COMPILADAS E ANOTADAS

Versos, de Lourival Açucena. [Organização e anotações]
Natal: Typ. d'A Imprensa, 1927. 93p.
Edição atual – 2. ed. Natal: Universitária, Coleção Resgate, 1986. 113p.

Viagens ao Nordeste do Brasil, de Henry Koster. [Tradução]
São Paulo: Editora Nacional, 1942.

Festas e tradições populares do Brasil, de Mello Moraes. [Revisão e notas]
Rio de Janeiro: Briguiet, 1946. 551p.

Os mitos amazônicos da tartaruga, de Charles Frederick Hartt. [Tradução e notas]
Recife: Arquivo Público Estadual, 1952. 69p.

Cantos populares do Brasil, de Sílvio Romero. [Anotações]
Rio de Janeiro: José Olympio Editora, 2v., 1954. Coleção Documentos
Brasileiros, Folclore Brasileiro, 1. 711p.

Contos populares do Brasil, de Sílvio Romero. [Anotações]
Rio de Janeiro: José Olympio Editora, 1954. Coleção Documentos Brasileiros,
Folclore Brasileiro, 2. 411p.

Poesia, de Domingos Caldas Barbosa. [Compilação]
Rio de Janeiro: Editora Agir, 1958. Coleção Nossos Clássicos, 16. 109p.

Poesia, de Antônio Nobre. [Compilação]
Rio de Janeiro: Editora Agir, 1959. Coleção Nossos Clássicos, 41. 103p.

*Paliçadas e gases asfixiantes entre os indígenas da América do Sul, de Erland
Nordenskiold.* [Introdução e notas]
Rio de Janeiro: Biblioteca do Exército, 1961. 56p.

Os ciganos e cancioneiros dos ciganos, de Mello Moraes. [Revisão e notas]
Belo Horizonte: [s.ed.], 1981.

Opúsculos

Década de 1930

A intencionalidade no descobrimento do Brasil.
Natal: Imprensa Oficial, 1933. 30p.

O mais antigo marco colonial do Brasil.
Natal: Centro de Imprensa, 1934. 18p.

O brasão holandês do Rio Grande do Norte.
Natal: Imprensa Oficial, 1936.

Conversa sobre a hipoteca.
São Paulo: [s.ed.], 1936. (Apud Revista da Academia Norte-rio-grandensede Letras, v. 40, n. 28, dez. 1998.)

Os índios conheciam a propriedade privada?
São Paulo: [s.ed.], 1936. (Apud Revista da Academia Norte-riograndense de Letras, v. 40, n. 28, dez. 1998.)

Uma interpretação da couvade.
São Paulo: [s.ed.], 1936. (Apud Revista da Academia Norteriograndense de Letras, v. 40, n. 28, dez. 1998.)

Notas para a história do Ateneu.
Natal: Instituto Histórico e Geográfico do Rio Grande do Norte, 1937. (Apud Revista da Academia Norteriograndense de Letras, v. 40, n. 28, dez. 1998.)

Peixes no idioma Tupi.
Rio de Janeiro: [s.ed.], 1938. (Apud Revista da Academia Norteriograndense de Letras, v. 40, n. 28, dez. 1998.)

Década de 1940

Montaigne e o índio brasileiro. [Tradução e notas do capítulo "Des caniballes" do Essais]
São Paulo: Cadernos da Hora Presente, 1940.

O Presidente parrudo.
Natal: [s.ed.], 1941. (Apud Revista da Academia Norteriograndense de Letras, v. 40, n. 28, dez.1998.)

Sociedade Brasileira de Folk-lore.
Natal: Oficinas do DEIP, 1942. 14p.

Simultaneidade de ciclos temáticos afro-brasileiros.
Porto: [s.ed.], 1948. (Apud Revista da Academia Norteriograndense de Letras, v. 40, n. 28, dez. 1998.)

Conferência (Tricentenário dos Guararapes). [separata]
Revista do Arquivo Público, n. VI. Recife: Imprensa Oficial, 1949. 15p.

Consultando São João: pesquisa sobre a origem de algumas adivinhações.
Natal: Departamento de Imprensa, 1949. Sociedade Brasileira de Folclore, 1. 22p.

Gorgoneion [separata]
Revista "Homenaje a Don Luís de Hoyos Sainz", 1. Madrid: Valerá, 1949. 11p.

Década de 1950

O símbolo jurídico do Pelourinho. [separata]
Revista do Instituto Histórico e Geográfico do Rio Grande do Norte. Natal: [s.ed.], 1950. 21p.

O Folk-lore nos Autos Camoneanos.
Natal: Departamento de Imprensa, 1950. 18p.

Conversa sobre direito internacional público.
Natal: [s.ed.], 1951 (Apud Revista da Academia Norteriograndense de Letras, v. 40, n. 28, dez. 1998.)

Atirei um limão verde.
Porto: [s.ed.], 1951 (Apud Revista da Academia Norteriograndense de Letras, v. 40, n. 28, dez. 1998.)

Os velhos entremezes circenses.
Porto: [s.ed.], 1951 (Apud Revista da Academia Norteriograndense de Letras, v. 40, n. 28, dez. 1998.)

Custódias com campainhas. [separata]
Revista Oficial do Grêmio dos Industriais de Ourivesaria do Norte. Porto: Ourivesaria Portuguesa, 1951. Capítulo XI. 108p.

A mais antiga igreja do Seridó.
Natal: [s.ed.], 1952 (Apud Revista da Academia Norteriograndense de Letras, v. 40, n. 28, dez. 1998.)

Tradición de un cuento brasileño. [separata]
Archivos Venezolanos de Folklore. Caracas: Universidade Central, 1952.

Com D. Quixote no folclore brasileiro. [separata]
Revista de Dialectología y Tradiciones Populares. Madrid: C. Bermejo, 1952. 19p.

O poldrinho sertanejo e os filhos do vizir do Egito. [separata]
Revista Bando, ano III, v. III, n. 3. Natal: [s.ed.], 1952. 15p.

Na casa de surdos. [separata]
Revista de Dialectología y Tradiciones Populares, 9. Madrid: C. Bermejo, 1952. 21p.

A origem da vaquejada no Nordeste do Brasil. [separata]
DouroLitoral, 3/4, 5ª série. Porto: Simões Lopes, 1953. 7p.

Alguns jogos infantis no Brasil. [separata]
DouroLitoral, 7/8, 5ª série. Porto: Simões Lopes, 1953. 5p.

No tempo em que os bichos falavam.
Salvador: Editora Progresso, 1954. 37p.

Cinco temas do Heptaméron na literatura oral ibérica. [separata]
DouroLitoral, 5/6, 6ª série. Porto: Simões Lopes, 1954. 12p.

Os velhos caminhos do Nordeste.
Natal: [s.ed.], 1954 (Apud Revista da Academia Norteriograndense de Letras, v. 40, n. 28, dez. 1998).

Notas para a história da Paróquia de Nova Cruz.
Natal: Arquidiocese de Natal, 1955. 30p.

Paróquias do Rio Grande do Norte.
Natal: Departamento de Imprensa, 1955. 30p.

Bibliografia.
Natal: Lira, 1956. 7p.

Comadre e compadre. [separata]
Revista de Dialectología y Tradiciones Populares, 12. Madrid: C. Bermejo, 1956. 12p.

Sociologia da abolição em Mossoró. [separata]
Boletim Bibliográfico, n. 95100. Mossoró: [s.ed.], 1956. 6p.

A função dos arquivos. [separata]
Revista do Arquivo Público, 9/10, 1953. Recife: Arquivo Público Estadual/SIJ, 1956. 13p.

Exibição da prova de virgindade. [separata]
Revista Brasileira de Medicina, v. XIV, n. 11. Rio de Janeiro: [s.ed.], 1957. 6p.

Três poemas de Walt Whitman. [Tradução]
Recife: Imprensa Oficial, 1957. Coleção Concórdia. 15p.
Edição atual – Mossoró: ESAM, 1992. Coleção Mossoroense, série B, n. 1.137. 15p.

O mosquiteiro é ameríndio? [separata]
Revista de Dialectología y Tradiciones Populares, 13. Madrid: C. Bermejo, 1957. 7p.

Promessa de jantar aos cães. [separata]
Revista de Dialectología y Tradiciones Populares, 14. Madrid: C. Bermejo, 1958. 4p.

Assunto latrinário. [separata]
Revista Brasileira de Medicina, v. XVI, n. 7. Rio de Janeiro: [s.ed.], 1959. 7p.

Levantando a saia... [separata]
Revista Brasileira de Medicina, v. XVI, n. 12. Rio de Janeiro: [s.ed.], 1959. 8p.

Universidade e civilização.
Natal: Departamento de Imprensa, 1959. 12p.
Edição atual – 2. ed. Natal: Editora Universitária, 1988. 22p.

Canção da vida breve. [separata]
Sociedade Portuguesa de Antropologia e Etnologia, Faculdade de Ciências do Porto. Porto: Imprensa Portuguesa, 1959.

Década de 1960

Complexo sociológico do vizinho. [separata]
Actas do Colóquio de Estudos Etnográficos Dr. José Leite de Vasconcelos, Junta de Província do Douro Litoral, 18, V. II. Porto: Imprensa Portuguesa, 1960. 10p.

A família do Padre Miguelinho.
Natal: Departamento de Imprensa, 1960. Coleção Mossoroense, série B, 55. 32p.

A noiva de Arraiolos. [separata]
Revista de Dialectología y Tradiciones Populares, 16. Madrid: C. Bermejo, 1960. 3p.

Etnografia e direito.
Recife: Imprensa Oficial, 1961. 27p.

Breve história do Palácio da Esperança.
Natal: Departamento de Imprensa, 1961. 46p.

Roland no Brasil.
Natal: Tip. Santa Teresinha, 1962. 11p.

Temas do Mireio no folclore de Portugal e Brasil. [separata]
Revista Ocidente, 64, jan. Lisboa: [s.ed.], 1963.

História da alimentação no Brasil. [separata]
Revista de Etnografia, 1, Museu de Etnografia e História, Junta Distrital do Porto. Porto: Imprensa Portuguesa, 1963. 7p.

A cozinha africana no Brasil.
Luanda: Imprensa Nacional de Angola, 1964. Publicação do Museu de Angola. 36p.

O bom paladar é dos ricos ou dos pobres? [separata]
Revista de Etnografia, Museu de Etnografia e História. Porto: Imprensa Portuguesa, 1964. 6p.

Ecce iterum macaco e combuca. [separata]
Revista de Etnografia, 7, Museu de Etnografia e História, Junta Distrital do Porto. Porto: Imprensa Portuguesa, 1965. 4p.

Macaco velho não mete a mão em cambuca. [separata]
Revista de Etnografia, 6, Museu de Etnografia e História, Junta Distrital do Porto. Porto: Imprensa Portuguesa, 1965. 4p.

Prelúdio da Gaita. [separata]
Revista de Etnografia, 8, Museu de Etnografia e História, Junta Distrital do Porto. Porto: Imprensa Portuguesa, 1965. 4p.

Presença moura no Brasil. [separata]
Revista de Etnografia, 9, Museu de Etnografia e História, Junta Distrital do Porto. Porto: Imprensa Portuguesa, 1965. 13p.

Prelúdio da cachaça. [separata]
Revista de Etnografia, 11, Museu de Etnografia e História, Junta Distrital do Porto. Porto: Imprensa Portuguesa, 1966. 17p.

História de um livro perdido. [separata]
Arquivos do Instituto de Antropologia Câmara Cascudo, v. II, n. 12. Natal: UFRN, 1966. 19p.

Abóbora e jirimum. [separata]
Revista de Etnografia, 12, Museu de Etnografia e História, Junta Distrital do Porto. Porto: Imprensa Portuguesa, 1966. 6p.

O mais pobre dos dois... [separata]
Revista de Dialectología y Tradiciones Populares, tomo XXII, Cuadernos 1ª y 2º. Madrid: C. Bermejo, 1966. 6p.

Duó.
Mossoró: ESAM, 1966. Coleção Mossoroense, série B, n. 82. 19p.

Viagem com Mofina Mendes ou da imaginação determinante. [separata]
Memórias da Academia das Ciências de Lisboa, Classe de Letras, 9. Lisboa: [s.ed.], 1966. 18p.

Ancha es Castilla! [separata]
Memórias da Academia das Ciências de Lisboa, Classe de Letras, tomo X. Lisboa: Academia de Ciências de Lisboa, 1967. 11p.

Folclore do mar. [separata]
Revista de Etnografia, 13, Museu de Etnografia e História, Junta Distrital do Porto. Porto: Imprensa Portuguesa, 1967. 8p.

A banana no Paraíso. [separata]
Revista de Etnografia, 14, Museu de Etnografia e História, Junta Distrital do Porto. Porto: Imprensa Portuguesa, 1967. 4p.

Desejo e Couvade. [separata]
Revista de Etnografia, 17, Museu de Etnografia e História, Junta Distrital do Porto. Porto: Imprensa Portuguesa, 1967. 4p.

Terras de Espanha, voz do Brasil (Confrontos e semelhanças). [separata]
Revista de Etnografia, 16, Museu de Etnografia e História, Junta Distrital do Porto. Porto: Imprensa Portuguesa, 1967. 25p.

Calendário das festas.
Rio de Janeiro: MEC, 1968. Caderno de Folclore, 5. 8p.

Às de Vila Diogo. [separata]
Revista de Etnografia, 18, Museu de Etnografia e História, Junta Distrital do Porto. Porto: Imprensa Portuguesa, 1968. 4p.

Assunto gago. [separata]
Revista de Etnografia, 19, Museu de Etnografia e História, Junta Distrital do Porto. Porto: Imprensa Portuguesa, 1968. 5p.

Vista de Londres. [separata]Revista de Etnografia, 20, Museu de Etnografia e História, Junta Distrital do Porto. Porto: Imprensa Portuguesa, 1968. 29p.

A vaquejada nordestina e sua origem.
Recife: Instituto Joaquim Nabuco de Pesquisas Sociais, 1969. 48p.

Aristófanes. Viva o seu Personagem... [separata]
Revista "Dionysos", 14(17), jul. 1969. Rio de Janeiro: SNT/MEC, 1969. 11p.

Ceca e Meca. [separata]
Revista de Etnografia, 22, Museu de Etnografia e História da Junta Distrital do Porto. Porto: Imprensa Portuguesa, 1969. 9p.

Dezembrada e seus heróis: 1868/1968.
Natal: DEI, 1969. 30p.

Disputas gastronômicas. [separata]
Revista de Etnografia, 23, Museu de Etnografia e História, Junta Distrital do Porto. Porto: Imprensa Portuguesa, 1969. 5p.

Esta he Lixboa Prezada... [separata]
Revista de Etnografia, 21, Museu de Etnografia e História, Junta Distrital do Porto. Porto: Imprensa Portuguesa, 1969. 19p.

Locuções tradicionais. [separata]
Revista Brasileira de Cultura, 1, jul/set. Rio de Janeiro: CFC, 1969. 18p.

Alexander von Humboldt: um patrimônio imortal – 1769-1969. [Conferência]
Natal: Nordeste, 1969. 21p.

Desplantes. [separata]
Revista do Arquivo Municipal, v. 176, ano 32. São Paulo: EGTR, 1969. 12p.

Década de 1970

Conversa para o estudo afro-brasileiro. [separata]
Cadernos Brasileiros CB, n. 1, ano XII, n. 57, janeirofevereiro. Rio de Janeiro: Sociedade Gráfica Vida Doméstica Ltda., 1970. 11p.

O morto no Brasil. [separata]
Revista de Etnografia, 27, Museu de Etnografia e História, Junta Distrital do Porto. Porto: Imprensa Portuguesa, 1970. 18p.

Notícias das chuvas e dos ventos no Brasil. [separata]
Revista de Etnografia, 26, Museu de Etnografia e História, Junta Distrital do Porto. Porto: Imprensa Portuguesa, 1970. 18p.

Três notas brasileiras. [separata]
Boletim da Junta Distrital de Lisboa, 73/74. Lisboa: Ramos, Afonso & Moita Ltda., 1970. 14p.

Água do Lima no Capibaribe. [separata]
Revista de Etnografia, 28, Museu de Etnografia e História, Junta Distrital do Porto. Porto: Imprensa Portuguesa, 1971. 7p.

Divórcio no talher. [separata]
Revista de Etnografia, 32, Museu de Etnografia e História, Junta Distrital do Porto. Porto: Imprensa Portuguesa, 1972. 4p.

Folclore nos Autos Camoneanos. [separata]
Revista de Etnografia, 31, Museu de Etnografia e História, Junta Distrital do Porto. Porto: Imprensa Portuguesa, 1972. 13p.

Uma nota sobre o cachimbo inglês. [separata]
Revista de Etnografia, 30, Museu de Etnografia e História, Junta Distrital do Porto. Porto: Imprensa Portuguesa, 1972. 11p.

Visão do folclore nordestino. [separata]
Revista de Etnografia, 29, Museu de Etnografia e História, Junta Distrital do Porto. Porto: Imprensa Portuguesa, 1972. 7p.

Caminhos da convivência brasileira. [separata]
Revista Ocidente, 84. Lisboa: [s.ed.], 1973.

Meu amigo Thaville: evocações e panorama.
Rio de Janeiro: Editora Pongetti, 1974. 48p.

Mitos brasileiros.
Rio de Janeiro: MEC, 1976. Cadernos de Folclore, 6. 24p.

Imagens de Espanha no popular do Brasil. [separata]
Revista de Dialectología y Tradiciones Populares, 32. Madrid: C. Bermejo, 1976. 9p.

Mouros e judeus na tradição popular do Brasil.
Recife: Governo do Estado de Pernambuco, Departamento de Cultura/SEC, 1978. 45p.

Breve História do Palácio Potengi.
Natal: Fundação José Augusto, 1978. 48p.

Década de 1990

Jararaca. [separata]
Mossoró: ESAM, 1990. Coleção Mossoroense, série B, n. 716. 13p.

Jesuíno Brilhante. [separata]
Mossoró: ESAM, 1990. Coleção Mossoroense, série B, n. 717. 15p.

Mossoró e Moçoró. [separata]
Mossoró: ESAM, 1991. 10p.

Acari, Caicó e Currais Novos. [separata]
Revista Potyguar. Mossoró: ESAM, 1991.

Caraúbas, Assú e Santa Cruz. [separata]
Revista Potyguar. Mossoró: ESAM, 1991. 11p.
Edição atual – Mossoró: ESAM, 1991. Coleção Mossoroense, série B, n. 1.047. 11p.

A carnaúba. [fac-símile]
Revista Brasileira de Geografia. Mossoró: ESAM, 1991. 61p.
Edição atual – Mossoró: ESAM, 1998. Coleção Mossoroense, série C, v. 996.
61p.

Natal. [separata]
Revista Potyguar. Mossoró: ESAM/FGD, 1991.

Mossoró e Areia Branca. [separata]
Revista Potyguar. Mossoró: ESAM/FGD, 1991. 17p.

A família norte-rio-grandense do primeiro bispo de Mossoró.
Mossoró: ESAM/FGD, 1991.

A "cacimba do padre" em Fernando de Noronha.
Natal: Sebo Vermelho, Fundação José Augusto, 1996. 12p.

O padre Longino, um tema proibido.
Mossoró: ESAM, 1998. Coleção Mossoroense, série B, n. 1.500. 11p.

Apresentação do livro de José Mauro de Vasconcelos, Banana Brava, romance editado pela AGIR em 1944.
Mossoró: ESAM, 1998. Coleção Mossoroense, série B, n. 1.586. 4p.

História da alimentação no Brasil. [separata]
Natal: Edições do IHGRN, 1998. 7p.

Cidade do Natal.
Natal: Sebo Vermelho, 1999. 34p.

O outro Monteiro Lobato. [Acta Diurna]
Mossoró: Fundação Vingtun Rosado, 1999. 5p.

Década de 2000

O marido da Mãe-d'água. A princesa e o gigante.
2. ed. São Paulo: Global, 2001. 16p. Coleção Contos de Encantamento.

Maria Gomes.
3. ed. São Paulo: Global, 2002. 16p. Coleção Contos de Encantamento.

Couro de piolho.
3. ed. São Paulo: Global, 2002. 16p. Coleção Contos de Encantamento.

A princesa de Bam3buluá.
3. ed. São Paulo: Global, 2003. 16p. Coleção Contos de Encantamento.

La princesa de Bambuluá.
São Paulo: Global, 2006. 16p. Colección Cuentos de Encantamientos.

El marido de la madre de las aguas. La princesa y el gigante.
São Paulo: Global, 2006. 16p. Colección Cuentos de Encantamientos.

O papagaio real.
São Paulo: Global, 2004. 16p. Coleção Contos de Encantamento.

Facécias: contos populares divertidos.
São Paulo: Global, 2006. 24p.